L'Homme et la Mort

Ouvrages de Edgar Morin

ANTHROPOLOGIE FONDAMENTALE

Le Paradigme perdu : la nature humaine
Éd. du Seuil, 1973

Le Cinéma ou l'homme imaginaire
Éd. de Minuit, 1956

SOCIOLOGIE CONTEMPORAINE

L'An zéro de l'Allemagne
La Cité universelle, 1946

Les Stars
Éd. du Seuil, nouvelle édition, 1972

Commune en France : la métamorphose de Plodemet
Fayard, 1967

Mai 1968 : la brèche
en collaboration avec Claude Lefort et Jean-Marc Coudray
Fayard, 1968

La Rumeur d'Orléans
Éd. du Seuil, nouvelle édition complétée avec la Rumeur d'Amiens, *1973*

L'Esprit du temps
Grasset, nouvelle édition, 2 vol., 1976

POLITIQUE

Autocritique
réédition, Éd. du Seuil, 1970

Introduction à une politique de l'Homme,
*suivi d'*Arguments politiques
Éd. du Seuil, coll. « l'Histoire immédiate », 1965
*non suivi d'*Arguments politiques, *avec une nouvelle postface*
Éd. du Seuil, coll. « Politique », 1969

DE BOUCHE A BOUCHE

Le Vif du sujet, *Éd. du Seuil, 1969*

Journal de Californie, *Éd. du Seuil, 1970*

CINÉMA

Chronique d'un été
en collaboration avec Jean Rouch
Film : Argosfilms, 1961
Texte : Intercontinental du spectacle, 1962 (Losfeld diffusion)

Edgar Morin

L'Homme et la Mort

Éditions du Seuil

ISBN 2-02-004488-9 ÉDITION REVUE ET AUGMENTÉE
(ISBN 2-02-002704-6 1re PUBLICATION)

à Violette

Introduction

1976

Si j'avais aujourd'hui à réécrire ce livre, je remanierais profondément l'Introduction générale en fonction des conceptions bio-anthropologiques que j'ai exposées dans le Paradigme perdu[1].

Je partirais surtout, non du caractère étonnant, paradoxal et scandaleux de la mort par rapport à l'ordre vivant, mais du caractère étonnant, paradoxal et scandaleux de la vie par rapport à l'ordre physique. Le problème premier est : étant donné que l'organisation physico-chimique est soumise à un principe de dégradation, de désintégration et de dispersion irrévocable, comment se fait-il qu'il y ait vie, sorte de remontée du cours de l'entropie croissante, qui obéit pourtant au principe de dégradation puisque tous les vivants sont des mortels. L'état « naturel », pour des milliards de molécules combinant carbone, oxygène, hydrogène, azote, est dans la dispersion qui survient après la mort de l'animal et non leur organisation associative durant la vie. Ici, devrait intervenir une réflexion sur le phénomène d'organisation dans le physis et le cosmos. Cette réflexion fait l'objet du premier tome de mon ouvrage : la Méthode *(à paraître).*

Mais surtout, si j'avais à réécrire ce livre, je poserais le paradoxe de la vie (déjà bien vu par Bergson), mais pour opposer radicalement l'ordre biologique à l'ordre physique dans sa relation intime, à la fois complémentaire, concurrente et antagoniste avec la mort. *J'essaierais d'expliciter et de démontrer ce qui me semble être aujourd'hui la formule la plus évidente, la plus riche, la plus dense concernant la relation entre la vie et la mort, le « vivre de vie, mourir de mort » héraclitéen.*

La constante dégradation des composants moléculaires et cellu-

1. Le Paradigme perdu : la nature humaine, *Ed. du Seuil, 1973.*

laires est l'infirmité qui permet la supériorité du vivant sur la machine. Elle est source du constant renouvellement de la vie. Elle ne signifie pas seulement que l'ordre vivant se nourrit de désordre. Elle signifie aussi que l'organisation du vivant est essentiellement réorganisation permanente.

Le nœud de la complexité biologique, c'est le nœud gordien entre destruction interne permanente et auto-poiesis, entre le vital et le mortel. Alors que la « solution » simple de la machine est de retarder le cours fatal de l'entropie par la haute fiabilité de ses constituants, la « solution » complexe du vivant est d'accentuer et d'amplifier le désordre pour y puiser le renouvellement de son ordre. La vie fonctionne avec le désordre, à la fois le tolérant, s'en servant et le combattant, dans une relation à la fois antagoniste, concurrente et complémentaire.

La réorganisation permanente, l'auto-poiesis constituent des catégories applicables à tout l'ordre biologique et, a fortiori, *à l'ordre sociologique humain. Une cellule est en état d'autoproduction permanente à travers la mort de ces cellules (qui, etc.) ; une société est en état d'autoproduction permanente à travers la mort de ses individus (qui, etc.) ; elle se réorganise sans cesse à travers désordres, antagonismes, conflits qui, à la fois, minent son existence et entretiennent sa vitalité.*

Donc, dans tous les cas, le processus de désorganisation/dégénérescence participe au processus de réorganisation/régénération. La désorganisation devient un des traits fondamentaux du fonctionnement, c'est-à-dire de l'organisation du système. Les éléments de désorganisation participent à l'organisation comme le jeu désorganisateur de l'adversaire, dans un match de football, est un constituant indispensable du jeu de l'équipe, lequel, intégrant l'application de règles impératives (comme le sont les instructions du code génétique) dans une stratégie souple suggérée par les aléas du combat, devient capable des constructions combinatoires les plus riches.

Ainsi, examinant la sociologie de la mort, j'apporterais un nouvel angle de vue qui manque, me semble-t-il, à mon livre. Je m'efforcerais de montrer que la société fonctionne non seulement malgré la mort et contre la mort (en sécrétant notamment une formidable néguentropie imaginaire où la mort est niée et refoulée), mais qu'elle n'existe en tant qu'organisation que par, avec et dans la mort. L'existence de la culture, c'est-à-dire d'un patrimoine collectif de savoirs, savoir-faire, normes, règles organisationnelles, etc., n'a de sens que parce que les anciennes générations meurent et qu'il faut sans cesse la transmettre aux nouvelles générations. Elle n'a de sens que comme reproduction, et ce terme de reproduction prend son plein sens en fonction de la mort.

Ceci étant, ce qui me semble aujourd'hui encore neuf et intéressant est l'idée qu'il existe, dans toute l'histoire multimillénaire et la diaspora intercontinentale de l'humanité, deux mythes fondamentaux de la mort, seulement deux, que toutes les conceptions de la mort en sont des combinaisons, des développements, des transformations. Je parle donc de ma tentative théorique dans la première partie, « Les conceptions premières de la mort », et, dans la deuxième, « Les cristallisations historiques de la mort », des prolongements de ces conceptions.

Je maintiens à peu près les analyses contemporaines de la troisième partie. Mais il est clair que j'aurais à ajouter, dans l'examen de la crise contemporaine de la mort, une réflexion sur le retour de la mort qui s'est ébauchée depuis 1975 en France[2].

J'avais noté que, refoulée de plus en plus durant les dernières décennies de la civilisation occidentale, la mort n'avait cessé de fermenter sous forme d'angoisses prenant des masques divers, et qu'elle était devenue d'autant plus abominable qu'elle paraissait inavouable, d'autant plus insensée qu'elle était impensée.

Or, le propre de la crise culturelle profonde qui se creuse dans les années soixante[3] *a été de faire resurgir les uns après les autres les grands Refoulés. L'avant-dernier fut le sexe. Le dernier est la mort. Certes, de même que le sexe, dans son dévoilement même, a été remythifié, réasservi, mais autrement, réexploité et réintégré, mais autrement, de même la mort sera à nouveau, et autrement, exploitée et mythifiée, et nous verrons apparaître une nouvelle*

2. *Dont les livres d'Ariès, de Thomas, de Ziegler, sont à la fois les témoins et les acteurs ; le livre de Ziegler*, les Vivants et la Mort *(Ed. du Seuil, 1975), établit l'interaction forte entre la problématique de la science anthropo-sociologique, d'une part, et, d'autre part, notre praxis et notre existentialité.*

3. *Que je traite dans* l'Esprit du temps, *t. 2 :* Nécrose, *Grasset 1975.*

espèce de thanatophages. Mais le retour de la mort est un grand événement de civilisation *et le problème de convivre avec la mort va s'inscrire de plus en plus profondément dans notre vivre. Ceci débouche sur un comment-vivre, dont la dimension est à la fois personnelle et sociale. Une fois encore, le chemin de la mort doit nous conduire plus profond dans la vie, comme le chemin de la vie doit nous conduire plus profond dans la mort.*

Ici, je continue à souscrire aux nouvelles conclusions que j'avais apportées lors de la réédition de 1970. Mais je les prolongerai dans ce sens : une réforme de la mort ne peut être que l'autre face d'une réforme de la vie.

Edgar Morin, avril 1976

Préface à la deuxième édition

1970

Les sciences de l'homme négligent toujours la mort. Elles se contentent de reconnaître l'homme à l'outil (homo faber), *au cerveau* (homo sapiens), *au langage* (homo loquax). *Pourtant l'espèce humaine est la seule pour qui la mort est présente au cours de la vie, la seule qui accompagne la mort d'un rituel funéraire, la seule qui croit en la survie ou la renaissance des morts.*

La mort introduit entre l'homme et l'animal une rupture plus étonnante encore que l'outil, le cerveau, le langage. Bien des espèces disposent, avec leurs membres, d'un quasi-outillage, et ce qui différencie l'homme c'est l'outil fabriqué, séparé du corps. L'intelligence corticale de l'homme est le fruit d'une évolution qui se poursuivait chez les espèces supérieures. Le langage, qui porte en lui ce qu'il y a de plus révolutionnaire dans l'homme, est aussi ce qui le rattache au noyau originel de toute vie : comme l'a noté avec force Jakobson[1], *le langage humain retrouve des propriétés originaires dont dispose le code génétique, et il peut être considéré comme le développement phonétique et social de l'idiome neuro-chimique qui gouverne et perpétue l'être vivant. Ainsi, l'outil, le cerveau, le langage nous renvoient chacun et ensemble à une continuité et à une mutation. Toutes ces « qualités » peuvent être considérées comme des méta-phores ou des méta-morphoses de qualités proprement biologiques. Mais la mort — c'est-à-dire le refus de*

1. R. Jakobson, *Linguistics in relation to other Sciences,* Report in the Plenary Session of Tenth Congress of Linguistics, Buçarest, 30 août 1967.

la mort, les mythes de la survie, la résurrection, l'immortalité — que nous dit-elle de la qualité spécifiquement humaine et de la qualité universellement biologique ? Quelle continuité sous cette rupture ? Quelle rupture sous cette continuité ? La mort n'oblige-t-elle pas à repenser l'anthropologie et à méditer la biologie ?

Mais qu'est-ce que l'anthropologie ? Le sens où j'entendais ce terme était étranger à la science académique en 1950, où il désignait un petit secteur disciplinaire et non l'unité des sciences de l'homme. Il est aujourd'hui étranger à la nouvelle science académique, où l'unité des sciences de l'homme n'est vue que sous l'attaque dite structurale. En 1950, je m'étais efforcé de lier Marx et Freud, ce qui était insane. Aujourd'hui, Marx et Freud ont été réconciliés, mais la nouvelle combinaison chromosomique a donné des rejetons tout à fait différents du mien. Je demeure insane. Bref, la situation a beaucoup changé mais non ma marginalité. Il me faut donc, à grands traits, indiquer ce que j'entends par anthropologie.

1. L'anthropologie est la science du phénomène humain. A la différence des disciplines qui découpent des portions d'entendement dans le phénomène, l'anthropologie considère l'histoire, la psychologie, la sociologie, l'économie, etc., non comme des domaines mais comme des composantes ou dimensions d'un phénomène global. Tout phénomène doit être considéré dans son unité fondamentale (ici l'homme) et sa diversité non moins fondamentale (les hommes de différents caractères, différents milieux, différentes sociétés, différentes civilisations, différentes époques, etc.). L'anthropologie (comme la biologie) est une phénoméno-logie : *elle doit, non seulement reconnaître un univers phénoménal, mais aussi discerner les principes qui le constituent ou le gouvernent, les forces qui le travaillent...*

2. Toute science se développe sur un double axe, structural et historique. La physique est elle-même historique dans sa dimension cosmologique. Il y a une *histoire universelle à partir d'un accident explosif, qui a produit quasars et galaxies, dont la voie lactée où est* né *le soleil, où la terre s'est* formée, *où la vie est* apparue.

La biologie est à la fois une science structurale (principes d'organisation des êtres vivants) et une science historique (génétique-évolution). La vie est un événement improbable issu d'innombrables réactions prébiotiques qui ont, au bout d'un milliard d'années, amené la formation du premier nucléo-protéiné, lequel a évolué pendant deux milliards d'années sous des millions de formes dont l'une a produit l'homme. La biologie est impensable sans cette histoire qu'elle nomme évolution. Pourquoi l'anthropologie devrait-elle être la seule science qui dédaigne l'histoire ?

3. Faire une recherche structuralo-historique ne signifie pas que l'on cherche d'un côté des structures et que, de l'autre, on les trempe dans l'histoire. Elle consiste à localiser les principes organisateurs à partir desquels se développent ou dépérissent les systèmes. Ces principes semblent devoir être associés, le plus souvent, par couples antagonistes. Emergeant dans le devenir et déterminant le devenir, ils sont intelligibles dans l'histoire et rendent intelligible l'histoire. Mais attention, l'histoire (du monde, de la vie, de l'homme) ne peut être conçue comme le simple développement d'une logique s'incarnant dans les phénomènes à travers le temps, à la manière hégélienne. Certes, l'histoire est en partie hégélienne, mais aussi elle est antihégélienne : événements, accidents, aléas, modifient, accélèrent ou brisent les processus phénoméno-logiques, et participent également à la constitution de nouveaux principes. *Aussi, l'histoire biologique comme l'histoire humaine n'est pas celle d'un développement mais celle d'une cascade de développements. C'est une histoire fragmentée, désordonnée et disloquée.*

Pourtant cette histoire fragmentée, désordonnée, disloquée, est une. *Sous des formes innombrables, suivant des aventures divergentes, dans des conditions hétérogènes, ce sont les mêmes principes fondamentaux qui sont à l'œuvre, ici les principes biotiques, là les principes anthropologiques. Les principes anthropologiques travaillent à travers l'espace et le temps. Les structures archaïques demeurent sous les structures évoluées.*

4. L'anthropologie génétique, c'est la recherche des principes organisateurs ou dynamiques spécifiques, c'est la conscience du substrat archaïque commun à toutes les évolutions, c'est la rencontre des multiples possibilités endogènes de l'anthropos avec les conditions écologiques, les circonstances, les événements, les aléas.

5. Il y a une histoire cosmologique avec un rameau biologique, une histoire biologique avec un rameau anthropologique. Il y a, au sein de l'histoire cosmologique comme au sein de l'histoire biologique, des *évolutions au sein desquelles jouent le processus, l'accident, l'alternative, la singularité. L'histoire n'apparaît pas avec l'homme. Elle s'accélère, s'épanouit avec l'homme. Contrairement à la vision disciplinaire qui isole, nous sommes fascinés par l'engrenage de la* physis *au* bios, *du* bios *à l'*anthropos. *Ce n'est pas par hasard si la biologie a été fécondée, pour faire sa révolution actuelle, par la chimie et la physique. Et je suis persuadé que c'est le développement de la biologie qui pourra, un jour, féconder la sociologie.*

De tout ceci se dégagent les deux traits à mon avis essentiels de ce livre.

Tout d'abord, j'ai voulu dégager une anthropologie, selon la vision esquissée ci-dessus, à la fois dans la continuité et la rupture avec l'évolution biologique. *Après* l'Homme et la Mort, *j'avais fini par oublier ce qui était peut-être le plus intéressant de mon entreprise, l'effort pour élucider la relation anthropo-biotique. Je l'avais oublié à ce point que dans le livre où j'essaie de revenir à l'essentiel, de réinterroger et de réinsérer l'homme, j'ébauche une anthropo-cosmologie, mais en négligeant totalement l'élément clef, l'élément biotique. Toutefois, dans mes recherches de ces dernières années* (Théorie de la nation, Plodemet, la Brèche), *le* bios *revenait sous forme d'intuitions, de métaphores, de détournements (pas toujours heureux) de vocabulaire. Il m'a fallu cette chance, non pas prédestinée mais postdestinée, me renvoyant à mon destin théorique (égaré en cours de route), la chance d'être au* Salk Institute for Biological Research *pour réfléchir précisément sur la relation biologie-sociologie. Or, c'est en ce moment où l'anthropo-socio-biologie m'oriente, que je suis amené à rééditer le livre qui portait l'embryon de cette entreprise. C'est dire qu'aujourd'hui je suis disposé, non seulement à confirmer, mais à accentuer l'orientation bio-anthropologique de* l'Homme et la Mort. *Contrairement au sociologisme et au culturalisme qui règnent toujours, il n'y a pas une muraille entre nature et culture, mais un engrenage de continuités et discontinuités. Du reste, les travaux, aussi bien de psycho-sociologie des animaux supérieurs que de préhistoire humaine, nous suggèrent, les uns que la plupart des traits culturels ont leur ébauche dans les groupements animaux, les autres que la culture n'a pas jailli, structure royale, armée de pied en cap comme une Minerve, mais qu'une dialectique bio-culturelle a constitué l'homme, au cours de laquelle l'émergence de traits culturels comme le langage précèdent et conditionnent l'achèvement biologique de l'homme (hypothèse de Jacques Monod). D'autre part, il me suffit de pousser plus fort et plus loin la dialectique du progressif-régressif que je mets en avant dans ce livre pour me retrouver en accord avec ma conviction d'aujourd'hui : l'homme,* parce qu'il *est le produit le plus évolué de la vie, en retrouve les principes originaires et fondamentaux, précisément en dépassant la sphère nucléo-protéinée dans la noo-sociosphère, et est jusqu'à présent l'être biotique par excellence.*

La mort se situe exactement dans la charnière bio-anthropologique. C'est le trait le plus humain, le plus culturel de l'anthropos. *Mais si, dans ses attitudes et croyances devant la mort, l'homme se distingue le plus nettement des autres êtres vivants, c'est là même où il exprime ce que la vie a de plus fondamental.* N*on pas tant le vouloir-vivre, ce qui est un pléonasme, mais le système même du vivre. En effet, les deux mythes fondamentaux, mort-renaissance et « double », sont des transmutations, des projections fantasmatiques et noologiques des structures de la reproduction, c'est-à-dire des deux façons dont la vie* survit *et* renaît : *la duplication et la fécondation. La mort-renaissance est certes une vague métaphore du cycle biologique végétal ; pourtant elle exprime non plus l'analogie mais la « loi » du cycle animal marquée par la mort des individus et la renaissance permanente des espèces.*

Le double, lui, correspond de façon extrêmement précise au mode fondamental et universel de reproduction. « Lorsqu'un chromosome, un centrosome ou un granulé ciliaire se multiplie, il ne se divise pas mais il construit une réplique semblable à lui-même. Il s'agit non pas d'une division mais de la fabrique d'une doublure » (*je souligne avec jubilation*). « *Ce phénomène a reçu le nom de duplication* [2]. *» Comme on le verra, le double (que fabrique quasi automatiquement l'expérience du reflet, du miroir, de l'ombre, le double, produit spontané de la conscience de soi) est un mythe universel. Pourquoi ne pas penser que ce mythe traduit de façon noo-fantasmatique un principe bio-génétique, et comment ne pas penser que* le moment de la mort est celui de la duplication imaginaire ?

Si les thèmes fondamentaux de la mort sont des transferts et métaphores mythiques de processus biotiques fondamentaux, c'est qu'ils remplissent la brèche anthropologique entre l'individu et l'espèce, répondent au refus de la mort, calment le traumatisme de la mort. Ici nous avons franchi la charnière anthropobiologique : nous sommes dans la nouvelle relation individu-espèce-société qui caractérise l'homme, où la promotion de l'individu perturbe cette relation de façon fondamentale et universelle mais aussi de façons diverses ou relatives selon les configurations socio-historiques (car en anthropologie l'universel est toujours sous *le particulier).*

Ainsi le premier trait essentiel de cette étude est la relation anthropo-biologique. Le second est constitué par une sorte de « double hélice », modèle bipolarisé commandant l'infinie variété et les avatars des croyances sur la mort. C'est en effet à partir de la thématique à deux branches, double *et* mort-renaissance, *que se sont développées toutes les combinaisons des croyances et idéologies de la mort.*

Il s'agit là d'un principe « structural », mais non selon le modèle linguistique formalisé. Chacun des deux thèmes est sémantique, chargé de symbolisme et de « réminiscences ». Structure dynamique ? Principe dialectique ? L'un et l'autre, puisque l'un est l'autre. Et il se développe non pas en vase clos, par la simple logique interne, mais dans le processus historique multidimensionnel, dans la stimulation, l'excitation, la nécessité et l'accident... Tout l'ouvrage est une tentative pour dégager,

2. Albert Vandel, *la Genèse du Vivant,* Paris, 1969, p. 51.

dans cet esprit à la fois très fortement anthropologisé et très fortement événementiélisé, une théorie de ce qu'est la mort pour l'homme vieux.

Voici pourquoi je réassume ce livre, vieux de plus de vingt ans[3]*, plus qu'aucun autre. Et voici pourquoi, bien que j'aie fait de nombreuses corrections pour cette édition, je n'ai pas apporté de remaniements importants, sauf celui que je vais dire plus loin. Mais je sais pourtant qu'il aurait été utile d'y travailler plus encore : il y a, depuis vingt ans, un remarquable apport de psycho-sociologie animale, de travaux historiques, ethnographiques et, dans le domaine philosophique, l'admirable méditation de Vladimir Jankelevitch. J'aurais pu — dû ! — enrichir ce travail, le rendre plus érudit et consultable (avec bibliographie et index). J'ai renoncé à ce finissage parce que d'autres travaux se pressent dans ma tête. Ce que j'ai fait, c'est un nouveau dernier chapitre, conservant l'ancien, non seulement par coquetterie ou perversion auto-ironique, mais pour répéter une fois de plus cette vérité évidente et toujours oubliée, que les chemins de l'objectivité passent par la reconnaissance et l'aveu de la subjectivité de l'auteur.*

Mais si je me distancie de mon ex-dernier chapitre, je confirme du moins l'idée finale : au cas où l'humanité surmonterait la crise planétaire, elle effectuerait la mutation que l'on appelle ou l'on devine sous le nom encore timide, approximatif et souvent égaré de Révolution.

Edgar Morin, avril 1970

3. La première édition de ce livre a paru en 1951 chez Buchet et Chastel. Ma reconnaissance à leur égard, ainsi qu'à l'égard d'Olga Wormser, qui me fit commande et confiance en un temps où de tous côtés j'inspirais méfiance, demeure toujours aussi vive. Je voudrais les remercier ici, au moment où je remercie Paul Flamand d'avoir entrepris cette réédition.

Avant-propos

La Rochefoucauld disait que le soleil ni la mort ne peuvent se regarder en face. Depuis, les astronomes, avec les ruses infinies de leur science — de toute science — ont pesé le soleil, mesuré son âge, annoncé sa fin. Mais la science est restée comme intimidée et tremblante devant l'autre soleil, la mort. La remarque de Metchnikoff garde sa vérité : « Notre intelligence devenue si hardie, si active, a travaillé à peine à la mort. »

A peine, parce que l'homme, tantôt renonce à regarder la mort, la met entre parenthèses, l'oublie comme on finit par oublier le soleil, tantôt au contraire la regarde de ce regard fixe, hypnotique, qui se perd dans la stupeur et d'où naissent les mirages. L'homme, qui a trop négligé la mort, a également trop voulu la regarder en face, au lieu d'essayer de l'envelopper avec sa ruse.

Encore innocent, il n'a pas su que cette mort à qui il a adressé tant de cris et de prières n'était autre que sa propre image, son propre mythe, et qu'en croyant la regarder il se fixait lui-même.

Et surtout il n'a pas vu que le mystère premier était, non pas la mort, mais son attitude devant la mort (on ne sait rien de la psychologie de la mort, dit Flugel). Il a cru cette attitude évidente, au lieu d'en chercher les secrets.

Il faut donc renverser l'optique, renverser les évidences, chercher la clef là où l'on croyait la serrure, frapper aux portes de l'homme avant de frapper aux portes de la mort. Il faut déceler les passions profondes de l'homme devant la mort, considérer le mythe dans son humanité et considérer l'homme lui-même comme gardien inconscient du secret. Alors, et alors seulement, on pourra s'adresser à la mort nue, débarbouillée, défardée, déshumanisée, et la cerner dans sa pure réalité biologique.

Si donc l'on veut sortir du rabâchage de la mort, de l'ardent soupir qui attend la douce révélation religieuse, du manuel de sereine sagesse, de l'essai « pathétique », de la méditation métaphysique où l'on exalte les bienfaits transcendants de la mort à moins qu'on ne gémisse sur ses méfaits non moins transcendants, si l'on veut sortir du mythe, de la fausse évidence comme du faux mystère, il faut coperniciser *la mort.*

Ceci indique que ce n'est pas à une seule description psychologique qu'invite notre démarche, mais à une science totale qui nous permettra seule de connaître simultanément la mort par l'homme et l'homme par la mort.

Cette science totale, dont le devoir est d'utiliser dialectiquement et d'une façon critique toutes les sciences humaines et naturelles pour rendre compte de la production progressive de l'homme par lui-même, nouvelle dans la mesure où nous aurons su concrètement *envisager l'histoire dans sa réalité humaine et l'homme dans sa réalité historique, nous l'appelons l'*anthropologie génétique.

Au début de cet ouvrage le lecteur pourra trouver nos démarches premières, tantôt trop lentes, du fait de notre souci apparemment excessif de réembrasser les évidences, tantôt par contre trop elliptiques, du fait de l'ampleur des interactions anthropologiques de la mort. Il est possible, quoique non souhaitable, de ne revenir à l'Introduction générale qu'après la lecture des quatre grandes parties de notre recherche.

Enfin, si l'on a bien voulu en arriver aux conclusions, on trouvera sans doute nos vues finales trop présomptueuses. Mais ces hypothèses révolutionnaires, de même que nos truismes et nos synthèses de départ, s'efforcent de rassembler, à partir des fragments d'homme et des fragments de mort qui jonchent le chemin de la connaissance, cet « homme total » qui veut changer le monde et la mort, et d'éclairer cet avenir possible où la mort doit changer.

Introduction générale
(anthropologie de la mort)

L'horreur de la mort.
Le risque de mort. Le meurtre.
L'immortalité.

I

Aux frontières du no man's land

Aux frontières du no man's land où s'est effectué le passage de l'état de « nature » à l'état d'homme, le passeport d'humanité en règle, scientifique, rationnel, évident, c'est l'outil : *homo faber.* Les déterminations et les âges de l'humanité sont ceux de son outillage.

Mais il est un autre passeport sentimental, qui ne fait l'objet de nulle méthodologie, de nulle classification, de nulle explication, un passeport sans visa, mais qui contient une révélation émouvante : la sépulture, c'est-à-dire le souci des morts, c'est-à-dire le souci de la mort. Un élan du cœur agite alors le savant préhistorien, ou anthropologiste : les hommes de Néanderthal « n'étaient pas les brutes que l'on a dit. Ils ont donné des sépultures à leurs morts », assure Eugène Pittard[1]. Et de son côté, spontanément, l'essayiste reconnaît en quelque sorte l'humain de l'humain : « Les premières indications sur la nouvelle orientation de l'homme ont été données par les outils de silex brut et les traces de foyer. Cependant d'autres preuves d'humanisation s'y joignirent bientôt et, selon nous, beaucoup plus frappantes : ce sont les sépultures. Non seulement l'homme de Néanderthal enterre ses morts, mais quelquefois il les rassemble (grotte des enfants près de Menton). Ce n'est plus une question d'instinct, mais déjà l'aube de la pensée humaine, qui se traduit par une sorte de révolte contre la mort[2]. » C'est la même réaction affective que l'on retrouve chez le géographe : « La géographie religieuse, c'est-à-dire essentiellement les pratiques concernant les

1. *Histoire des premiers hommes.*
2. Lecomte de Nouÿ, *l'Homme et sa destinée.*

morts, se trouve être la géographie la plus spécifiquement humaine [3]. »

On voit trop bien vers quelles platitudes pourrait nous entraîner, dans ce sens, la valorisation de la sépulture par rapport à l'outil : d'une part l'au-delà et la « spiritualité », et d'autre part l'ici-bas, la lutte à ras de terre, la matière. Coupons tout de suite les ailes à cette belle méditation : la mort primitive est tout aussi terre à terre que l'outil. Les morts sont à l'image des vivants ; ils ont nourritures, armes, chasses, désirs, colères,... une vie corporelle. Mais ne dévalorisons pas la sépulture par rapport à l'outil ; il serait trop simple d'opposer l'intelligence efficace, habile, inventive, toujours sur le qui-vive, qui transforme l'homme en homme, à l'erreur infirme, qui imagine l'au-delà...

Il faut saisir l'outil et la mort dans leur contradictoire et simultanée présence au sein de la réalité humaine première. Quoi de commun entre l'outil qui fraie sa voie dans le monde réel en obéissant aux lois de la matière et de la nature, et la sépulture qui, s'ouvrant dans le monde fantastique de la survie des morts, dément de la façon la plus incroyable, la plus naïve, l'évidente réalité biologique ? L'humanité certes. Mais qu'est-ce que l'humain ?

Il sert peu de déclarer que l'outil humanise la nature et que la survie humanise la mort, tant que l'humain demeure un concept à courants d'air. Nous ne pourrons comprendre l'humanité de la mort qu'en comprenant la spécificité de l'humain. Nous pourrons seulement alors voir que la mort, comme l'outil, affirme l'individu, le prolonge dans le temps comme l'outil dans l'espace, s'efforce également de l'adapter au monde, exprime la même inadaptation de l'homme au monde, les mêmes possibilités conquérantes de l'homme par rapport au monde.

Ce que dit l'immortalité préhistorique.

Aux frontières donc du no man's land anthropologique, la donnée première, fondamentale, universelle de la mort humaine, est la sépulture.

3. Deffontaines, *Géographie des religions.*

Les morts moustériens sont enterrés ; des pierres sont amoncelées sur leurs dépouilles, recouvrant particulièrement le visage et la tête. Plus tard, semble-t-il, le mort est accompagné de ses armes, d'ossements, de nourriture. Le squelette est badigeonné d'une matière couleur de sang. Les pierres funéraires sont-elles là pour protéger le mort des animaux, ou pour l'empêcher de revenir parmi les vivants ? Toujours est-il que déjà le cadavre humain a suscité des émotions qui se sont socialisées en pratiques funéraires, et que cette conservation du cadavre implique une prolongation de vie. Le non-abandon des morts implique leur survie.

Il n'existe pratiquement aucun groupe archaïque, aussi « primitif [4] » soit-il, qui abandonne ses morts ou qui les abandonne sans rites. Ainsi, par exemple, si les Koriaks de l'Est sibérien jettent leurs morts à la mer, ceux-ci sont *confiés* à l'océan, et non pas délaissés.

L'ethnologie nous montre que partout [5] les morts ont été ou sont l'objet de pratiques qui correspondent toutes à des croyances concernant leur survie (sous forme de spectre corporel, ombre, fantôme, etc.) ou leur renaissance. Frazer, à qui nous devons le plus monumental catalogue des croyances concernant les morts, conclut un de ses ouvrages [6] en ces termes : « Il est impossible de ne pas être frappé par la force, et peut-être devrions-nous dire, par l'universalité de la croyance en l'immortalité. » Cette immortalité, Frazer la définit exactement comme « *prolongation de la vie pour une période indéfinie, mais pas nécessairement éternelle* » (l'éternité est une notion abstraite et tardive). Ainsi, les pratiques concernant les cadavres, la croyance en une vie propre des morts se manifestent à notre connaissance comme des phénomènes humains premiers au même titre que l'outil.

4. Par commodité, nous dirons le plus souvent archaïque plutôt que primitif, en ce qui concerne les civilisations les moins évoluées que l'on connaisse. La véritable humanité primitive s'est constituée à l'intérieur de ce que nous appelons le « no man's land anthropologique ».
5. Addison, *la Vie après la mort ;* Deffontaines, *Géographie des religions.*
6. *La Croyance en l'immortalité et le Passage dans la mort.*

La mort est donc, à première vue, une sorte de vie, qui prolonge, d'une façon ou d'une autre, la vie individuelle. Elle est, selon cette perspective, non pas une « idée », mais une « image » comme dirait Bachelard, une métaphore de la vie, un mythe si l'on veut. Effectivement la mort, dans les vocabulaires les plus archaïques, n'existe pas encore comme concept : on en parle comme d'un sommeil, d'un voyage, d'une naissance, d'une maladie, d'un accident, d'un maléfice, d'une entrée dans le séjour des ancêtres, et le plus souvent de tout cela à la fois (cf. première partie, chap. I et II).

Cette immortalité suppose cependant, non pas l'ignorance de la mort, mais au contraire la reconnaissance de son événement. Si la mort, comme état, est assimilée à la vie, puisque remplie par des métaphores de vie, elle est, lorsqu'elle survient, saisie précisément comme un changement d'état, un « quelque chose » qui modifie l'ordre normal de la vie. On reconnaît que le mort n'est plus un vivant ordinaire puisqu'il est transporté, traité selon des rites spéciaux, enterré ou brûlé. Il existe donc une conscience réaliste de la mort incluse dans le donné préhistorique et ethnologique de l'immortalité : non pas la conscience de l' « essence » de la mort, celle-ci n'a jamais été connue et ne le sera jamais, puisque la mort n'a pas « d'être » ; mais de la réalité de la mort : si la mort n'a pas « d'être », elle est réelle cependant, elle arrive ; cette réalité trouvera par la suite son nom propre : la mort, et par la suite encore sera reconnue comme loi inéluctable : en même temps qu'il se prétendra immortel, l'homme se nommera mortel.

Ainsi la même conscience nie et reconnaît la mort : elle la nie comme anéantissement, elle la reconnaît comme événement. Certes une contradiction semble déjà en germe à l'intérieur de ces données premières de la conscience. Mais cette contradiction ne nous aurait pas pour le moment arrêtés, si entre la découverte de la mort et la croyance en l'immortalité, au cœur de cette indivision originaire, il n'y avait, non moins originairement, une zone de trouble et d'horreur.

« O mort difforme et affreuse à voir... »

On pourrait déjà soupçonner, mais non déceler, l'existence de cette zone de trouble, à partir du fait brut de la sépulture préhistorique. On pourrait également la soupçonner à partir de certaines « métaphores » archaïques qui interprètent le fait de mourir comme une maladie, un accident ancestral devenu héréditaire, un sort infligé par un sorcier ou un dieu [7], un raté ou un mal.

Mais il y a plus. Se situant entre le moment de la mort et le moment de l'acquisition de l'immortalité, les *funérailles* (dont la sépulture n'est qu'un des aboutissements) en même temps qu'elles constituent un ensemble de pratiques qui à la fois consacrent et déterminent le changement d'état du mort, institutionnalisent un complexe d'émotions : elles reflètent les perturbations profondes qu'une mort provoque dans le cercle des vivants. *Pompa mortis magis terret quam mors ipsa,* disait toutefois Bacon. Les pompes de la mort terrifient plus que la mort elle-même. Mais cette pompe est issue de la terreur même. Ce ne sont pas les sorciers ou les prêtres qui rendent la mort terrible. C'est la terreur de la mort qu'utilisent les prêtres.

Il reste cependant une part de vérité dans l'aphorisme de Bacon : les pompes de la mort débordent le phénomène de la mort [8]. En effet certaines manifestations émotionnelles, provoquées à l'occasion des funérailles, correspondent aux excès auxquels conduit l'exaltation collective dans toute cérémonie sacrée, quelle qu'elle soit [9]. Quand, chez les Waramunga [10], les hommes

7. La malédiction biblique, consécutive au tabou violé (le fruit défendu), relève de ce type archaïque d'explications.

8. Il est d'ailleurs regrettable que ce soient ces seuls débordements qui aient intéressé la sociologie de l'école durkheimienne, qui en a fait la base de ses théories sur la mort. Erreur explicable : séparant l'individuel du social et cherchant obstinément l'explication du social par le social en soi, elle ne pouvait trouver que des explications sociales aux conduites inspirées par la mort.

9. P. de Félice, *Foules en délire. Extases collectives,* Albin Michel.

10. Spencer et Gillen, *Northern Tribes.*

et les femmes se précipitent sur le mourant en se mutilant atrocement, on peut aussi bien ramener ces phénomènes d'automutilation à la frénésie propre aux formes élémentaires de la mystique qu'au choc de la mort elle-même. Par ailleurs, l'expression des émotions funéraires, moulée dans un rituel défini et ostentatoire, peut soit déborder, soit ignorer les émotions réelles provoquées par la mort, soit leur donner un sens détourné. Ainsi l'ostentation de la douleur, propre à certaines funérailles, est destinée à prouver au mort l'affliction des vivants afin de s'assurer sa bienveillance. Chez certains peuples, c'est la joie qui est de mise à cette occasion : elle vise à montrer aux vivants comme au mort que celui-ci est bienheureux.

Mais déjà l'on peut pressentir que les grimaces de la douleur simulée impliquent une émotion originaire [11]. C'est cette même émotion que s'efforce de dissiper la joie officielle [12] dont on retrouve sans doute l'expression atrophiée dans le « pourquoi pleurer, il est plus heureux que nous maintenant » de nos condoléances [13].

Ainsi donc, nous pressentons un centre de perturbations spécifiques à la mort ; si nous voulons le cerner et le reconnaître, il nous faut dégager, parmi les perturbations funéraires, celles qui ont le caractère le plus violent, du fait qu'elles se prolongent dans cette institution archaïque non moins universelle que les funérailles : le deuil. Nous découvrons alors que l'*horreur de la décomposition du cadavre* les commande.

De cette horreur sont issues toutes les pratiques auxquelles eut recours l'homme, et ceci dès la préhistoire, pour hâter la décomposition (crémation et endo-cannibalisme), pour l'éviter (embaumement), ou pour l'éloigner (corps transporté ailleurs

11. Qui profite aujourd'hui de l'affaiblissement du rituel des funérailles pour se dérober à la cérémonie : c'est le « dans l'intimité ».

12. Joie exubérante et douleur exagérée n'en sont pas moins des sentiments qui deviennent réels dans la contagion collective de la cérémonie.

13. Nous ferons souvent allusion à nos funérailles actuelles parce qu'elles demeurent peut-être le phénomène le plus « primitif » de nos sociétés contemporaines. Nous verrons plus loin pourquoi.

ou fuite des vivants). L'impureté du corps en décomposition détermine, comme nous le verrons en détail plus loin, le traitement funéraire du cadavre.

La décomposition horrible d'autrui est ressentie comme contagieuse. Chez les Unalits de l'Alaska, les habitants du village se sentent tous mous le lendemain d'une mort (on dit en France : ça coupe bras et jambes) ; le jour suivant, ils se sentent un peu plus durs et le troisième jour ils sont sur la voie du rétablissement : le cadavre est en train de congeler. Aux îles Andaman, après une mort, les indigènes désertent le village pendant plusieurs mois, et y suspendent des guirlandes de feuilles pour avertir l'étranger du péril. Ils ne reviennent que lorsque les ossements se sont purifiés et célèbrent alors la cérémonie familiale qui clôt le deuil.

Une grande part des pratiques funéraires et postfunéraires vise à protéger de la mort contagieuse, même lorsque ces pratiques ne prétendent qu'à protéger seulement du mort, dont le spectre maléfique, lié au cadavre pourrissant, persécute les vivants : l'état morbide dans lequel se trouve le « spectre » au moment de la décomposition n'est que le transfert fantastique de l'état morbide des vivants. Comme l'a bien mis en relief Robert Hertz [14], la période du deuil correspond à la durée de la décomposition du cadavre. L' « impureté » du mort, c'est sa putréfaction, et le tabou d'impureté qui frappe les parents, obligés de se couvrir d'un signe distinctif ou de se cacher, est le deuil lui-même, c'est-à-dire la mise en quarantaine de la famille, où règne la contagion de la mort. Ainsi donc, les ondes les plus puissantes des perturbations qui se manifestent à travers les funérailles et le deuil ont pour foyer le cadavre qui pourrit, cette chose horrible, ce « je ne sais quoi qui n'a de nom en aucune langue ». Mais la décomposition du cadavre n'est pas la source unique des perturbations : la preuve en est qu'en dehors de la décomposition, en dehors des funérailles et du deuil, débordant sur toute la vie humaine, on peut déceler un système permanent d'obsessions et d'angoisses, que manifeste la prodi-

14. « Représentation collective de la mort », *Année sociologique 1905-1906.*

gieuse importance de l'*économie de la mort* au sein de l'humanité archaïque. Cette économie de la mort peut s'installer jusqu'au cœur de la vie quotidienne, et détourner sur elle la vie quotidienne [15]. Sur les hauts plateaux de Madagascar, les Kiboris construisent, toute leur vie durant, la maison en maçonnerie de leur mort. Un enterrement a souvent ruiné une famille chinoise, où les économies de toute une vie ont été détournées pour la construction de la maison du mort. Nombreuses sont les civilisations où les maisons des morts sont plus somptueuses que les maisons des vivants. A juste titre Bachofen a pu s'exclamer qu' « on a plutôt bâti pour les morts que pour les vivants ». Et que nous reste-t-il des anciens millénaires sinon essentiellement les monumentaux vestiges des tombeaux et des temples ? Ces verrues monstrueuses qui prolifèrent sur la vie humaine, cet esclavage qui finit par vivre les jours de sa mort, cette formidable solidification pathologique, nous disent clairement les ravages que provoque la présence cancéreuse de la mort.

De même on pourrait mettre au compte de cette présence obsessionnelle de la mort la présence obsessionnelle des morts, qui est un des aspects les plus évidents et les mieux connus de la mentalité archaïque. Les « esprits » (c'est-à-dire les morts) sont en effet présents dans la vie quotidienne, commandant la fortune, la chasse, la guerre, la récolte, la pluie, etc. Ils sont même présents dans le sommeil, ce qui est le test ultime de l'obsession. Parmi 117 songes d'Indiens d'Amérique du Nord, relevés par Miss Blackwood, on trouve 38 rêves de mort et de spectre de mort, 20 rêves de vie quotidienne, 18 rêves sexuels, etc. J.-S. Lincoln [16] confirme cette présence de la mort dans les rêves, mais l'interprète en fonction du complexe d'Œdipe, c'est-à-dire de l'obsession des parents.

Une telle interprétation, qui s'ajoute à toutes les interprétations existant déjà sur le rôle des « esprits » dans l'humanité archaïque, nous montre qu'il ne faut pas, *a priori,* essayer de ramener l'obsession des morts, qui la déborde de beaucoup,

15. Cf. Deffontaines, *Géographie des religions,* et Addison, *la Vie après la mort.*
16. *The Dreams in Primitive Culture.*

à l'obsession de la mort. Mais nous pouvons évidemment inférer qu'il n'y aurait pas eu d'obsession des morts si au départ il n'y avait eu la réalité perturbatrice de la mort. Et c'est cette réalité que l'on peut repérer, à l'état naissant pour ainsi dire, dans la conscience enfantine.

On a longtemps sous-estimé la présence de la mort chez l'enfant. Et pourtant, quoique celui-ci n'ait pas, du moins dans nos sociétés, l'expérience de la décomposition du cadavre, il connaît très tôt les angoisses et les obsessions de la mort. S. Anthony, dans son importante enquête [17], a pu dégager la puissance des émotions et les liens d'habitude que dès l'âge de sept ou huit ans la mort, lorsqu'elle lui devient une notion propre, suscite chez l'enfant. M. Thomas constate qu'en dépouillant des résultats d'histoires à compléter pour le dépistage des complexes enfantins, apparaît, dans 66 % des cas, un thème absolument étranger à ces histoires : la mort [18]. S. Morgenstern relate qu'une petite fille de quatre ans pleura vingt-quatre heures quand elle apprit que tous les êtres vivants devaient mourir. Sa mère ne put la calmer que par la promesse solennelle qu'elle, la petite fille, ne mourrait pas [19].

Déjà l'angoisse de la mort provoque des réactions magiques, des tabous. Tel enfant décide de ne jamais se raser, car les vieux (qui vont mourir) ont une barbe. Et lui n'aura pas de barbe puisqu'il ne se rasera pas. Pas de barbe, pas de vieillesse, pas de mort. Un autre ne veut pas toucher les fleurs qui demain se faneront. Plus tard vont venir les présages où l'angoisse de la mort essaiera de sonder l'avenir : les oiseaux de malheur, les meubles qui craquent, les nombres maléfiques. Et c'est au comble de cette angoisse qu'apparaissent, dans nos sociétés, le catéchisme et la promesse divine, qui correspondent à la promesse que font les parents : « Toi, tu ne mourras pas. »

Ainsi les données de l'économie de la mort, des funérailles,

17. *The Child Discovery of Death*, 1940.

18. « Méthodes des histoires à compléter pour le dépistage des complexes enfantins », *Arch. de psychologie*, Genève, 1937.

19. « La pensée magique chez l'enfant », *Revue française de psychanalyse*, 1937, p. 112.

du deuil, de la mentalité « primitive » comme de la mentalité enfantine à partir du moment où celle-ci « réalise » la mort, confirment conjointement de façon décisive l'existence d'un donné non moins élémentaire, non moins fondamental que la conscience de la mort et que la croyance en l'immortalité : ce sont les perturbations apportées par la mort dans la vie humaine, ce que l'on entend par « l'horreur » de la mort.

Même l'enfant, même le « primitif », même l'esclave comme dit Euripide, pensent à la mort et en ont horreur. Horreur à la fois bruyante et silencieuse, que l'on retrouvera avec ce double caractère tout au long de l'histoire humaine. Bruyante : elle éclate au moment des funérailles et du deuil, elle tonitrue du haut des chaires, clame dans les poèmes : « O spectacle de terreur ; mort difforme et affreuse à voir ; horrible à penser et combien horrible à souffrir » (*Paradis perdu,* liv. II). Silencieuse : elle ronge, invisible, secrète, comme honteuse, la conscience au cœur même de la vie quotidienne. Qui oserait en gémir dans la malédiction commune ? Chacun cache sa mort, l'enferme à double tour, de même que les juifs du ghetto de Vilna ou de Varsovie, se sachant condamnés par les nazis, continuaient à vaquer à leurs occupations, jouaient aux cartes, et chantaient. Il ne s'agit pas ici, quant à nous, de romantiser cette horreur, d'en faire le noyau rilkéen du fruit de la vie ; nous ne pouvons encore la mesurer, la situer concrètement au sein de la réalité humaine ; mais nous ne pouvons la diluer ; elle est, dans sa réalité perturbatrice [20], qui peut atteindre les plus grandes violences, « universelle dans l'humanité [21] ».

Cette horreur englobe des réalités en apparence hétérogènes : la douleur des funérailles, la terreur de la décomposition du cadavre, l'obsession de la mort. Mais douleur, terreur, obsession ont un dénominateur commun : la *perte de l'individualité.*

20. L'horreur de la mort est capable de tout : capable de conduire au suicide ou à la folie. Capable d'inspirer au moribond l'énergie inouïe qui le sauvera, ou au contraire de susciter chez l'homme sain une émotion telle qu'il en mourra, comme cet ancien que Fulpius cite, et qui ne peut supporter la lecture des livres médicaux sur la mort (*in* Hufeland : *Macrobiotique, ou science de la prolongation de la vie*).

21. J. Hasting, *Encyclopedia of Religions and Ethics.*

La douleur provoquée par une mort n'existe que si l'individualité du mort était présente et reconnue : plus le mort était proche, intime, familier, aimé ou respecté, c'est-à-dire « unique », plus la douleur est violente ; pas ou peu de perturbations à l'occasion de la mort de l'être anonyme, qui n'était pas « irremplaçable ». Dans les sociétés archaïques, la mort de l'enfant, où s'abîment pourtant toutes les promesses de la vie, suscite une réaction funéraire très faible. Chez les Cafres, la mort du chef provoque l'épouvante, tandis que la mort de l'étranger ou de l'esclave laisse indifférent. Ecoutons nos commérages : la mort d'une vedette de cinéma, d'un coureur cycliste, d'un chef d'Etat, ou du voisin de palier, est plus fortement ressentie que celle de dix mille Hindous au cours d'une inondation.

De même, la terreur de la décomposition n'est autre que la terreur de la perte de l'individualité. Il ne faut pas croire que le phénomène de la putréfaction en soi apporte l'épouvante, et maintenant nous pouvons préciser : là où le mort n'est pas individualisé, il n'y a qu'indifférence et simple puanteur. L'horreur cesse devant la charogne animale [22] ou celle de l'ennemi, du traître, que l'on prive de sépulture, que l'on laisse « crever » et « pourrir » « comme un chien », parce qu'il n'est pas reconnu comme homme. L'horreur ce n'est pas la charogne, mais la charogne du semblable, et c'est l'impureté de ce cadavre-là qui est contagieuse.

Il est évident que l'obsession de sa survie, souvent au détriment même de sa vie, révèle chez l'homme le souci lancinant de sauver son individualité par-delà la mort. L'horreur de la mort, c'est donc l'émotion, le sentiment ou la conscience de la perte de son individualité. Emotion-choc, de douleur, de terreur ou d'horreur. Sentiment qui est celui d'une rupture, d'un mal, d'un désastre, c'est-à-dire sentiment traumatique. Conscience enfin d'un vide, d'un néant, qui s'ouvre là où il y avait la plénitude individuelle, c'est-à-dire conscience traumatique.

22. Par la suite, pour une conscience obsédée par la mort, toute charogne évoquera la mort humaine. « Et pourtant, vous serez semblable à cette ordure... Etoile de mes yeux, soleil de ma nature... » (Baudelaire). Elle sera alors « horrible ».

Ce traumatisme au sein de la conscience de la mort c'est déjà, embryonnaire, *l'idée* de la mort (qui n'est autre que l'idée de la perte de l'individualité) étroitement associée à la conscience réaliste du fait de la mort. Cette idée s'oppose, tout en leur restant associée, aux métaphores de l'immortalité qui remplissent la mort d'un contenu de vie. L'idée de la mort proprement dite est une idée sans contenu, ou si l'on veut dont le contenu est le vide à l'infini. Elle est la plus creuse des idées creuses puisque son contenu, c'est l'impensable, l'inexplorable, le « je ne sais quoi » conceptuel qui correspond au « je ne sais quoi » cadavérique. Elle est l'idée traumatique, par excellence [23].

Le complexe de la perte de l'individualité est donc un complexe traumatique, qui commande toutes les perturbations que provoque la mort, et que nous appellerons dans cet ouvrage le *traumatisme de la mort.*

Le triple donné anthropologique.

Ainsi le traumatisme de la mort est un donné non moins fondamental que la conscience de l'événement de la mort et la croyance en l'immortalité ; nous avons donc affaire à un triple donné, originairement associé de la façon la plus intime : au sein de la chronologie archaïque, les perturbations funéraires s'intègrent exactement entre l'événement de la mort et l'acquisition de l'immortalité. La triple réalité sociologique renvoie à la triple réalité psychologique qui l'éclaire.

Ce traumatisme de la mort, c'est en quelque sorte toute la distance qui sépare la conscience de la mort de l'aspiration à l'immortalité, toute la contradiction qui oppose le fait brut de la

23. Il est donc insuffisant d'affirmer, comme Bachelard : « La mort est d'abord une image et elle reste une image. » (*La Terre et les Rêveries du repos,* p. 312). La mort, en données de conscience, apparaît, dès le stade archaïque, sous trois perspectives, liées et cependant différentes, qui se différencieront par la suite : 1. un fait à partir duquel on reconnaîtra la loi de la mort inévitable ; 2. un traumatisme qui pourra devenir une idée d'un type particulier, l' « idée » dont le contenu est vide, destruction ; 3. des images, qui assimilent la mort à des réalités de la vie.

mort à l'affirmation de la survie. Il nous montre que cette contradiction est déjà ressentie violemment au plus profond de l'humanité archaïque : l'homme connaîtrait-il cette émotion bouleversante, s'il adhérait pleinement à son immortalité ? Mais si le traumatisme de la mort dévoile cette contradiction, en même temps il l'éclaire ; il en détient la clef.

Il nous révèle que la conscience de la mort comme événement perturbateur porte en elle, du fait qu'elle est conscience réaliste, la conscience de la réalité traumatique de la mort ; et surtout il nous montre que cette conscience, au stade archaïque où nous plaçons cette analyse, va plus loin que la saisie d'un événement mal déterminé ; elle est déjà une conscience, plus ou moins diffuse certes, de la perte de l'individualité ; donc beaucoup plus réaliste et beaucoup plus traumatique qu'on aurait pu au prime abord le croire. Du même coup nous pouvons saisir que ce traumatisme et ce réalisme sont indissolublement fonction l'un de l'autre : plus l'homme découvre la perte de l'individualité derrière la réalité putréfiante d'une charogne, plus il est « traumatisé » ; et plus il est affecté par la mort, plus il découvre qu'elle est perte irréparable de l'individualité. La conscience réaliste de la mort est traumatique dans son essence même, la conscience traumatique de la mort est réaliste dans son essence même. Là où le traumatisme n'existe pas encore, là où le cadavre n'est pas singularisé, la réalité physique de la mort n'est pas encore consciente. C'est ce qui ressort des travaux de Piaget sur l'enfant, et de Leenhardt sur les Canaques.

La violence du traumatisme provoqué par ce qui nie l'individualité implique donc une affirmation non moins puissante de l'individualité, que ce soit la sienne ou celle de l'être cher ou proche. L'individualité qui se cabre devant la mort est une individualité qui s'affirme contre la mort.

La preuve expérimentale, tangible, de cette affirmation, est cette réplique à la pourriture, l'immortalité, qui est affirmation de l'individualité par-delà la mort. L'immortalité ne se fonde pas sur la méconnaissance de la réalité biologique, mais sur sa reconnaissance (funérailles), non pas sur la cécité à la mort, mais sur la lucidité. Le fait que cette « lucidité » soit, non pas dissoute, mais recouverte par la survie comme par une vague irrésistible nous dévoile la vigueur inouïe de cette affirmation de l'individualité. Le caractère catégorique, universel de l'affirmation de l'immortalité est à la taille du caractère catégorique, universel de l'affirmation de l'individualité.

C'est donc l'affirmation de l'individualité qui commande d'une façon à la fois globale et dialectique la conscience de la mort, le traumatisme de la mort, la croyance en l'immortalité. Dialectique — parce que la conscience de la mort appelle le traumatisme de la mort, qui appelle l'immortalité — parce que le traumatisme de la mort rend plus réelle la conscience de la mort, et plus réel l'appel à l'immortalité — parce que la force de l'aspiration à l'immortalité est fonction de la conscience de la mort et du traumatisme de la mort. Globale, parce que ces trois éléments restent absolument associés au sein de la conscience archaïque. L'unité de ce triple donné dialectique, que nous pouvons nommer du terme générique de *conscience humaine de la mort* (qui n'est pas seulement la conscience réaliste de la mort) c'est l'implication saisissante de l'individualité. Nous pouvons alors entrevoir que ce donné est *congénital* à l'affirmation de l'individualité.

Si, faute de pouvoir pénétrer pour le moment dans l'inconnu du *no man's land anthropologique,* nous envisageons à nouveau la genèse de la conscience de la mort chez l'enfant telle que la décrivent les ouvrages de Piaget et celui de S. Anthony, nous pouvons saisir ce lien congénital : c'est à partir du moment où l'enfant prend conscience de lui-même comme individu qu'il se sent alors concerné par la mort : celle-ci cesse de signifier une simple absence ou un arrêt dans l'idée de mouvement ou de vie : alors, corrélativement surgissent l'angoisse de la mort et la promesse de l'immortalité. Avec l'affirmation de l'individualité donc, simultanément se manifeste le triple donné de la mort.

Et ce n'est pas seulement lorsque la mort, s'avançant à travers la maladie et la blessure, détruit l'individu, que la crainte de la mort et la conscience de la mort s'effacent. C'est, souvent encore en pleine conscience, dès que s'affaiblit le muscle de l'affirmation de soi, que l'horreur de la mort se dissipe. D'où le fait que certains hommes, hantés toute leur vie durant par l'idée de la mort, montrent au moment physique de l'agonie un calme qui les stupéfie eux-mêmes. C'est ce qu'on appelle la « béatitude » des mourants, où il semble que l'espèce étende sa patte protectrice sur l'individu agonisant.

Mais alors, dans cette agonie obscure et calme, nous pouvons faire, non pas toujours, mais souvent, l'expérience émouvante que l'ultime résidu de la conscience de la mort, c'est le *moi.* Le témoignage des rescapés « miraculeux » (noyés, malades, etc.) fait état très souvent de cet étrange sentiment du passé individuel qui revit à une rapidité hallucinante, « comme un film », en entier ou par fragments ; comme si l'individualité, aux portes de la mort, se prenait à bras le corps, s'épanouissait en une ultime et unique fois, comme si la dernière pensée lucide, la dernière représentation de la conscience expirant était le gémissement d'évidence d'Anna de Noailles, avant son dernier soupir : « C'est moi... Je suis encore là... »

L'étude de V. Egger, « Le moi des mourants », nous confirme ce point de vue, du moins en ce qui concerne l'adulte civilisé : « Je doute, dit V. Egger, si un adulte *civilisé* peut voir la mort sans éprouver d'une manière ou d'une autre un sentiment particulièrement vif de son moi individuel [24]. » Les discussions suscitées par l'article de Egger et nos propres remarques nous montrent en outre que pour les enfants, entre huit et treize ans semble-t-il, la dernière pensée lucide soit : « Je ne reverrai plus ma mère. » Ce qui ne contredit pas notre point de vue. Si c'est la plus grande affirmation de l'individu qui rayonne au moment de la mort, ce n'est pas nécessairement celle de son propre « Moi ». Ce peut être celle d'un « Toi ». Ce peut être même celle d'un « Idéal», d'une « Valeur », le « Au drapeau » du soldat agonisant, le « Continuez mon œuvre » du législateur.

Mais alors le « Toi » ou la « Valeur » se révèlent plus forts que le moi, forts comme la mort, capables de dominer la crainte, capables de faire risquer la mort. Ce phénomène fondamental, que nous examinerons plus loin en lui-même, contredit certes le triple donné commandé par l'horreur de la mort que nous avons dégagé. Mais en même temps il le confirme, car il prouve

24. V. Egger, « Le moi des mourants », *Revue de philosophie,* 1896.

d'une façon ultime que celui-ci est lié à l'*affirmation inconditionnelle du moi.*

En saisissant donc, à travers la préhistoire, l'ethnologie, la psychologie de l'enfant, le triple donné de la mort, nous pouvons assurer que l'*affirmation inconditionnelle de l'individu est une réalité humaine première.*

Mais cette réalité première se heurte à une autre réalité première : l'affirmation du groupe social sur l'individu. Nous verrons comment l'horreur de la mort dépend étroitement du dégagement de l'individu par rapport à son groupe : comment réciproquement la présence impérative du groupe annihile, refoule, inhibe ou endort la conscience et l'horreur de la mort.

C'est plus loin que nous verrons comment, concrètement, la symbiose contradictoire entre la conscience de la mort et la croyance en l'immortalité sera sans cesse perturbée au cours de l'histoire humaine ; comment la conscience réaliste désagrégera le mythe de l'immortalité, comment le mythe de l'immortalité désagrégera la conscience réaliste, comment le traumatisme pourra pourrir toute joie de vivre et comment la foi en l'immortalité pourra dissoudre le traumatisme, lorsque les martyrs se donneront aux fauves et à la guerre sainte. Comment enfin les *participations* de l'homme pourront soit oublier, soit dominer l'horreur de la mort. Mais il est dès à présent remarquable de constater que nulle société, y compris la nôtre, n'a encore connu la victoire absolue, soit de l'immortalité, soit de la conscience démythifiée de la mort, soit de l'horreur de la mort, soit de la victoire sur l'horreur de la mort.

Avant de clore ce premier chapitre, il nous importe de prendre deux précautions.

La première, c'est de bien préciser que nous avons insisté, non tant sur la mise en lumière du triple donné de la conscience humaine de la mort (conscience réaliste, conscience traumatique, affirmation d'un au-delà de la mort) mais sur leur *coexistence originaire et dialectique.* C'est de bien préciser, également, que nous avons insisté non tant sur le rapport qui lie la conscience de la mort à l'individualité, mais sur la relation conscience de la mort et *affirmation* de l'individualité. C'est dans ce sens que prennent leur valeur nos exemples relatifs à la genèse de l'idée de la mort chez l'enfant et à la désagrégation de cette idée chez le moribond. Autrement dit nous n'avons pas cherché à redécouvrir sociologiquement et psychogénétiquement des truismes mais déjà à aller au-delà.

Deuxième précaution : nous tenons à souligner que ce que nous avons appelé « conscience humaine de la mort » n'est qu'une partie, qu'un des deux pôles des réalités anthropologiques de la mort. Car, nous le verrons avec évidence, à côté de l'horreur de la mort, il y a son contraire, le risque de mort. Mais, par nécessité d'exposition, nécessité qui traduit peut-être une faiblesse d'exposition dialectique de notre part, nous avons préféré commencer par un des pôles de cette contradiction.

2

La mort en commun et la mort solitaire

1. Mort et individualisation : le civilisé, le civil, le civique.

Il s'agit maintenant de voir, toutes choses égales par ailleurs et abstraction faite du risque de mort auto-déterminé, comment, lorsque l'affirmation du groupe social s'effectue au plus intime de l'individu, elle dissout la présence traumatique de la mort, comment inversement l'affirmation de l'individu sur ou dans la société fait lever à nouveau les angoisses de mort.

Dans le groupe archaïque où l'on imaginerait à peine qu'il existe une présence de la mort, c'est-à-dire de l'individualité, s'il n'existait les rites funéraires et la croyance en la survie, l'individu demeure soumis à la pression sociale beaucoup plus fortement que dans les sociétés ultérieures.

Comme l'a sans cesse répété Lévy-Bruhl, « Vivre c'est précisément appartenir intimement à son groupe », « vivants ou décédés, les membres du clan appartiennent intimement au groupe, au clan [1] ». « On pourrait dire que le sentiment que l'individu a de sa propre existence enveloppe celui d'une symbiose avec les autres membres du groupe, à condition de ne pas entendre par là une existence en commun du genre des animaux inférieurs qui vivent en colonies, mais simplement d'existences qui se sentent dans une dépendance inévitable, constante et réciproque, laquelle, d'ailleurs, en temps ordinaire, n'est pas formellement sentie, précisément parce qu'elle est constam-

1. *Carnets.*

ment présente, comme la pression atmosphérique. » Lévy-Bruhl ajoute : « La participation de l'individu au corps social est une donnée immédiate contenue dans le sentiment qu'il a de sa propre existence [2]. »

C'est pourquoi, comme l'ont abondamment souligné Frazer [3], Hocart [4], etc., la crainte de la mort est beaucoup moins prononcée chez les peuples archaïques que dans les sociétés plus évoluées. Frazer se trompe toutefois quand il rend le luxe et la toute-puissance des idées chrétiennes responsables de notre crainte « civilisée » de la mort. Il met nettement les conséquences à la place de la cause ; le luxe n'est qu'un élément d'un processus général de la civilisation individualisatrice, et le christianisme, nous le verrons plus loin, en est un autre.

Un des effets frappants de la tyrannie du groupe archaïque sur la mort de l'individu a été relevé par M. Mauss [5]. Il s'agit « de morts causées brutalement, élémentairement chez de nombreux individus... tout simplement parce qu'ils savent ou croient (ce qui est la même chose) qu'ils vont mourir ».

Dans ces cas flagrants, où le sujet n'est pas malade, où « il se croit seulement, pour des causes collectives précises, en état proche de la mort » pour avoir violé le tabou ou commis un acte sacrilège, le corps obéit de lui-même à l'arrêt magique, et meurt sans volonté, sans révolte. L'affirmation de la « conscience collective » est tellement présente dans la conscience individuelle, que le sacrilège, même involontaire, réalise de lui-même l'arrêt de mort impliqué dans la violation du tabou. Aujourd'hui encore, le responsable d'une catastrophe sociale peut se donner la mort comme dans le harakiri japonais. Mais déjà la mort ne vient plus toute seule : elle est déclenchée par un acte décidé, quoique obligatoire, et déjà ce suicide traduit un sentiment propre à l'individualité, qui est le déshonneur. Il sanctionne toutefois la transcendance absolue de la société. Là où la société s'affirme au détriment de l'individu, là où en même temps l'individu

2. *Carnets.*
3. Notamment dans *le Dieu qui meurt.*
4. Dans « Death Customs » in *Encyclopedy of Social Sciences.*
5. « Effet physique sur l'individu de l'idée de mort suggérée par la collectivité », *Journal de psychologie,* 1926, p. 653.

ressent cette affirmation comme plus véridique que celle de son individualité, alors le refus et l'horreur de la mort s'estompent, se laissent vaincre.

Le militaire et la mort.

L'état de guerre est l'exemple universel (et contemporain) de la dissolution de la présence de la mort du fait de la prédominance de l'affirmation de la société sur l'affirmation de l'individualité. L'état de guerre provoque une mutation générale de la conscience de la mort. Peu sensible quand la société est fixée historiquement sur un type militaire, comme la Sparte du Vᵉ et IVᵉ siècle avant J.-C., le Dahomey avant la conquête, l'empire Inca, ou lorsque le danger la détermine pour une période plus ou moins longue sur un type obsidional, cette mutation est d'autant plus considérable lorsque les structures libérales de paix se transforment en structures de guerre.

Obsidionale, en état de guerre, la société se durcit alors sur elle-même, comme ces unicellulaires qui prennent la forme cristalloïde ; elle se blinde ; sa circulation se raréfie, elle s'asphyxie pour survivre : c'est l'autarcie de guerre, le blocus, le siège, la patrie en danger. Alors elle resserre les bras autour de l'individu. Celui-ci est ressaisi par la participation primitive ; il n'est plus lui-même, il est la patrie en danger. Le caractère fondamental des situations, soit guerrières, soit provisoirement obsidionales, soit durablement militaires, a été remarquablement dégagé par Spencer [6] : « La possession de l'individu par l'Etat est le caractère de l'état social adapté à la guerre. » La société en guerre est redevenue, et le proclame, une sorte d'espèce biologique, ce que l'on a appelé une *race.* Les militaires et les fascistes, qui militarisent la société, aiment parler des « vertus de la race ». Le « général » incarne la généralité de la cité par rapport à la particularité individuelle ; celle-ci passe en second, au moment où il s'agit d'une lutte de vie ou de mort pour le « phylum » social. Alors, fondu dans son groupe en danger ou en marche, le martyr, le combattant, l'assiégé, le croisé ne craint plus la mort.

6. Cf. *Principes de sociologie,* t. III, p. 757 à 801.

Le courage vient au lâche ; comme l'a dit Malraux, le courage est affaire d'organisation. Et l'organisation vient toute seule ; c'est « organiquement » que la société ressaisit l'individu. La presse, les discours, les bulletins, les poèmes forgent sans relâche la mentalité épique, et recommandent de « traiter la vie comme une ennemie » (Tyrtée). Le titre de héros est le plus banal en temps de guerre puisqu'il s'applique à tout combattant qui, justement, meurt en « héros ». La seule consolation immédiate donnée au héros, c'est le meurtre, la vengeance sur l'ennemi, immonde adversaire, chien maudit, jaune, noir, rouge. Il purge sa mort sur l'ennemi à abattre.

Cette attitude magique, sacrificielle (*cf*. p. 130-131), est déterminée par cette régression générale de la conscience que détermine la guerre [7] ; au paroxysme de cette régression, il y a la disparition totale de la conscience de la mort. Non seulement la mort n'est plus ressentie traumatiquement, mais elle n'est même plus « vue » ; c'est la mort sur le champ de bataille, sans prêtre et sans sépulture, l'entassement des charniers et ossuaires, véritables dépotoirs, ou, à la rigueur, la croix de bois anonyme. Ainsi au moment de la tension héroïque de la bataille, tout ce qui est l'humanité de la mort (conscience, traumatisme, immortalité) peut être aboli avec l'humain lui-même dans la solidarité animale, la lutte bestiale, l'obsession pure de l'agres-

7. La guerre apporte des *régressions fondamentales* au sein des sociétés « civilisées » : la régression du groupe qui se ferme sur lui-même, la régression de l'individu promu héros du fait qu'il est meurtrier ou meurtri, s'accompagnent de la régression, est-il besoin de le souligner, de tout système de penser rationnel ; les conceptions les plus archaïques, les plus barbares de la culpabilité collective, se font jour, s'étendent jusqu'à la descendance de l'ennemi. La haine et le mépris deviennent les sentiments les plus sublimes. Anatole France disait que les armées sont beaucoup plus haïssables pour l'imbécillité qui leur fait cortège que pour les meurtres qu'elles provoquent. Un héros de Faulkner a le sentiment de tomber dans l'héroïsme comme on s'enlise dans la boue. Le si important ouvrage de Marie Bonaparte, *Mythes de guerre,* nous permet de sonder l'étendue de cette régression, par des analyses saisissantes, notamment celles de l'impuissance sexuelle névrotique du mobilisé, qui attribue sa carence au bromure de l'intendance, ou encore celles des mythes imbéciles sur la faiblesse de l'adversaire (tanks en carton-pâte, mort certaine de leur chef...).

sion et de la défense. La mort horrible revient plus tard, quand la guerre est finie ; la littérature épique soulève alors un immense étonnement ou un dégoût rétrospectif ; le héros est redevenu incapable de risquer sa vie, comme de faire mal à une mouche. Les visiteurs que déchargent les cars se promènent alors dans les galeries obscures du Fort de Vaux, s'émeuvent de voir à travers les lucarnes de l'ossuaire de Douaumont l'immense tas d'ossements. Et plus tard encore dans le film d'Abel Gance, vont se lever les morts de Verdun, pour empêcher une nouvelle guerre. Mais ces malheureux morts rentreront sous terre quand la guerre suivante arrivera.

Ainsi c'est dans les périodes de guerre, où les sociétés se coagulent, se durcissent pour tenir et vaincre, c'est dans les périodes de mort, en un mot, que la mort s'efface, que les soucis de mort s'évanouissent. La paix et la vie tranquille, où se distendent les liens sociaux, voient réapparaître la crainte et le tremblement individuel. Alors l'idée de la mort ronge l'individu qui a retrouvé ses contours. *La mort est une idée de civil*[8].

Et nous devinons peut-être ce qui, dans les sociétés très évoluées, pousse les hommes hantés par la mort à rechercher le danger, l'héroïsme, l'exaltation, la guerre en un mot. Ils veulent oublier la mort dans la mort.

Nous avons ci-dessus opposé l'état de guerre à l'état de paix, selon une typologie idéale. En fait et même dans les sociétés non militaires, l'institution guerrière déborde sur le temps de paix, et le patriotisme de guerre y couve, entretenu par l'Etat. En fait également il reste des secteurs qui, même en temps de guerre, peuvent demeurer à l'écart de l'exaltation belliqueuse. Par ailleurs, à certaines époques comme au XVIIIe siècle, la guerre a pu apparaître comme une activité spécialisée, ne mettant en cause que les armées en présence, pendant que les relations continuaient entre citoyens des Etats ennemis. Il faut noter qu'à partir de la guerre de 14 les rapports entre la guerre et la mort se sont faits plus complexes qu'auparavant. D'une part la guerre

8. Docteur Paul Voivenel, *le Médecin devant la douleur et la mort*, 1934.

est devenue plus régressive que dans les siècles précédents, du fait qu'elle s'est faite totale, intégrant non plus seulement les guerriers, non plus seulement les peuples en armes, mais aussi mobilisant et détruisant pêle-mêle tout ce qui est vie, travail, culture. Mais en même temps cette régression s'effectue dans des conditions d'évolution de lutte des classes et d'individualisation telles que le passage de la paix à la guerre ne se fait pas sans heurts ; il nécessite de plus en plus une longue période de tension internationale, de guerre froide où se préparent, c'est-à-dire s'abêtissent les esprits. Même alors, et même compte non tenu de la lutte des classes, l'emprise guerrière n'est ni totale ni fatale ; chez les uns c'est la crainte de la mort qui ne peut se dissoudre : ils préfèrent alors devenir déserteurs, « vivre à genoux plutôt que mourir debout [9] ». Chez d'autres c'est le refus d'oublier que l'ennemi est un homme. Au cœur même de la guerre, brusquement deux individus peuvent se trouver face à face dans le même trou d'obus, l'un revêtu de bleu horizon, l'autre de feldgrau. C'est le passage inoubliable de « A l'ouest rien de nouveau ». Qu'on se souvienne, dans le film tiré du roman de Remarque, du moment où le soldat allemand découvre dans le portefeuille du blessé « ennemi » la photo d'une femme et d'un enfant ; alors jaillit la révélation absolue de l'individualité et de l'humanité de celui qui était l'ennemi anonyme... Qu'on se souvienne de la scène finale, ce printemps de tranchée, cet éblouissement de soleil et ce papillon en extase sur un brin d'herbe... Une main s'avance vers le papillon, un front se découvre hors de la tranchée, et soudain c'est le coup de feu, la mort irréparable.

Certes, des consciences existent, capables de ne pas haïr, de résister à la bêtise belliqueuse, annonçant déjà un autre homme possible...

Mais en revanche quand on songe que la guerre, depuis les origines de l'humanité, a régné à l'état endémique de clan à clan, de tribu à tribu, de peuplade à peuplade, de nation à nation

9. Le déserteur qui oublie la cité pour sauver son individualité devient par là même traître absolu pour la société qui le maudit ; il a rompu le cordon ombilical, il doit mourir.

(d'après Novicow [10], en 3 357 années, de 1496 av. J.-C. à 1861, il y a eu 227 années de paix et 2 130 de guerre, soit 13 années de guerre pour une année de paix), quand on songe également que des civilisations entières ont eu leur paix déterminée par l'état de guerre, ont vécu obsidionalement, quand on songe à l'importance des structures de la guerre au cœur de la paix (armée permanente, budget de guerre, orientation militaire de l'appareil de production, littérature patriotique, etc.), on ne peut sous-estimer la puissance du refoulement de l'idée de la mort, que suscite continuellement à doses plus ou moins fortes la « patrie ».

Le civisme et la mort.

Entre l'affirmation inconditionnelle de l'individu d'une part et, d'autre part, l'affirmation inconditionnelle de la cité en guerre, il y a, bien entendu, la zone mixte de la vie quotidienne des sociétés, où le rapport individu-société forme un complexe vivant, dont il serait erroné d'opposer ou de confondre les éléments. Ce complexe, nous ne l'analyserons que plus loin à la lumière d'acquisitions anthropologiques nouvelles. Présentement, il s'agit seulement de montrer comment, dans des conditions d'équilibre ou de déséquilibre, la cité offre au citoyen une compensation à la mort, comment le citoyen peut puiser dans la participation civique une force capable de dominer la mort.

Il est difficile de dégager la morale civique du patriotisme brut ; celui-ci peut s'élever insensiblement jusqu'à devenir morale civique, et non moins insensiblement, la morale civique peut se dégrader en patriotisme brut. Posons toutefois que la morale civique commence au moment où cessent l'adhésion grégaire, la soumission inconditionnelle à la patrie, le « *right or wrong my country* ». Elle implique que la cité est au service des citoyens, et qu'en retour l'individu peut abdiquer consciemment, en cas de nécessité, sa primauté au profit de la cité, parce que celle-ci représente la somme de toutes les individualités civiques, et contient en elle la source nourrissante de toute individualité. La morale

10. *War and its Alleged Benefits.*

civique est, bien entendu, le produit de sociétés déjà fort évoluées.

Le don du citoyen à la cité n'est pas une fusion anonyme : il y a échange ; c'est une sorte de « contrat social » (quoique le terme ne soit qu'une métaphore) que le citoyen entend nouer avec l'Etat. La cité qui s'empare de la vie du bon citoyen lui donne en échange gloire éternelle. La gloire est à la fois exaltation individuelle, service insigne rendu à la patrie et immortalité sociale ; c'est-à-dire qu'elle est mixte ; comme la morale civique, elle est un partage de satisfactions entre la cité et l'individu.

Il ne faut pas oublier en effet que la recherche de la gloire est aussi recherche d' « intensité » dans l'instant glorieux [11], elle est recherche d'un bonheur. Mieux vaut risquer sa vie que mal vivre. C'est pourquoi la vraie vie, dangereuse, doit être préférée à la vie médiocre, et par là même la mort glorieuse à la mort médiocre. La gloire est donc exaltation de la vie individuelle. En même temps, l'instant glorieux est la vague haute qui recouvre l'histoire à jamais, le moment privilégié plus fort que la mort, qui subsistera « éternellement » dans la mémoire collective. Et cette gloire n'est pas à Athènes uniquement militaire mais aussi sportive, civique, esthétique.

La synthèse de l'individu et de la cité débouche donc, sur le plan de la mort, dans une sorte d'immortalité civique, où ce qu'il y a de meilleur dans l'individu s'inscrit dans le phylum commun.

C'est parvenue à ce point que la morale civique devient équivoque, ambivalente et tend à retomber dans une religion soit de la cité, soit du héros.

Ainsi, quand Auguste Comte systématisera dans sa morale positive les caractères essentiels de la morale civique, il se laissera emporter jusqu'à faire de la patrie, élargie à l'humanité, une Matrie, une Mère charnelle, réelle, quasi mystique : la morale positive se muera insensiblement en religion positive. Et à l'intérieur de cette Matrie, les morts deviennent aussi présents que

11. Cf. chap. 9, où nous analysons les théories modernes de l'instant face à la mort, mais qui sont, elles, dépouillées de tout civisme.

les vivants, mieux, les gouvernent. Ce sont des morts consolidés, des morts vivant à l'intérieur des vivants, des « morts qui parlent » selon l'expression de Melchior de Vogué. Schopenhauer a bien senti le « mysticisme pratique » qu'implique la belle action civique. Chez celui qui meurt pour sa patrie, « son propre moi lui apparaît chez ses compatriotes, dans lesquels il continue à vivre, et dans les vies futures pour lesquelles il agit ».

Ainsi le « mérite » tend à se transfigurer magiquement en immortalité civique au sein du grand être collectif. Le héros tend à croire qu'il « vivra » dans les générations futures, qu'il sera un « vivant mêlé à leurs combats ».

D'autre part, le culte du héros civique, non seulement parce qu'il est d'origine religieuse, mais par sa nature même de culte, appelle des associations religieuses ; certes, par rapport à l'héroïsation mystique des héros-dieux, l'héroïsation civique des grands hommes est une victoire laïque sur la mort. Mais peu suffit pour que l'exaltation laïque de la belle mort tombe dans l'exaltation religieuse. La cité grecque entretient l'émulation de la gloire par les prix, les récompenses et les louanges, c'est-à-dire presque déjà un culte.

Nous retrouvons la même tendance au culte, atrophiée, dans nos funérailles nationales et notre Panthéon, ainsi que dans notre admiration pour la « belle mort », la plus heureuse, comme dit Socrate à Xénophon [12].

Nous saisissons donc ici l'instabilité de la morale civique, qui tend à retomber soit dans une religiosité héroïque, soit dans la mystique de la communauté, c'est-à-dire à dissoudre la mort individuelle, soit dans une divinisation, soit dans une intégration à l'intérieur du corps civique immortel de la société.

Mais dans l'autre direction, la direction strictement laïque, progressive, la morale civique tend à s'élargir à la cité universelle et à l'humanité ; elle devient alors morale tout court, c'est-à-dire vertu. Rousseau, après Plutarque, et surtout les grands praticiens de la république, Robespierre, Saint-Just, installent la vertu au cœur du système civique. Car la vertu est exactement

12. Xénophon, *Mémorables*.

la faculté d'intégrer sa cause particulière à la cause commune, sa vie particulière à la vie collective. La vertu n'est nullement une abdication de l'individualité, mais sa consécration. Il existe une harmonie merveilleuse entre la vertu du citoyen et l'universalité de la cité démocratique, une identification de l'homme public et de l'homme privé. C'est grâce à la vertu civique que les lois de la cité sont vraiment universelles, dégagées des intérêts particuliers. Et c'est grâce à cette universalité que le citoyen est un individu libre. L'homme qui dépend d'un autre homme n'est pas libre, mais celui qui dépend d'une loi universelle est libre. Dans ce système où, en contrepartie, la cité accepte d'être uniquement au service de l'individu, la vertu accepte de braver la mort. Le traumatisme de la mort est dominé ainsi que l'illusion de l'immortalité : peu importe ma mort, puisque comme ma vie elle travaille à fonder d'autres individualités vertueuses qui, à leur tour...

Aux éléments ambivalents de la morale civique se sont amalgamés, dans les sociétés occidentales, des préceptes ultérieurs épicuriens et stoïciens, pour former une sorte de « vulgate » laïque qui dresse sa « sagesse » contre la mort.

Sagesse du combattant, du savant, du législateur, qui a présent à l'esprit l'universalité supérieure à laquelle il se consacre, tout en recherchant le doux frisson de la gloire. Sagesse du « grand homme » qui tient la mort à distance en continuant son œuvre immortelle. Sagesse aussi du petit homme, qui, du moment que les grands de ce monde meurent, sait qu'il serait outrecuidant de sa part de songer à échapper à la loi commune. « Meurs donc, ami, Patrocle est mort qui valait plus que toi. » Fierté de l'inventeur : « Mon œuvre survivra. » Attendrissement de celui qui élargit son amour à toute la descendance humaine : « C'est pour les générations futures que je travaille. » L'amitié, la fraternité, l'ardeur au travail, la bonne chaleur sociale, l'élan même de la vie civique dispersent les approches de la mort, éloignent les craintes à la lisière.

Nous ne nous demanderons pas ici si cette morale est « vraie » ou « fausse » ; c'est plus loin que nous l'examinerons en elle-même.

Du plein au vide : le suicide.

A la limite, l'individualisme aboutit au cosmopolitisme ; le mouvement vers l'individualité, c'est le mouvement vers l'universalité et vice versa. Mais le cosmopolitisme, c'est soit le civisme élargi à toute l'humanité, le dégagement hors de tous les préjugés particuliers, ce que l'on appelle, dans l'optique révolutionnaire, l'internationalisme, soit l'isolement de l'individualité dans le monde, le détachement de tout, la solitude. Alors dans ce cas l'individu conteste une société qui, détachée de sa vie, ne peut lui faire oublier sa mort. (Cela ne veut pas dire qu'il refusera tout risque de mort, si ce risque le fait échapper à l'idée de sa mort.)

Pourquoi alors la contrainte sociale ? Pourquoi les guerres ? Et qu'est-ce que cette survie collective aussi mythique que l'immortalité du salut ? Et qu'est-ce que la gloire ? Philosophes et littérateurs ont médité sur le crâne d'Alexandre, résidu poussiéreux de tant de conquêtes et d'exaltations ; Diogène le Cynique, du vivant même du héros, révélait à celui-ci le néant de sa gloire : « Ote-toi de mon soleil. » Cynique toujours, la pensée dissout les plus splendides épopées en sable.

Alors il se peut que les participations tombent, desséchées, aux pieds de l'individu solitaire et que plus rien ne le retienne à une vie qu'il sait promise à l'anéantissement. Alors, avec la déification de soi-même, naît l'angoisse extrême de la mort qui apporte la tentation extrême de la mort : le suicide. Nous ne voulons pas parler ici des suicides-vengeances, encore moins des suicides-sacrifices, mais des suicides de désespoir, de solitude, de « neurasthénie ». Toute névrose est une tentative régressive de réconciliation avec le milieu. Le suicide, rupture suprême, est la réconciliation suprême, désespérée, avec le monde.

Maurice Halbwachs a fort nettement démontré, dans son étude sur les « Causes du Suicide », comment celui-ci était le produit d'un vide social, et comment il diminue considérablement avec les guerres. Le suicide, véritable crime pour les sociétés archaïques, encore sanctionné en Angleterre, est le test exactement contraire du sacrifice, lequel traduit une plénitude, civique ou religieuse. Il consacre la dislocation totale de l'individuel et du civique.

Là où le suicide se manifeste, non seulement la société n'a pu chasser la mort, non seulement elle n'a pu donner le goût de la vie à l'individu, mais encore elle est vaincue, niée ; elle ne peut plus rien pour et contre la mort de l'homme. L'affirmation individuelle remporte son extrême victoire qui est en même temps irrémédiable désastre. Là où l'individualité, donc, se dégage de tous ses liens, là où elle apparaît seule et rayonnante, la mort non moins seule et rayonnante se lève comme son soleil.

2. La lutte des classes.

Le roi, l'esclave, la mort.

La société, avons-nous dit, dissout à peu près complètement la mort, dans la mesure où elle s'affirme par rapport aux individus. Mais l'individualité n'est pas au même étage pour tous les membres d'une société. La différenciation sociale dès le groupe archaïque, puis quand cette différenciation a abouti aux rapports de classes, la lutte de classes, font peser leurs déterminations sur la conscience et l'horreur de la mort.

Les premiers « individus affirmés » qui émergent à la surface sociale sont les dominateurs : le chaman (sorcier, médecine-man) et le chef. La première propriété, la première domination pratique, celle du pouvoir, s'affirme en même temps que la première domination idéologique, la première propriété magique. Le chaman, possesseur de la magie et de la faveur des morts, s'appuie sur le chef qui s'appuie sur lui ; ou bien, au contraire, c'est le conflit qui se résout soit par l'appropriation de pouvoir par le chaman, soit par l'appropriation de chamanisme par le chef (Marc Bloch [13] a relevé les traces du pouvoir chamanique des rois jusqu'à la monarchie française) ; tantôt donc un dualisme chef-chaman, tantôt l'unification absolue. Chefs et chamans vont se

13. Marc Bloch, *les Rois thaumaturges.*

réserver une immortalité particulière, glorieuse, splendide, qu'ils ouvrent par faveur à leur entourage, c'est-à-dire aux initiés [14].

Avec l'évolution et la formation des classes, l'affirmation de l'individualité va d'abord se polariser chez les maîtres. Les maîtres vivent dans le général, les loisirs, la jouissance ; ils ne sont pas spécialisés, ils sont eux-mêmes, parce qu'ils sont à eux-mêmes. Les opprimés sont à la fois leurs appendices manuels, et les appendices de la terre, de la mine, de la machine qu'ils travaillent. Ce sont des serviteurs, des sujets ; et « sujet » dans le langage des rois signifie « objet ». Ils appartiennent, selon l'optique des maîtres, au royaume des choses.

Le roi, lui, est au sommet de la généralité. Il est dégagé de toute particularité, de toute spécialisation ; sa personne recouvre l'universalité concrète de sa cité et coïncide avec elle. Il est le symbole au sens plein du terme : « L'Etat, c'est moi. » C'est pourquoi le roi ressemble au dieu, individu idéal et cosmique, cosmos individualisé. C'est pourquoi il est le double du Dieu. C'est pourquoi dans les anciens empires il tend à monopoliser l'immortalité, ou du moins l'immortalité heureuse [15]. A lui seul d'abord, puis aux nobles, les bandelettes, les tombeaux, la conservation embaumée, l'assurance du jugement des dieux, du séjour immortel.

Au roi donc, individu absolument reconnu, hypostasié, divin, la suprême immortalité, mais aussi la suprême angoisse devant la mort ; car le roi est l'individu suprêmement solitaire.

Il existe un mythe du roi et de la mort. Philosophes et poètes n'ont guère manqué de signaler que les conquêtes d'Alexandre se sont résolues en un peu de poussière et que la garde-qui-veille-aux-barrières-du-Louvre-ne-protège-pas-les-rois de la mort.

14. Briem, *les Sociétés secrètes de mystère*, Payot.

15. Il est vraisemblable qu'aux origines, dans l'état de « communisme primitif » du clan (et nous conservons ce terme de Engels parce que, comme nous le verrons, il n'est pas contredit par les données anthropologiques, mais confirmé), l'immortalité (survie de spectre ou mort-renaissance) a été le bien de tous les individus. C'est avec la différenciation sociale, l'aristocratie, l'esclavage, que s'établit la hiérarchie au sein de cette immortalité, et qui va jusqu'à l'exclusion pure et simple pour les sujets ou les esclaves.

La toute-puissance du roi révèle la suprême infirmité de l'homme devant la mort.

Cette infirmité, le roi la ressent en lui-même ; dans son vaste palais, il a peur de la mort. D'où le sadisme néronien qui fait périr et périr les autres, pour se venger de cette mort qui ne l'épargnera pas, pour mourir au moins le dernier. Les récits de Shéhérazade recèlent sans doute le dessein obscur de chasser les nocturnes pensées de mort du sultan Shariar, qui passe ses nuits à se venger de la mort en assassinant l'une après l'autre ses femmes. L'histoire de la première épouse infidèle déguise à peine le sens profond de la légende. Dans *la Civilisation africaine,* Frobenius relate un mythe voisin de celui des *Mille et une nuits,* où *(Conte de la chute de Kach)* les obsessions de mort du souverain ne sont nullement déguisées. « Le roi dit : — Farlimas, le jour est venu que tu m'égaies, raconte-moi une histoire. Farlimas se mit à conter. Le roi Akaff écoutait. Les invités écoutaient. Le roi et les invités oubliaient de boire. Ils oubliaient de respirer. Le conte de Farlimas était comme le haschich. Quand il eut terminé, tous étaient plongés dans un évanouissement bienfaisant. Le roi Akaff avait *oublié ses pensées de mort.* »

Le roi veut se divertir, il veut des fêtes, des chansons, il veut s'oublier, car oublier la mort c'est toujours s'oublier. Il lui plaît de se déguiser, de se mêler à ses sujets, comme Haroun al Rachid, de voyager incognito pour oublier cette individualité terrible et souveraine, au cœur de laquelle rayonne la mort. « Le roi est environné de gens qui ne pensent qu'à divertir le roi, et à l'empêcher de penser à lui. Car il est malheureux, tout roi qu'il est, s'il y pense » (Pascal).

A l'autre extrémité de l'échelle, il y a l'outil animé, l'esclave, qui n'est même pas à lui-même sa propriété. Il a perdu son âme avec la liberté. Il n'est rien ; c'est une vérité scandaleuse que proclame Euripide quand il dit que même l'esclave pense à la mort. Le maître [16] n'en veut rien savoir, et se demande comment l'esclave peut avoir l'audace de penser à la mort, lui qui n'a pas

16. Dans *Maître et Serviteur,* de Tolstoï, un des textes les plus profonds pour l'intelligence du rapport maître-esclave, le maître Brekhou-

d'existence. Parallèlement, sur le plan roi-sujet, l'affirmation de la sublime individualité du roi est fondée sur la négation des autres individualités. L'universalité de la conscience royale n'existe que parce que cette universalité est refusée aux autres consciences.

La culture du maître ne s'épanouit que sur l'inculture de l'esclave. L'histoire du développement de l'individualité s'effectue, en fait, sur et par la plus brutale désindividualisation d'autrui. L'histoire de la culture se fonde sur la plus atroce barbarie. Scandale permanent qu'ignorent avec non moins de permanence les laudateurs douceâtres des « Grandes Civilisations ». Scandale qu'a admirablement défini Walter Benjamin[17] : « Il n'existe pas un témoignage de culture qui n'en soit un également de barbarie »... « Le patrimoine culturel a une origine que (l'historien) ne peut considérer sans frémir. Cela ne doit pas seulement son existence à l'effort des grands génies qui l'ont façonné, mais à la servitude *anonyme* (c'est nous qui soulignons) de leurs contemporains. »

Si le bénéfice de l'immortalité va, avec le développement des civilisations, lentement se démocratiser, il n'y a pas là élargissement naturel de l'individualité et de l'immortalité des maîtres. L'individualité des maîtres qui, effectivement, précède et annonce l'individualisation générale, la nie et lui fait barrage. C'est du divorce entre cette individualité *barbare* et l'aspiration des sujets et des esclaves à l'individualité toujours niée par les maîtres qu'est née la conscience de la véritable individualité *culturelle*. Il y a, dans le rapport maître-esclave, une dialectique de l'individualité négligée par Hegel. Cette dialectique se fonde certes sur le travail de l'esclave qui s'individualise par rapport à la nature ; mais la prise de conscience de l'esclave trouve son modèle dans la vision de l'individualité du maître. De même que l'individualité du maître trouve son modèle soit dans la vision mythique du héros, soit dans celle du roi. Et ainsi les individualités « supérieures » (le héros, le roi, le maître) sont objectivement médiatrices, en même temps qu'ennemies, des indivi-

---

nov dit de Nikita, son serviteur : « Cela lui est égal de mourir, à lui. Que fut sa vie ? Il ne regrettera pas la mort. »

17. « Thèses sur le concept d'histoire », *les Temps modernes*, oct. 1947, p. 627.

dualités qui aspirent alors à passer au stade supérieur : « Et moi aussi », dit l'opprimé, « non, pas toi », dit le maître. Cette jalousie devient le moteur d'une aspiration à l'individualité d'autant plus universelle et démocratique qu'elle part de plus bas, de ce qui est le plus nié.

Et c'est dialectiquement que l'angoisse de la mort et le droit à l'immortalité vont s'étendre aux opprimés, aux femmes et aux esclaves, à mesure qu'ils conquièrent la propriété de leur propre personne, qu'ils émergent économiquement et juridiquement à la surface sociale. Le capitalisme antique avec sa religion de salut ultime, la plus adaptée à ses structures, le christianisme des premiers siècles consacrent l'égalité devant la mort.

Ainsi lorsque la société remplit les fonctions de l'espèce (en cas de siège, de menace de guerre) la mort de l'homme s'évanouit ; lorsque la dialectique barbare de la lutte des classes retire, de son côté, l'individualité juridique aux opprimés, la mort s'affaiblit en ceux-ci, soit qu'effectivement l'oppression les écrase, soit au contraire que leurs liens matériels actifs, concrets, avec la vie écartent toute obsession de mort [18]. Mais cette même dialectique, quand elle joue en faveur des opprimés, fait accéder ceux-ci à l'égalité devant la mort.

La mort va donc s'élargir, s'affirmer, selon le mouvement fondamental du progrès de l'individualité, qui s'effectue d'abord chez les maîtres-non-spécialisés, mais qui se démocratise par la suite, sous l'action dialectique de la lutte des classes, de l'expansion et de la circulation économiques et idéologiques.

Le mouvement de l'évolution humaine dans son ensemble, dans la mesure où il tend à la démocratisation générale, dans la mesure où il tend au renversement du rapport de subordination individu-société, non seulement tend à l'égalité individuelle devant la mort, mais tend aussi à poser dans sa nudité, dans sa clarté totale, le problème de l'individu devant la mort.

Notre point d'aboutissement nous ramène donc à notre

18. Là où la culture se recommence, où l'humanité prend un nouveau départ, où il n'y a que « des chaînes à perdre et un monde à gagner », le spectre de la mort ne rôde qu'au loin. Mais cette mort qui s'éloigne est une mort qui reviendra, avec la liberté.

point de départ, c'est-à-dire nous révèle que le donné préhistorique et ethnologique de la mort est un donné totalement humain : *anthropologique.* L'affirmation de l'individu, impliquée dans le donné préhistorique, est le caractère propre de l'humain. C'est lui que développe et approfondit le progrès de la civilisation.

Et l'humain lui-même nous renvoie à la mort, c'est-à-dire à la contradiction flagrante entre cette affirmation et la mort. Révolté par une mort à laquelle il ne peut échapper, avide d'une immortalité qu'il voudrait réaliser, tel apparaît l'homme au sortir du no man's land où il s'est formé, comme au sortir du stade de gestation mentale de l'enfance, comme tout au long de son histoire, comme encore, pourrait-on presque le prévoir, au terme de son accomplissement social.

L'individu se heurte à la mort : dans ce heurt il refuse l'arrêt de la nature qu'il lit clairement dans la décomposition ; ses œuvres surnaturelles, qui cherchent l'échappatoire, laissent clairement entendre son opposition à cette nature. Il fait l'ange, mais son corps fait la bête, qui pourrit et se désagrège comme celui d'une bête... Il est homme, c'est-à-dire inadapté à la nature qu'il porte en lui, la dominant et dominé par elle. Cette nature c'est l'espèce humaine, qui, comme toutes les espèces évoluées, vit de la mort de ses individus : ce qui nous laisse entrevoir, non seulement une inadaptation extérieure, générale, de l'homme à la nature, mais une inadaptation intime de l'individu humain à sa propre espèce.

3

L'individu, l'espèce et la mort

La conscience humaine de la mort ne suppose pas seulement la conscience de ce qui était inconscient chez l'animal, mais une rupture au sein du rapport individu-espèce, une promotion de l'individualité par rapport à l'espèce, une décadence de l'espèce par rapport à l'individualité. Et nous allons montrer que la vie animale implique beaucoup moins l'ignorance de la mort, comme le veut un mauvais truisme philosophique [1], que l'adaptation à la mort, c'est-à-dire l'adaptation à l'espèce.

Car il nous est clair que l'animal, en même temps qu'il ignore la mort, « connaît » cependant une mort qui serait la mort-agression, la mort-danger, la mort-ennemie. Toute une animalité blindée, caparaçonnée, hérissée de piquants, ou pourvue de pattes galopantes, d'ailes follement rapides, exprime son obsession de la protection au sein de la jungle vivante. A ce point qu'elle réagit au moindre bruit, exactement comme au danger de mort, soit par la fuite, soit par l'immobilisation réflexe. L'immobilisation réflexe qui écarte le danger de la mort en la mimant, dans une sorte de raffinement et de rouerie d'autodéfense, traduit une réaction « intelligente » à la mort. Rouerie à laquelle se laisse prendre parfois l'animal prédateur qui flaire le faux cadavre et ne ressent plus le besoin d'attaquer, réagissant ainsi également à la mort.

1. Idée que reprend J. Vuillemain à la suite des travaux de psychologie behaviouriste lorsqu'il déclare : « L'animal ne réagit spécifiquement ni aux morts, ni à la mort, pour la simple raison que les formes auxquelles il répond ne peuvent comporter ni impliquer de type spécial qui figurerait la mort. » (J. Vuillemain, *Essai sur la signification de la mort.*)

De plus, il est un point très important et obscur, concernant le comportement de nombreux animaux et sur lequel nous ne connaissons pas d'étude. Vont-ils se cacher pour mourir ? Pourquoi ? Quelle est la signification des cimetières d'éléphants, animaux par ailleurs très évolués ? Si certains animaux ont, effectivement, un comportement particulier, à l'approche de leur propre mort, ce comportement implique donc une « connaissance » de la mort. Mais de quelle « connaissance » s'agit-il ?

De telles réactions, de tels comportements, une telle « intelligence » de la mort impliquent certes l'individu puisqu'ils sont manifestés par des individus à l'égard d'autres individus, mais ce sont des réactions *spécifiques*. La rouerie de l'immobilisation réflexe est uniforme pour tous les individus d'une même espèce, l'individu agit comme « spécimen » et manifeste dans ses réactions précitées, non pas une intelligence individuelle, mais une intelligence spécifique, c'est-à-dire un instinct. L'instinct, qui est un système de développement et de vie, est aussi un formidable système de protection contre le danger de mort. Autrement dit c'est l'espèce qui connaît la mort, et non l'individu ; et elle la connaît à fond. D'autant plus à fond que l'espèce n'existe que par la mort de ses individus ; cette mort « naturelle » est *machinée* au cœur même des organismes individuels : de toute façon les individus mourront de vieillesse. Et cette mort n'est pas la fatalité de la vie en général ; comme nous le montrerons dans la quatrième partie de cet ouvrage, les cellules vivantes sont potentiellement immortelles, et les unicellulaires ne meurent que par accident. C'est la machinerie complexe des espèces évoluées et sexuées qui porte en elle la mort.

Effectivement, l'espèce se protège elle-même, lorsqu'elle fait mourir naturellement ses individus ; elle sauvegarde son propre rajeunissement, et elle se protège également de la mort-agression, de la mort-danger, grâce à tout un système d'instincts de protection. Les instincts de conservation individuelle sont spécifiques puisque identiques chez tous les membres d'une même espèce ; ils ont une signification d'autant plus totalement spécifique, qu'ils s'intègrent dans un vaste système de protection de toute l'espèce. A l'intérieur de l'espèce règne un tabou de protection absolu : « Les loups ne se mangent pas entre eux. »

Lorsque les individus d'une même espèce s'attaquent mutuellement, ce n'est qu'en cas de lutte sexuelle, c'est-à-dire de sélection au profit de l'espèce, ou à la rigueur de lutte pour une nourriture insuffisante, ce qui est encore sélection, ou bien encore lorsque certains éléments sont devenus inutiles à la procréation (abeilles mâles)...

Et c'est parce que l'espèce, en se défendant contre la mort, est « clairvoyante » que l'individu animal est aveugle à la mort. Si l'animal est aveugle à l'idée de sa mort, c'est bien entendu qu'il n'a pas de conscience, donc pas d'idées. Mais l'absence de conscience tout court, c'est l'adaptation de l'individu à l'espèce. La conscience n'est qu'individuelle, et suppose une rupture entre l'intelligence spécifique, c'est-à-dire l'instinct, et l'individu. Car l'individualité animale existe. Plus on s'élève dans l'échelle animale, plus s'affirment chez les individus d'une même espèce les singularités psychologiques et psychiques. Bien plus : il est impossible de songer que les acquis de l'instinct n'aient pas été d'abord des acquis individuels, ceci dit sans vouloir soulever les modalités du problème de l'hérédité. Mais l'individualité, dans la vie des espèces animales, reste intégrée ; elle adhère à la vie brute sans s'en détacher ; c'est-à-dire à la fois au commandement de l'instinct et à sa participation spécifique au sein de la nature. Comme disait saint Thomas, « borné à la saisie du concret sensible, l'animal ne peut tendre qu'à la saisie du concret sensible, c'est-à-dire seulement à la conservation de son être *hic et nunc* ». L'intelligence spécifique, si développé que soit par ailleurs chez l'animal le secteur d'invention individuelle, reste la déterminante essentielle : ce n'est qu'avec la conscience de soi qu'apparaît l'affirmation de soi qui contredit alors la hiérarchie de l'espèce et son « unicité ».

D'où, effectivement, en tant que cette mort signifie perte de l'individualité, une cécité animale à la mort, qui est une cécité à l'individualité. La cécité à sa propre mort est la cécité à sa propre individualité, qui pourtant existe ; la cécité à la mort d'autrui est la cécité à l'individualité d'autrui, qui elle aussi existe. Zuckermann [2], par exemple, cite les constatations de Yerkes

2. Zuckermann, *la Vie sexuelle et sociale des singes*, Gallimard.

sur un babouin femelle, qui porte trois semaines durant son petit mort comme s'il était vivant, tandis que le corps se décompose, se disloque, jusqu'à ce que, membre après membre, il n'en reste plus qu'un lambeau que la mère enfin abandonne. D'autre part des singes se sont comportés sur des cadavres de chat, de rat, d'oiseau, comme sur des vivants. Enfin on a vu des mâles s'introduire dans leurs femelles mortes ou monter la garde sexuelle auprès d'elles. C'est pourquoi Zuckermann (p. 235) en arrive, pour les plus proches parents de l'humanité eux-mêmes, à cette conclusion que « les singes et les anthropoïdes ne reconnaissent pas la mort, car ils réagissent à leurs compagnons morts comme s'ils étaient vivants mais passifs ». Il nous suffit, pour corriger cette définition, de spécifier que c'est la mort-perte-d'individualité que ne reconnaissent pas les anthropoïdes.

Cependant la cécité animale à la mort-perte-d'individualité n'est pas absolue ; il peut arriver que des animaux supérieurs et particulièrement des animaux domestiques ressentent la mort d'autrui par des émotions douloureuses et violentes. Le cas extrême est celui du chien dévoué qui meurt de la mort de son maître sur sa tombe.

Il s'agit, certes, de cas complexes appelant des explications hétérogènes. L'oiseau affecté par la disparition de sa couvée ou de ses œufs ne réagit pas individuellement à la perte de l'individualité de sa progéniture, mais spécifiquement à la perte de l'héritage de l'espèce. Mais par ailleurs, le trouble dans lequel la mort d'un chat jette son « ami-chien » est peut-être, comme la mort de deux frères siamois que l'on sépare, la rupture d'une symbiose affective unissant deux êtres pourtant d'espèces différentes, peut-être à la rigueur un rapport « d'amour », c'est-à-dire d'attachement à une individualité. On peut opter pour cette double hypothèse dans le cas du chien qui ne peut survivre à son maître. On pourrait alors en inférer que la mort-perte-d'individualité affecte l'animal lorsque l'ordre de son espèce a été dérangé, par la domestication par exemple ; la domestication débarrasse l'animal de la tyrannie vitale, le détourne de ses anciennes activités spécifiques, l' « individualise » en un sens et le laisse disponible, face à l'être suprêmement individualisé : l'homme. Il n'y a donc, sinon encore conscience, du moins sentiment et traumatisme provoqués par la mort-perte-d'individualité, que lorsque la loi de l'espèce est perturbée[3] par l'affirmation d'une individualité. Ces cas exceptionnels nous apportent la preuve *a contrario* que la mort n'apparaît que lorsqu'il y a promotion de l'individualité par rapport à l'espèce.

Et de toute façon, cette promotion perturbatrice, si elle se manifeste chez l'animal, ne peut, faute de « conscience de soi », arriver à la conscience de la mort, et *a fortiori* à la croyance en l'immortalité. Nul ouah... ouah... funèbre n'a jamais signifié « tu vivras dans l'autre monde ».

Ainsi donc il n'y a pas qu'ignorance animale de la mort : il y a double secteur, l'un de « clairvoyance », l'autre de cécité, que le schème qui se borne à opposer la conscience humaine à l'inconscience animale, ou celui qui oppose abusivement l'individualité humaine à l'absence d'individualité animale, ne peuvent saisir s'ils oublient le rapport individu-espèce. C'est en effet l'affirmation de l'espèce par rapport à l'individu qui caractérise l'animal. C'est pourquoi, dans la vie animale, l'intelligence spécifique est « lucide » face au danger de mort, tandis que l'individu est aveugle à sa mort ou à la mort d'un autre. Schopenhauer, dans les pages admirables où il montre en quelle « dérision » l'espèce tient l'individu, a souligné en le romantisant le sens profond de la cécité animale à la mort : « L'animal, à vrai dire, vit sans connaître la mort ; par là l'individu du genre animal jouit immédiatement de toute l'immutabilité de l'espèce, n'ayant conscience de soi que comme un être sans fin[4]. » Ajoutons que, si l'individu est aveugle au sein de l'espèce, l'espèce, elle, voit, sait, et par là même dure.

L'individualité animale donc, si féroce et jalouse qu'elle puisse paraître, ne s'oppose pas à l'espèce, mais la confirme. L'espèce est en elle. En termes hégéliens, on dirait que cette individualité illustre l'universalité de cette espèce, en vivant pleinement comme *spécimen,* précisément, puis en se retirant du jeu, en se niant comme particularité. Elle en est le triomphe du moment

3. A propos de ces perturbations, on peut encore consulter *De l'entraide,* de Kropotkine.

4. Schopenhauer, *le Monde comme volonté et comme représentation.* PUF, t. III, p. 278.

quand elle s'élance pleine de vie dans la nature, et le triomphe de l'avenir quand elle se retire usée, pour céder la place aux nouvelles progénitures. L'individualité animale n'a pas de sens en elle-même. Et la loi de l'espèce qui se défend contre la mort n'est pas bouleversée par la mort des individus, mais en vit, et précisément pour se défendre contre la mort.

Ainsi, le secteur animal de clairvoyance à la mort, comme son secteur de cécité, ont la même signification d'adaptation de l'individualité à l'espèce.

L'ange et la bête.

Par contre c'est, comme nous l'avons vu, l'individualité humaine qui se montre lucide à sa mort, qui s'en affecte traumatiquement, qui essaie de la nier en élaborant le mythe de l'immortalité. Et cette lucidité, ce n'est pas la prise de conscience du savoir spécifique, mais un savoir proprement individuel : une appropriation de la conscience. La conscience de la mort n'est pas quelque chose d'inné, mais le produit d'une conscience qui saisit le réel. Ce n'est que « par expérience », comme dit Voltaire, que l'homme sait qu'il doit mourir. La mort humaine est un acquis de l'individu.

C'est donc parce que son savoir de la mort est extérieur, appris, non inné, que l'homme est toujours surpris par la mort. Freud l'a montré : « Nous insistons toujours sur le caractère occasionnel de la mort : accidents, maladies, infections, profonde vieillesse, révélant ainsi nettement notre tendance à dépouiller la mort de tout caractère de nécessité, à en faire un événement purement accidentel [5]. » Mais l'important n'est pas tant la tendance à dépouiller la mort de son caractère de nécessité : c'est plutôt la stupeur toujours nouvelle que provoque la conscience de l'inéluctabilité de la mort. Chacun a pu constater comme Gœthe que la mort d'un être proche est toujours « incroyable et paradoxale », « une impossibilité qui tout d'un coup se change en réalité » (Eckermann) ; et celle-ci apparaît comme un accident,

5. Freud, *Essais de psychanalyse.*

un châtiment, une erreur, une irréalité. C'est cette réaction à l' « incroyabilité » de la mort que traduisent les mythes archaïques où celle-ci est expliquée comme un maléfice ou une sorcellerie [6].

Aveugle donc naturellement à la mort, l'homme est sans cesse forcé de la réapprendre. Le traumatisme de la mort est précisément l'irruption de la mort réelle, de la conscience de la mort, au cœur de cette cécité.

Et il ne faudrait pas confondre cette cécité avec l'affirmation de l'immortalité qui implique toujours la conscience de la mort. La terminologie de Freud, dans ce domaine, prête à confusion : « L'école psychanalytique a pu déclarer, dit-il, qu'au fond personne ne croit à sa propre mort, ou, ce qui revient au même, chacun dans son inconscient est persuadé de sa propre immortalité. »

Il ne revient nullement au même de ne pouvoir concevoir sa mort et de se croire immortel. L' « immortalité » à laquelle Freud fait allusion n'est pas la même que l'immortalité des croyances sur la vie future, qui, répétons-le, impliquent la reconnaissance de la mort. C'est une « amortalité » d'avant cette reconnaissance, d'avant l'individu, ajouterons-nous. L'inconscient est un contenu : dans ce contenu se mêlent la cécité animale à la mort et le vouloir humain d'immortalité. Certes ce contenu animal ou biologique d'amortalité sert de support à l'affirmation de l'immortalité-survie. Mais alors il se trouve transformé par l'individu, confisqué à l'espèce, véritable larcin du soma qui s'empare des attributs du phylum ; mieux, il s'agit d'une volonté révolutionnaire d'appropriation de l'immortalité de l'espèce par l'individu. Ainsi l'homme, quand il fait l'ange immortel, ne fait pas la bête ; il fait l'ange pour ne pas faire la bête. Tout au plus, dans son refus trompeur de la mort, fera-t-il l'imbécile.

Il n'en reste pas moins que la cécité animale à la mort n'est pas éliminée chez l'individu. Les remarques de Freud traversent en coupe verticale tous les comportements aveugles à la mort. En effet, bien que connaissant la mort, bien que « traumatisés »

6. Cf. Lévy-Bruhl, *les Fonctions mentales dans les sociétés inférieures*, Frazer, Malinovski, etc.

par la mort, bien que privés de nos morts aimés, bien que certains de notre mort, nous vivons également aveugles à la mort, comme si nos parents, nos amis et nous-mêmes ne devions jamais mourir. Le fait d'adhérer à l'activité vitale élimine toute pensée de mort, et la vie humaine comporte une part énorme d'insouciance à la mort ; la mort est souvent absente du champ de la conscience, qui, en adhérant au présent, refoule ce qui n'est pas le présent, et sur ce plan l'homme est évidemment un animal, c'est-à-dire doué de vie. Dans cette perspective, la participation à la vie simplement vécue implique en elle-même une cécité à la mort.

C'est pourquoi la vie quotidienne est peu marquée par la mort : elle est une vie d'habitudes, de travail, d'activités. La mort ne revient que lorsque le moi la regarde ou se regarde lui-même. (Et c'est pourquoi la mort est souvent le mal de l'oisiveté, le poison de l'amour de soi-même.)

Aussi bien la conscience humaine de la mort se superpose à une inconscience de la mort sans la détruire. Autrement dit la frontière entre l'inconscience « animale » et la conscience humaine de la mort ne passe pas seulement entre l'homme et l'animal, mais à l'intérieur de l'homme. Cette frontière sépare le Moi du Soi. Le Moi c'est, avec l'affirmation de l'individualité, la conscience humaine de la mort dans sa triple réalité. Le Soi, c'est, selon la terminologie de Freud, le domaine du *Triebe,* du « ça », et selon notre terminologie, le donné spécifique. Le Soi est sous-jacent au Moi. Son domaine n'est pas exactement celui de l'inconscient, puisque d'après nous le Moi étend sa marque et sa présence dans la vie inconsciente, mais le domaine de la vie brute apportée et déterminée par l'espèce.

Il y a, bien entendu, communication dialectique entre le Soi et le Moi, entre l'individu et la vie. Pascal dans sa théorie du divertissement a en même temps tort et raison. Certes, il est vrai que l'homme des civilisations modernes cherche à fuir, dans ses activités, l'idée de la mort, c'est-à-dire à s'oublier. Mais cet oubli n'est possible que parce qu'il existe en lui un animal inconscient qui ignore toujours qu'il doit mourir. Cette animalité est la vie elle-même, et, dans ce sens, l'obsession de la mort est un « divertissement » de la vie.

Le Soi peut enrober et dissoudre l'idée de la mort, mais à son tour peut être rongé par elle : la conscience obsédante de la mort, en son point extrême, flétrit et pourrit la vie, et conduit à la folie ou au suicide. A l'autre extrême, un Moi atrophié peut tellement s'ignorer lui-même qu'il ne songe jamais à la mort. Entre ces cas limites, la présence et l'absence de la mort s'imbriquent et se recouvrent diversement. C'est la vie, avec et sans le souci de la mort, la double vie.

Mais cette double vie est « une ». Et si la vie spécifique est l'ennemie ultime de l'individualité, puisqu'elle la tue en fin de compte, elle lui permet de naître et de s'affirmer. Car sans vie, pas d'homme, le néant. Sans participation biologique même, c'est-à-dire sans adhésion à la vie, il n'y aurait qu'horreur permanente, inadaptation absolue, mort permanente, encore néant. C'est précisément parce que cette participation le fait vivre et le détourne de la mort qu'elle met en relief la violence et la signification du heurt qui oppose l'affirmation de l'individu à la mort. Cette double vie, c'est l'intimité même du conflit, de l'inadaptation espèce-individu.

4

Le paradoxe de la mort : le meurtre et le risque de mort

(inadaptation - adaptation à la mort)

L'affirmation de l'individu par rapport à l'espèce commande donc la conscience et le refus humain de la mort. Mais alors se dressent une série de paradoxes, une barrière de contradictions, qui semblent remettre en question le donné anthropologique de la mort que nous avons dégagé.

Le cannibalisme, le meurtre.

Le cannibalisme est chose originairement humaine. Pratiqué dès la préhistoire, il existe encore dans de nombreuses peuplades archaïques, que ce soit l'endo-cannibalisme (cannibalisme des funérailles) ou l'exo-cannibalisme (dévoration des ennemis). Si nous faisons abstraction du cannibalisme de famine (cannibalisme des naufragés du radeau de la Méduse, cannibalisme de l'état de siège, etc.), l'exo-cannibalisme et l'endo-cannibalisme ont tous deux une signification magique : appropriation des vertus du mort. L'endo-cannibalisme est de plus un des moyens les plus sûrs d'éviter la décomposition horrible du cadavre. Mais nous voulons surtout insister sur l'aspect « barbare » du cannibalisme, le meurtre suivi de consommation, c'est-à-dire l'absence du « respect de la personne humaine » (comme dit le jargon moraliste) qu'il manifeste. Il y a paradoxe entre le mépris anthropophage de l'individu et notre donné anthropologique qui est affirmation de l'individu. Mais nous pouvons entrevoir l'éclaircissement du paradoxe. En effet, le cannibale témoigne de la régression absolue de l'instinct de protection spécifique. Si « les loups ne se mangent pas entre eux », les hommes, eux, se dévorent à belles dents, et le cannibale ne répugne pas à la chair de son confrère en humanité.

Ce n'est pas sous la pression de l' « espèce » que le cannibalisme va se résorber au cours de l'histoire (puisque au départ cet instinct spécifique de protection est absent), mais au fur et à mesure que l'homme sera en principe reconnu comme individu, c'est-à-dire comme « valeur ». Alors le tabou de protection qui était celui de l'espèce, se fixant sur l'individu, se répandra sur la collectivité humaine, mais en tant que conquête de l'individualité.

Entre la décadence préhistorique de l'instinct spécifique et la promotion de l'individualité comme valeur incomestible, il y a une brèche mortelle. La brèche cannibale n'est pas la seule ; une autre, énorme, béante, reste toujours ouverte au flanc de l'espèce humaine : le meurtre, dont l'exo-cannibalisme est un des aspects.

Le meurtre, qui contredit si violemment en apparence « l'horreur de la mort », est un donné humain aussi universel qu'elle. Humain parce que l'homme est le seul animal qui donne la mort à son semblable sans obligation vitale : si la trace du premier « crime » préhistorique connu est beaucoup plus récente que celle de la première tombe, ce misérable crâne fracassé par le silex témoigne à sa manière de l'humain. Universel parce qu'il se manifeste dès la préhistoire, parce qu'il se perpètre durant toute l'histoire, exprimant la loi (talion, châtiment), encouragé par la loi (guerre), ou ennemi de la loi (crime). Que de crânes fracassés depuis le premier « meurtre ». On pourrait reprendre à cette occasion ce que nous avons déjà dit de la sépulture. Aux frontières du no man's land le meurtre apparaît, passeport taché de sang, comme un phénomène à ce point humain que la Bible, avec le crime de Caïn, en fait le premier fait divers de la famille terrestre, et que Freud y voit l'acte originaire de l'humanité (assassinat du père par les fils, dans la horde primitive).

De même qu'il existe un cannibalisme de famine, il est un meurtre de nécessité, déterminé par le « struggle for life » darwinien, que ce soit la lutte pour la nourriture, ou la lutte de vie ou de mort que se font deux collectivités. Par ailleurs le meurtre-défense de la cité, qui frappe le criminel, le traître ou l'ennemi, répond à l'impératif du groupe et échappe pour le moment au problème que nous posons : il pose le paradoxe de la société qui se comporte tantôt en « espèce », tantôt en instrument de l'individu. Nous examinerons plus loin ce paradoxe.

Mais même déjà dans la guerre, le meurtre va au-delà de la nécessité, ce qui apparaît dans l'hécatombe effrénée des vaincus, femmes et enfants mêlés, et les voluptés [1] du massacre et de la torture à mort. Que le meurtre soit une chose de colère, de furie, voire de folie, lorsque les légionnaires enragés pénètrent dans Corinthe ou dans Numance, qu'il soit au contraire une décision glacée lorsque l'empereur byzantin fait exécuter ses prisonniers bulgares, qu'il soit à la fois lucide et fou lorsque Néron voit périr les chrétiens sous la griffe des fauves, qu'il soit enfin l'industrie clef de l'univers hitlérien, il nous révèle un acharnement, ou une haine, ou un sadisme, ou un mépris, ou une volupté de tuer, c'est-à-dire une réalité proprement humaine.

Que la violence de la haine puisse se traduire par la torture à mort et le meurtre, voilà qui nous révèle sans peine que le tabou de protection de l'espèce ne joue plus. Le meurtre, c'est la satisfaction d'un désir de tuer que rien n'a pu arrêter. Mais ceci n'en est que la face négative. La face positive, ce sont les volupté, mépris, sadisme, acharnement, haine, qui traduisent une libération anarchique mais véritable, des « pulsions » de l'individualité au détriment des intérêts de l'espèce.

Ces pulsions ne sont pas qu'agressivité biologique incontrôlée. Le meurtre, c'est non seulement la satisfaction d'un désir de tuer, la satisfaction de tuer tout court, mais aussi la satisfaction de tuer un homme, c'est-à-dire de s'affirmer par la destruction de quelqu'un. Cet au-delà de la nécessité du meurtre manifeste l'affirmation de l'individualité meurtrière par rapport

1. Alain, dans *Mars ou la Guerre jugée,* constatait que l'homme aime la guerre. Tout combattant est un baroudeur en puissance, c'est-à-dire capable de trouver du plaisir à tuer.

à l'individualité meurtrie. Freud a cliniquement mis en lumière l'existence des « souhaits de mort » que l'enfant nourrit à l'égard de ses parents et des personnes qui lui déplaisent. Nous pouvons en inférer qu'un processus fondamental de l'affirmation de l'individualité se manifeste par « le désir de tuer » les individualités qui entrent en conflit avec la sienne. A la limite, l'affirmation absolue de son individualité appelle la destruction absolue des autres. Et c'est bien là la tentation néronienne des rois et des puissants, comme celle des SS concentrationnaires, qui ressentent comme une insulte la simple existence d'une tête qui ne leur revient pas et la suppriment.

Aussi le processus d'affirmation de l'individualité, au cours de l'histoire, a un aspect atrocement barbare, c'est-à-dire meurtrier. Ce que Hegel avait dégagé d'une façon spéculative, dans sa *Phénoménologie de l'Esprit,* comme moment fondamental de la conscience de soi. L'irruption de la « conscience de soi » c'est l'irruption du « désir de la reconnaissance », du prestige, de l'honneur, de la « volonté de puissance », de l'orgueil. Et ce désir va se heurter à celui des autres consciences de soi dans une lutte à mort.

Selon Hegel, la victoire qui suit le duel à mort apparaît dérisoire à la conscience de soi triomphante, puisque le mort, qui n'est plus rien, ne peut reconnaître la souveraineté de son vainqueur. D'où la vie sauve au vaincu, mais qui deviendra esclave. La servitude va en effet comporter les effets civiques du meurtre : le vaincu sera désormais « mort » à l'affirmation individuelle, mais ce cadavre vivant, quoique réduit à l'état d'outil animé, aura juste ce qu'il faudra d'individualité pour reconnaître son néant et la souveraineté du maître. Et effectivement les maîtres sont toujours suivis de sous-individualités : esclaves, bouffons, flagorneurs, poètes à gages, courtisans... grotesques morts-vivants dont la présence satellite témoigne du soleil.

Hegel avait oublié, dans son analyse, la torture à mort, sorte de synthèse horrible entre le désir de nier et le désir d'humilier autrui, où le torturant puise les jouissances conjuguées de l'assassinat et de l'esclavage. L'aveu qu'il s'agit de retirer par la torture, c'est le « tu es un roi, et je suis une ordure ». C'est son propre néant, sa propre pourriture que le torturé doit reconnaître, reconnaissant ainsi la divinité absolue de son torturant. Et avant qu'elle ne devienne l'instrument spécialisé de nos gestapos et de nos brigades spéciales, la torture fut la délectation des princes [2].

Ainsi le paradoxe du meurtre s'éclaire dans toute son ampleur barbare ; de même que l'horreur de la mort, le meurtre est commandé par l'affirmation de l'individualité. Au paroxysme de l'horreur que provoque la décomposition du cadavre, correspond le paroxysme de la volupté que provoque la décomposition du torturé. Et il y a communication intime entre cette horreur et cette volupté, comme nous le révélera plus loin la signification magique du meurtre, qui est d'échapper à sa propre mort et à sa propre décomposition, en les transférant sur autrui.

La décadence des instincts de protection spécifique et l'irrup-

2. La torture fut la délectation des princes. Elle fut aussi la délectation suprême des bourreaux concentrationnaires, l'aboutissement de leur volonté de puissance. Dans le camp où le splendide S S debout à l'arrivée des fourgons condamnait à la mort immédiate ou à la mort progressive par un geste qui désignait le chemin du camp ou celui du crématoire, la mort concentrationnaire créait une mentalité spéciale chez ses pourvoyeurs et chez ceux qui en subirent la hantise. Le S.S. donne la mort lui-même fortuitement ou scientifiquement ; il délègue aussi le pouvoir de mort à des subalternes, à des prisonniers, qui reculent leur propre mort par celle qu'ils infligent. Jamais les modalités de la mort n'ont été si scientifiquement expérimentées, le sadisme si scientifiquement appliqué, la mort si immanente. La présence incessante de la mort, la cohabitation avec la mort a créé chez les déportés une terrible accoutumance à la mort. Dans la guerre, le soldat ne croit pas à la possibilité de sa propre mort. Dans le « lager », le déporté sait qu'il est un mort virtuel et cède à la fatalité de sa mort pour en supprimer les approches. Mais il est immunisé de l'horreur par l'horreur elle-même, immunisé contre l'horreur du cadavre par la proximité quotidienne du cadavre, par la suppression de tout rituel de funérailles, par le fait que chaque corps de déporté vivant ou mort n'était plus qu'une chose immatriculée, sans individualité, qu'une chose à libérer, qu'une chose qu'on allait à plus ou moins brève échéance devenir soi-même. Les concentrationnaires savaient à coup sûr reconnaître ceux qui allaient mourir, ceux qui ne se lavaient plus, ceux qui troquaient leur pain contre du tabac. La lutte contre le consentement à la mort n'a pas été une des moins héroïques ; des femmes, à Ravensbruck, ont réussi à se teindre les cheveux pour tromper la mort.

tion orgueilleuse de l'individualité impliquent donc la barbarie, c'est-à-dire le meurtre. Dans son affirmation barbare l'individu est libre par rapport à l'espèce ; peut-être est-ce là le sens de la mystérieuse phrase de Hegel : « La liberté, c'est-à-dire le crime. A travers cette immense brèche de barbarie, où l'humanité s'est trouvée lancée et se retrouve encore, où la valeur sacrée de l'individualité n'est réservée qu'à soi ou à ceux de son groupe, et où le reste n'est même pas considéré comme vague humanité, mais comme animalité puante, et d'autant plus puante qu'elle se prétend humaine, l'espèce se trouve saccagée par fragments énormes. Aujourd'hui, l'homme, avec l'arme atomique, est capable de détruire l'espèce humaine et nul frein spécifique ne peut nous assurer qu'il ne le fera pas.

Le risque de mort.

Le meurtre, dans la mesure où il accompagne la lutte à mort, dans la mesure où il est impliqué dans la guerre, implique également le risque de mort. Pour tuer, il faut risquer d'être tué.

Le risque de mort est le paradoxe suprême de l'homme devant la mort puisqu'il contredit totalement et radicalement l'horreur de la mort. Et cependant non moins que cette horreur, le risque de mort est un donné fondamental.

Peut-on, en ce qui concerne la guerre, parler véritablement de risque de mort ? La mort risquée sur le champ de bataille, n'est-elle pas plutôt une mort subie aveuglément du fait de cette cécité à la mort que provoque le ressaisissement de l'individu par son groupe ou l'exaltation animale du combat ? Les choses sont complexes et nous ne pourrons réellement essayer de les comprendre que lorsque nous aurons abordé le paradoxe de la société par rapport à la mort. On peut toutefois remarquer que la course grégaire au combat (à la mort) implique une défaite des instincts de protection individuelle (qui sont comme nous l'avons vu spécifiques). Décadence de l'espèce, donc humanité. Mais en fait ces instincts sont présents dans l'attaque et la défense. Ils sont simplement subordonnés [3] à la néces-

3. Et l'instinct revient quand tout est perdu, quand l'individu agonise ; la main du noyé s'agrippe à la branche qui n'existe pas.

sité du risque qu'il faut prendre pour tuer efficacement. Parfois l'instinct peut prendre le dessus. Soudain le soldat se met à ronfler au moment de l'attaque, retrouvant l'instinct de simulation de la mort[4] ; soudain la peur jaillit et c'est la déroute : le bataillon qui devait combattre « sans esprit de recul » et « se faire tuer sur place » est devenu un troupeau affolé de bipèdes. Fuite animale certes, mais où surgit l'horreur humaine de la mort, où l'individu se retrouve. Aussi au cœur de la bataille jouent deux poussées contraires, la poussée animale et la poussée civique, l'une et l'autre extra-individuelles, l'une et l'autre mêlées ; la société excite l'individu à risquer la mort par des excitations biologiques (roulement du tambour, stridence du clairon, cris sauvages) et pour sa survie biologique.

Entre ces deux poussées peut s'insérer l'individualité ; alors sous le coup de la peur, elle prend conscience d'elle-même et refuse le combat : le soldat déserte ; ou bien, au contraire, l'individu jette toutes ses forces d'auto-détermination dans la lutte contre l'instinct de protection : il ne veut pas être un lâche.

On peut sans doute remarquer que le refus d'être un lâche implique l'affirmation du groupe par rapport à l'individu qui craint de se déshonorer aux yeux de ses concitoyens. Mais il implique aussi, avec le sentiment de l'honneur, l'affirmation de l'individu. L'important ici, c'est l'individu qui s'auto-détermine avec ses propres ressources de volonté contre sa peur. Toute bataille, toute guerre connaît ses volontaires, qui vont *volontairement* risquer la mort, et ses héros qui font *volontairement* plus qu'il ne leur est demandé. Alors ils avancent sous le feu la carcasse qui tremble, et lui promettent avec mépris qu'elle tremblera encore plus tout à l'heure ; s'ils abdiquaient ils ne seraient pas des « hommes » à leurs yeux et à ceux de leurs pairs. Et c'est pourquoi le risque de mort, non pas l'auto-sacrifice mystique mais le courage solitaire, se manifeste de la façon la plus libre dans les sociétés évoluées où l'horreur de la mort se manifeste de la façon la plus violente, où l'individu s'affirme le plus fortement lui-même.

4. Ce phénomène a été plusieurs fois constaté au cours de la guerre 14-18.

Ainsi de même qu'il y a, dans le meurtre, un au-delà de la nécessité, où celui-ci apparaît comme une affirmation de l'individu, il y a un au-delà de la nécessité dans le risque de mort, où celui-ci apparaît également comme une affirmation de l'individu. Ce double « au-delà » est intimement associé dans le tournoi, la compétition armée, où le risque de mort et le meurtre s'exaltent l'un l'autre.

Le risque de mort déborde la guerre, déborde la barbarie du meurtre, recouvre tous les secteurs de l'activité humaine.

Certes, il existe un risque de mort que contrebalance la certitude de l'immortalité et qui de ce fait est très ambigu : tel le martyre des premiers chrétiens ou la recherche de la belle mort qui conduit tout droit au paradis des houris de la conquête musulmane. Risque de mort sans risque ? On ne saurait l'affirmer absolument, puisque, comme nous l'avons vu au premier chapitre, l'homme qui se croit immortel n'est jamais absolument certain de son immortalité.

De toute façon en dehors du risque pour l'immortalité, la mort se risque pour l'orgueil, le prestige, pour une joie, une volupté qui vaut bien le risque ; c'est le risque de mort « icarien », que nous rappelle si intensément la mort de Clem Sohn au polygone de Vincennes, ou ce document cinématographique où l'on voit un homme-oiseau se jeter du premier étage de la Tour Eiffel[5] ; le dernier sentiment qui transpire de l'ultime attitude de cet homme, qui soudain se rend compte qu'il va se tuer, c'est affreusement mêlée une double angoisse, celle de la mort, et celle du déshonneur. La mort se risque par amour, par extase, par vanité, par masochisme, par folie, par bonheur... Par amour du risque lui-même, comme chez l'alpiniste, c'est-à-dire en fin de compte par amour de la vie, pour en jouir plus intensément et s'en enivrer, au prix même de cette vie.

Par ailleurs, la mort se risque pour les « valeurs ». Pas seulement les valeurs civiques établies, qui commandent l'héroïsme officiel, mais aussi pour des valeurs nouvelles, révolutionnaires, qu'il faut instaurer dans la cité. Pour des valeurs bafouées, ignorées, inconnues. Vanini ira au supplice, souriant, simplement

5. Dans le film *Paris 1900* de Nicole Vedrès.

pour affirmer que Dieu n'existe pas. L'homme risque la mort enfin pour sa propre valeur d'homme, son honneur et sa « dignité ». On risque la mort pour ne pas renier ses idées, et pour ne pas se renier soi-même, ce qui souvent est la même chose. Ces « valeurs » que fonde l'individu et qui le fondent, sont reconnues comme supérieures à la vie : elles dominent le temps et le monde, elles sont immortelles. Pour elles, l'individu néglige ou méprise sa mort, cette « poussière » dont parlait Saint-Just. Il s'affirme et s'affirmant se dépasse, s'oublie, donne sa vie pour « sa » vérité, « sa » justice, « son » honneur, « son » droit, « sa » liberté.

Et ainsi, dans le risque de mort, nous retrouvons toujours le donné anthropologique, la décadence de l'espèce (instinct de protection), l'affirmation de l'individu. Au paroxysme de cette décadence et de cette affirmation, nous retrouvons le suicide ; non seulement le suicide exprime la solitude absolue de l'individu, dont le triomphe coïncide alors exactement avec celui de la mort, mais il nous montre que l'individu peut, dans son autodétermination, aller jusqu'à anéantir à froid son instinct de conservation, et anéantir ainsi sa vie qu'il tient de l'espèce, afin de se prouver par là l'impalpable réalité de sa toute-puissance. Le geste suprême, comble de l'individualité, au niveau de son exaspération, serait donc le suicide, le suicide « beau » de Mallarmé. Et Kirilov l'avait compris ; le suicide, reniement limite de l'espèce, est le test absolu de la liberté humaine.

Mais la différence radicale entre le suicide et le risque de mort tient dans le fait que le suicide sanctionne une solitude, une absence ou un dessèchement des participations. Le risque de mort, lui, implique toujours une présence et une richesse des participations. Nous empruntons ce terme de « participation » à Lévy-Bruhl ; ses carnets posthumes, si émouvants à tous égards, nous le montrent à la fin de sa vie, véritablement englué par l'infinie richesse cosmique de la participation, essayant de la « penser », et sans cesse débordé par elle. Ce fut peut-être l'effort le plus riche (et méconnu) de ce sociologue d'avoir tenté de saisir l'homme archaïque dans ses participations. Nous élargirons ce terme non plus seulement à la société ou au milieu, mais à tout ce à quoi l'homme participe, son travail, ses valeurs, ses actions, etc.

Nous pouvons ainsi poser que l'étendue du domaine du risque de mort est à la mesure de l'étendue du domaine des participations, c'est-à-dire illimité.

Le risque de mort s'ouvre en effet des participations ludiques (l'aventure pour l'aventure, le risque pour le risque, etc.) aux participations morales (la vérité, l'honneur, etc.) en passant par la gamme des participations sociales (la patrie, la révolution, etc.). Dans ces participations l'individu s'affirme, mais affirme également que les participations valent le sacrifice éventuel de son individualité.

Les participations détiennent donc en elles une force extraordinaire ; comme nous l'avons vu en ce qui concerne la participation biologique et la participation belliqueuse, l'individu qui s'y noie s'oublie lui-même et oublie sa mort. Peut-être la puissance des participations est-elle encore plus grande quand il s'agit d'une acceptation consciente du risque de mort. Car alors le risque de mort affronte l'horreur de la mort et se révèle capable de la vaincre. Car alors il s'agit non pas d'une abdication de l'individu, mais d'une auto-affirmation héroïque. Auto-affirmation d'autant plus riche que le héros ne se sent jamais aussi fortement « lui-même » qu'au moment du risque, tout en se sentant « intensément » vivre, tout en se sentant lié à une réalité qui le dépasse. Cette affirmation du Moi dans le risque de mort contient donc très souvent une exaltation du Soi, c'est-à-dire de tout l'être et en même temps du Sur-Moi, c'est-à-dire de la « valeur » à laquelle il participe. On retrouve ce triple sentiment dans le récit de Lionel Terray, un des vainqueurs de l'Annapurna (et d'autant plus clairement qu'il ne s'agit pas d'un témoignage littéraire) : 1. fierté d'être de ceux qui ont les premiers atteint un sommet de plus de 8 000 mètres d'altitude (exaltation du Moi) ; 2. ivresse, euphorie de tout le corps en dépit de la tempête et du gel (exaltation du Soi) ; 3. exaltation de la France, de l'humanité, de la valeur morale de l'exploit (Sur-Moi).

Et peut-être dans la plupart des participations où l'individu n'est pas aveugle à la mort, mais où il la risque, on peut déceler cette triple exaltation du Soi, du Moi et du Sur-Moi[6]. En effet, la recherche du risque pour le risque, de l'aventure pour l'aventure, du combat pour le combat, du jeu, de l'extase, où sont négligées les précautions les plus élémentaires de sauvegarde, a une signification intense où le Soi de l'exaltation biologique coïncide avec un Sur-Moi ; le vitalisme de Nietzsche a justement posé la vie comme valeur, et cette valeur, d'autres ont pu l'appeler élan vital, ferveur, force tellurique, etc. La vie dangereuse c'est aussi une morale. Dans cette participation à la vie dangereuse, l'individualité ne se dissout pas, mais adhère, s'identifie à des forces, à des réalités qui l'exaltent ; le Moi, pour ainsi dire, est saisi en sandwich dans l'élan conjugué du Soi et du Sur-Moi.

Réciproquement le risque de mort pour les « valeurs » appelle souvent « la vie intense », c'est-à-dire l'exaltation du Soi, qui va se conjuguer à celle du Moi, dans la défense et illustration du Sur-Moi. Il a « bien » vécu, celui qui va « bien » mourir.

Et c'est peut-être cette simple exaltation, qui dans la plupart des cas donne le courage d'affronter la mort. Mais, bien entendu, ceci n'est pas une règle : par exemple, on part plein d'entrain au combat, puis la peur arrive, ou le sentiment de la vanité de la guerre, et, dans la déroute du Soi et du Sur-Moi, il n'y a plus que le sentiment de l'honneur, la simple affirmation du Moi, pour soutenir le risque de mort. Ou bien au contraire, une noble individualité part à la guerre en se proposant de défendre le droit et la civilisation ; elle en revient brute sadique, ou mouton de Panurge. C'est pourquoi, entre autres raisons, on peut passer facilement du « risque de mort » à la « mort subie » (et vice versa), du risque de mort à la peur de la mort (et vice versa). Tel tremble aujourd'hui, qui se dépassera le lendemain et s'oubliera le surlendemain ; il n'y a pas de héros permanent... Car le risque, qui est le meilleur de l'homme, est aussi le plus difficile. Il est même plus difficile de risquer ses aises du temps

6. Nous utilisons ces notions posées par Freud, mais dans un sens très large, en dehors pour le moment de leurs implications psychanalytiques. Il faut donc entendre Sur-moi dans son sens littéral : tout ce que le moi reconnaît supérieur à lui.

de paix que d'affronter la mort au creux de la participation collective. Le courage civique est plus rare que le courage militaire.

Ainsi donc le risque de mort implique toujours une participation de l'individu, dans laquelle l'individu peut dominer son horreur de la mort. Et ici la contradiction qui oppose le risque de mort à l'horreur de la mort apparaît dans toute son ampleur et en même temps dans son unité. Car du même coup nous saisissons le caractère commun à cette dualité paradoxale : la poussée de l'individu qui a ouvert une brèche dans le carcan de l'espèce. L'espèce perd son efficacité clairvoyante, cesse d'envelopper et de protéger la vie individuelle. *Sur cette décadence de l'espèce, l'homme s'affirme comme réalité irréductible et c'est l'horreur de la mort ; il débouche sur l'infini des participations et c'est le risque de mort.*

Horreur de la mort, risque de mort sont les deux pôles de notre anthropologie de la mort. Et sous-jacente à ces deux pôles, il y a la cécité animale, l'oubli de la mort. L'individualité n'est jamais stable, toujours en conflit, et va sans cesse de l'oubli de la mort à l'horreur de la mort, de l'horreur de la mort au risque de mort. Nul honnête père de famille, nul lâche, nul héros ne sait jamais quel sera le visage de sa mort. Galilée risque le bûcher jusqu'à la dernière minute, mais alors il préfère abjurer que risquer la mort, et il ne murmure que pour lui-même le « eppur se muove ».

Inadaptation ou adaptation à la mort ?

Tout ceci nous explique que l'homme, le seul être qui ait horreur de la mort, soit en même temps le seul être qui donne la mort à ses semblables, le seul être qui recherche la mort.

Mais si nous pouvons saisir le point de départ unique de cette contradiction, nous ne pouvons éluder le problème qu'elle pose ; qui est en fin de compte celui-ci : *l'homme est-il adapté ou inadapté à la mort ?* Ce n'est qu'au terme de cet ouvrage que nous pourrons envisager une réponse. Mais il importe dès maintenant de poser cette question capitale qui va commander implicitement toute notre étude.

Le triple donné anthropologique de la conscience de la mort (conscience d'une rupture, traumatisme, immortalité) révèle une inadaptation fondamentale. Le traumatisme de la mort et la croyance en l'immortalité, dans leur présence continue et violente au cours de la préhistoire et de l'histoire humaine, confirment le caractère catégorique de cette inadaptation.

Toutefois cette inadaptation est *relative*. Si l'individu humain était absolument inadapté à la mort, il mourrait de mourir puisque la mort, dans le monde de la vie, est la sanction de toute inadaptation absolue. Et, d'ailleurs, celui qui ne peut supporter l'idée de la mort en meurt : soit d'angoisse, comme cet Ancien que cite Fulpius, soit volontairement par le suicide.

L'inadaptation est, avons-nous vu, relative aux participations de l'individu. Les participations sont en un sens l'adaptation elle-même : tout homme est « lié au monde ». Là où ces participations sont grégaires ou quasi animales, le traumatisme et la conscience de la mort disparaissent, il y a quasi-adaptation. Là où les participations appellent le risque de mort, c'est-à-dire aussi l'exaltation de l'individu, on peut parler sinon d'adaptation au sens strict, du moins d'acceptation de la mort possible.

Mais si l'inadaptation humaine à la mort est relative, l'adaptation à la mort est également relative. Si l'homme qui risque sa vie est prêt à assumer sa mort, celle-ci ne lui demeure pas moins haïssable ; mais, imposée par un impératif de sa vie d'homme, il l'affronte. Car risquer la mort n'est pas l'aimer, mais souvent la narguer. « J'aime la vie mais il faut savoir la risquer à fond pour en savourer le prix. La mort a peur de ceux qui ne craignent pas de lui donner la main », dit un aventurier moderne. Et surtout : en dépit de la présence d'un tréfonds inconscient qui ignore la mort, en dépit de la présence contraignante de la société, en dépit de cette propension à oublier la mort dans les élans d'agression ou de sympathie, en dépit des extases ou des dévouements, en dépit des sacrifices, en dépit des déterminations barbares, en dépit de la prodigalité de mort, en dépit de la fragilité humaine, en dépit des participations innombrables, en dépit de l'instabilité fondamentale, en dépit de tout ce qui fait de l'homme l'animal qui risque le plus facilement sa vie, toujours et de toutes façons, même lorsqu'il est prêt à mourir, l'homme, dans la mesure où il a le sentiment ou la conscience de son individualité, continue à haïr la mort de l'espèce, la mort *naturelle*.

Il y a donc un complexe d'inadaptation et d'adaptation, et, au nœud de ce complexe, provoquant paradoxalement l'inadaptation (du fait que c'est elle qui permet et conditionne l'individualisation) et à la fois l'adaptation (du fait qu'elle est participation) : la société. Le paradoxe de la société, c'est en même temps le paradoxe de l'individualité, réalité à la fois irréductible et ouverte aux participations sociales : c'est le paradoxe de l'inadaptation et de l'adaptation à la mort.

Car la société, nous l'avons vu, adapte à la mort. Dans un sens elle ne fait que remplacer la contrainte de l'espèce par une autre contrainte. Son emprise, interne et externe, ressemble fort à celle de l'espèce. Elle s'arroge la plupart des attributs de l'espèce ; elle est coutume, tradition, éducation, langage, science, législation, tabou ; elle est en quelque sorte l'équivalent de l'instinct, à la fois en tant que magasin du savoir collectif et puissance impérative. Effectivement, selon le mot profond de Pascal, la coutume est une seconde « nature » qui élimine la première nature, mais la remplace.

C'est ce rôle de quasi-espèce qui provoque la cécité à la mort du temps de guerre. Mais déjà en temps de paix, le groupe archaïque, véritable raccourci d'espèce, n'accorde la qualité d' « homme » qu'à ses membres ; effectivement les vocabulaires et les comportements archaïques[7] nous montrent cette tendance à considérer comme plus étranger encore qu'un animal ou une chose à l'humanité du groupe celui que l'on appelle précisément « l'étranger[8] ». Est-il d'ailleurs besoin d'aller chercher si loin ? Qu'on songe au SS pour qui le déporté n'est plus qu'un *Schweinhund,* au colonial pour qui l'indigène n'est qu'un salopard, à l'aviateur américain pour qui « la jeune fille coréenne n'existe pas ».

7. Cf. Davies, *la Guerre dans les sociétés primitives.*

8. L'étranger, c'est soit l'ennemi, soit l'hôte. Il apparaît donc soit dans son individualité absolue et traité comme un dieu, soit dans son étrangeté absolue et mis à mort.

De plus, à l'intérieur du groupe, la société semble imposer le tabou de protection collective de l'espèce en y interdisant le meurtre. Une des définitions du clan, c'est « là où ne règne pas la vengeance par le sang » (talion). La société archaïque ressemble donc à de nombreux égards à une micro-espèce fermée sur elle-même ignorant l'unité évidente de l'espèce humaine.

Mais ceci dit, on ne peut considérer qu'il y ait eu simple transfert de l'instinct (l'espèce) à la société, celle-ci remplaçant purement et simplement celle-là. Si l'homme a *éjecté* l'espèce en même temps qu'il sécrétait la société, il s'est ainsi produit lui-même comme individu. Non seulement la « deuxième nature » sociale n'a pas la tyrannie de la première nature, mais c'est grâce à elle que l'homme a échappé à la présence innée, absolument déterminante de l'instinct. Car la décadence des instincts innés correspond à l'emmagasinement du savoir autrefois spécifique dans le réservoir social.

De même qu'il existe une distance entre l'homme et l'outil qu'il peut reprendre, abandonner, transformer (alors que pour l'animal, l'outil, c'est le corps), de même il existe toujours une distance de principe entre l'individu et le savoir ou le devoir social. Distance de principe qui est une distance de fait puisque toute société, si archaïque soit-elle, nous révèle avec les funérailles et la croyance en l'immortalité, la présence de l'individu. De même encore que les déterminations techniques, incluses dans l'outil extérieur, laissent toujours ouvertes les possibilités inventives de l'homme, de même ses déterminations civiques, extérieures et incluses dans ce magasin qu'est la société, laissent toujours ouvertes les possibilités d'auto-détermination de l'individu, même lorsque celui-ci est accablé sous le poids d'une tradition millénaire de tabous, de préjugés, de servitude, d'orgueil, de racisme. C'est cela, cette possibilité de transformation et d'autodétermination, la bonté originelle de l'homme, alors que l'animal vivant en société reste absolument déterminé par ses instincts et ses spécialisations physiologiques. Anthropologiquement donc, la société est le courant force qui traverse l'individu et le libère de l'espèce.

Et en fait, si lentement, si dramatiquement que cela puisse

se faire, les choses changent, les hommes évoluent, ils s'individualisent.

Le développement historique de la société est lié de la façon la plus étroite à celui de l'individualité. Selon l'optique réactionnaire une société qui progresse est une société qui se désagrège ou s'amollit. Cela est vrai à condition de ne pas oublier le sens de cet amollissement. Le progrès qu'appelle l'histoire humaine, c'est le développement mutuel et réciproque de la société et de l'individu.

Ainsi, la société, dans sa réalité double, dialectique, de quasi-espèce et de libératrice de l'individu, entretient à la fois l'adaptation et l'inadaptation à la mort.

Et c'est pourquoi il est très difficile de dissocier adaptation et inadaptation. La société est humaine. L'homme est social. L'opposition entre la société et l'individu est fondée sur une profonde réciprocité. L'un renvoie à l'autre. Le complexe de l'inadaptation et de l'adaptation est en même temps au cœur de la société et au cœur de l'homme.

Et c'est ce complexe dialectique que révèlent les funérailles et les deuils. Le deuil exprime socialement l'inadaptation individuelle à la mort, mais en même temps il est ce processus social d'adaptation qui tend à refermer la blessure des individus survivants. Après les rites de l'immortalité et la clôture du deuil, après un « pénible travail de désagrégation et de synthèse mentale », la société alors seulement, « rentrée dans sa paix, peut triompher de la mort[9] ». La « société » certes, mais non pas opposée à l'individu, il s'agit ici de la réalité humaine totale. Et de même en ce qui concerne la croyance en l'immortalité, la religion va se trouver au nœud du complexe d'inadaptation et d'adaptation.

La religion, qui va de plus en plus se spécialiser dans la canalisation du traumatisme de la mort et l'entretien du mythe de l'immortalité, exprime ce traumatisme tout en lui donnant une forme et une « santé ». Elle est certes « le soupir que pousse la créature en angoisse » (Marx), « la névrose obsession-

9. Hertz.

nelle de l'humanité » (Freud), mais elle joue le rôle vital de réfutation des vérités désespérantes de la mort. Elle sécrète l'optimisme qui, à travers les rites d'immortalité, permet à l'individu de surmonter son angoisse. En apportant un « patron » (pattern) social défini aux émotions individuelles, elle les exprime dans leurs profondeurs et en même temps elle leur dégage une issue. Cette issue se fait au prix de sacrifices énormes, d'une dépense énergétique prodigieuse. Plus la civilisation sera évoluée, plus la religion tendra de son propre mouvement à s'hypertrophier, à rabâcher l'horreur de la mort lorsque les vivants tendront à l'oublier. Mais dans sa réalité première, elle détourne sur elle le trop-plein individuel névrotique, le guérit dans son « psychodrama-sociodrama » collectif ; elle est d'autant plus morbide du point de vue social qu'elle est guérison du point de vue individuel. Le serein équilibre du croyant (quand il existe) se fonde sur le délire pathologique de sa religion. Mais d'un autre point de vue, la religion, c'est la santé sociale, qui calme l'angoisse morbide individuelle de la mort. Il y a réciprocité. La religion est bien une adaptation qui traduit l'inadaptation humaine à la mort, une inadaptation qui trouve son adaptation.

Il existe donc un complexe d'inadaptation et d'adaptation au cœur même de la mort humaine, mais où l'adaptation spécifique ne joue aucun rôle, sauf lorsque l'individu est repris totalement par le Soi. A ce complexe d'inadaptation-adaptation, correspond l'hétérogénéité des contenus et des significations de la mort dans la conscience humaine. Complexe sans cesse instable, sans cesse en conflit : dans les conflits dramatiques, qui peuvent opposer le risque de mort à l'horreur de la mort, tantôt l'un tantôt l'autre triomphe.

Mais ce complexe n'est pas un simple jeu dialectique entre *des* adaptations et *des* inadaptations, *une* adaptation et *une* inadaptation. *Il nous révèle des adaptations possibles sur la base d'une inadaptation fondamentale.*

C'est l'inadaptation à l'espèce qui a libéré la dialectique d'inadaptation-adaptation à la mort : les adaptations humaines ne sont possibles que par l'inadaptation à l'espèce. Et cette inadaptation ouvre la porte au paradoxe anthropologique de la mort : l'individu qui s'affirme au détriment de l'espèce, s'affirme à la fois comme réalité autonome, fermée, qui refuse la mort, et comme réalité participante.

A la fois Sur-Moi, Moi et Soi, à la fois société, individu, espèce, c'est cela l'homme. A nouveau la mort ouvre les portes de l'humain qui s'ouvrent sur les portes de la mort. La régression de l'espèce et la promotion de l'individu, qui forment un seul et même phénomène, ont provoqué l'apparition de l'horreur de la mort, de l'inadaptation à la mort. En même temps elles ont laissé l'homme sans protection contre la mort réelle, elles ont ruiné le tabou de protection spécifique ; elles ont du même coup libéré l'appétit de meurtre et l'appel de risque de mort. C'est donc dans le sens de l'inadaptation et des adaptations anthropologiques qu'il nous faut creuser pour savoir si c'est l'homme qui est inadapté à la mort ou la mort qui est inadaptée à l'homme. Dans ce dernier cas toutes les perspectives traditionnelles, selon lesquelles on a abordé le problème de la mort, seraient bouleversées. Il serait alors permis d'entrevoir une solution radicalement nouvelle.

5

Les fondements anthropologiques du paradoxe

Cette double polarité de l'individualité humaine : ouverture aux participations et auto-détermination, sans cesse en conflit, sans cesse en dialogue, à laquelle nous renvoie la double polarité de l'attitude humaine devant la mort — risque de mort et horreur de la mort — est finalement ce qui définit le plus intimement l'homme.

Notre anthropologie de la mort, fondée sur la préhistoire, l'ethnologie, l'histoire, la sociologie, la psychologie de l'enfance, la psychologie tout court, doit trouver maintenant ses confirmations biologiques, si elle veut s'affirmer comme authentiquement scientifique. C'est là que nous pourrons appréhender à travers l'identité du mouvement de régression de l'espèce et de progression de l'individu la réalité humaine fondamentale.

Or, cette régression de l' « espèce » et cette affirmation de l'individu caractérisent *anatomiquement* et *physiologiquement* l'être humain. L'homme est en effet un anthropoïde qui a perdu ses caractères anatomiques et physiologiques spécialisés, qui a retrouvé les caractères indéterminés propres à l'enfance de l'espèce. Selon Bolk [1] dont le point de vue s'est imposé aujourd'hui, les principaux caractères anatomiques distinctifs de l'être humain résultent d'un processus de fœtalisation suivant lequel « les caractères juvéniles de l'ancêtre anthropoïdien sont devenus

1. *Das Problem der Menschwerdung*, Iéna, 1926.

chez l'homme les caractères de l'adulte ». L'homme ressemble davantage au fœtus de l'anthropoïde que l'anthropoïde lui-même, et davantage à l'ancêtre anthropoïde qu'aux anthropoïdes.

L'on peut considérer, chez l'homme, comme caractères régressifs, l'absence de pigmentation des races blanches (les anthropoïdes et les races humaines pigmentées ont à leur naissance la peau blanche) ; la disparition ou la réduction de la pilosité (le revêtement pileux du gorille et du chimpanzé est, à la naissance, limité à la tête ; chez le gibbon, le revêtement pileux du nouveau-né recouvre la tête et le dos ; il n'est complet dès la naissance que chez les singes proprement dits) ; la grosse tête, le crâne et le cerveau volumineux, l'absence d'arcades sourcilières et de crête sagittale, la réduction du museau et des mâchoires, le faible développement des muscles masticateurs et des canines. Dès 1915, il avait été constaté par ailleurs que le pénis humain était lui-même fœtal, par rapport à celui du singe, du fait de la conservation du prépuce : « L'homme conserve toute sa vie le caractère fœtal caractérisé par la présence du frein prénuptial » (Retterer et Neuville).

Cette fœtalisation s'accompagne d'une simplification de tout l'organisme. Comme le dit Vandel : « Par ses membres pentadactyles, sa dentition encore très complète, ses molaires quadrituberculées, son appareil digestif non spécialisé, l'homme représente à certains égards un type primitif à caractères généralisés, répondant à une constitution beaucoup plus simple que celle de la plupart des mammifères [2]. »

La fœtalisation qui transforme l'anthropoïde en homme, en fait donc un être indéterminé, puisqu'il est fort peu éloigné de la forme type indéterminée de ses ancêtres. Elle en fait un être général, puisque cette indétermination se traduit par une non-spécialisation physiologique. Elle en fait enfin un être juvénile, un fœtus adulte, ignorant le savoir de l'espèce, c'est-à-dire ignorant l'adaptation préétablie. Elle correspond exacte-

2. « L'évolution se traduit très souvent par des simplifications », fait remarquer par ailleurs Vandel. « L'étude de la plupart des groupes actuels prouve que leur organisation est simplifiée par rapport à celle des organismes qui les ont précédés. » De telles simplifications se retrouvent aussi dans l'histoire de l'industrie humaine.

ment au phénomène de régression des instincts spécifiques, que nous avons sans cesse retrouvé sur notre route.

L'enfant-homme, plus nu qu'un ver, est l'être le plus déshérité de la nature. Il arrive dans un monde où aucune spécialisation physiologique, aucune habitude héréditaire, ne lui servira d'appui naturel, de système d'auto-défense. Il doit apprendre, non seulement ce qui est proprement humain (le langage, les comportements sociaux), mais l'acquis inné chez l'animal (marcher, nager, s'accoupler, accoucher, etc.). C'est le même enfant indéterminé, innocent, qui depuis des millénaires a pu devenir chasseur, pêcheur, paysan, prince, esclave, barbare, civilisé, bon, méchant, sage, fou, savant assassin, géophage, anthropophage, navigateur, mineur, lâche, héros, voleur, policier, révolutionnaire, réactionnaire. Et ces adultes durcis dans leurs déterminations portent encore en eux un *Mowgli* mal endormi, prêt à recommencer une expérience, une éducation.

Aussi la brèche ouverte par la décadence de l'espèce n'est pas remplie par la société : la société permet anthropologiquement le passage par la brèche ouverte. Et par cette brèche l'individu s'ouvre sur le monde ; il pénètre dans le monde, mais le monde pénètre en lui. Toutes les virtualités biologiques grouillent au sein de l'indétermination humaine et cherchent à se réaliser contradictoirement. L'homme est ouvert à toutes les participations. La participation illimitée est donc le produit de la fœtalisation, de la régression des instincts.

En décrivant l'indigène de l'Est africain, un voyageur a décrit l'homme lui-même : « Il a à la fois bon caractère et le cœur dur ; il est batailleur et circonspect, bon à un moment, cruel, sans pitié et violent à un autre ; superstitieux et grossièrement irreligieux ; brave et lâche, servile et oppresseur, têtu et pourtant volage, attaché au point d'honneur mais sans trace d'honnêteté en paroles et en actions, avare et économe et pourtant irréfléchi et imprévoyant [3]. » Une classification des caractères humains serait aussi abondante que la classification des espèces par Buffon, et elle remplirait tout le registre de la caractérologie animale, car l'homme est cruel comme un loup, paillard comme un singe,

3. Cité par Spencer dans *Principes de sociologie.*

insouciant comme l'oiseau, têtu comme un mulet, féroce comme un tigre, doux comme un mouton, rusé comme un renard... L'homme n'est même pas un être social au sens strict du mot : il est à la fois social, grégaire et solitaire. Ses tendances instables le rendent capable d'extases collectives et de communions violentes inconnues dans le règne animal, comme d'une recherche de l'absolue solitude et de la contemplation. Tout ce qui est dispersé et spécialisé dans les espèces animales, se retrouve en l'homme « omnivore » : tous les goûts sont dans les deux natures, l'humaine et l'autre ; les phobies et les philies, qui sont très déterminées chez les espèces vivantes, en fonction des orientations stables, sont très variables chez l'homme, selon les individus, les lieux et les époques, et nous montrent l'échantillonnage infini d'une sensibilité omnivore, ouverte à toutes les forces de sympathie, de haine, de colère, de peur, d'extase.

Et ces participations se mêlent entre elles. Les rires et les pleurs sont interchangeables dans le rire-aux-larmes et les larmes-de-joie. Rires et pleurs traduisent également des chocs d'inadaptation, des instabilités ressenties comiquement ou dramatiquement, tandis que le sourire exprime le bonheur fragile d'une adaptation conquise. Les sentiments humains sont le siège de syncrétismes instables où se mêlent l'attraction et la répulsion, l'amour et la haine.

L'affectivité de l'homme est étroitement mêlée à son érotisme, et celui-ci est également dé-spécialisé. Par-delà les organes sexuels, toutes les parties du corps humain sont érotisées ; à côté de l'érotisme sexuel, l'érotisme buccal s'est développé jusqu'à jouer un grand rôle, non seulement dans l'amour tout court, mais dans toute la vie humaine ; enfin l'érotisme humain est capable de se transférer, sur tous objets et activités humaines.

Sur tous les plans donc, la régressivité a fait de l'homme, dégagé des instincts et des spécialisations organiques, un petit monde copiant le grand, une sorte de miroir du monde biologique.

Il est un véritable microcosme, résumé et champ de bataille de la vie, dont les rythmes et les conflits s'expriment avec violence dans ses propres conflits. On peut supposer qu'à travers la plasticité humaine affleurent toutes les possibilités déjà vécues par la lignée, depuis ses origines aquatiques et unicellulaires. Ainsi les tendances et les expériences ancestrales, qui remontent à la source de toute vie, en passant à travers le règne animal, poissons, reptiles et mammifères, se manifesteraient en l'homme, animal non spécialisé, indéterminé, général, dans son être total, de même qu'elles se manifestent successivement dans sa genèse individuelle, à travers le cycle du fœtus (qui recommence approximativement l'histoire du phylum).

L'homme est à ce point ouvert aux participations cosmiques qu'il se reconnaît volontiers comme parents ou semblables un ou plusieurs animaux, une ou plusieurs plantes, plutôt que les hommes d'un autre groupe. L'indétermination humaine se plaît à imiter des animaux et le comportement des enfants à cet égard est significatif. Chez eux les animaux ont toujours suscité une curiosité et une participation très grande (fables, dessins animés), et chez les adultes, ils ont joué un rôle fondamental dans les religions. Chez les premiers humains, frugivores, chasseurs, ces participations se sont manifestées par des fixations mimétiques extrêmement puissantes. Le rôle obsédant[4] des animaux et des plantes dans la mentalité archaïque et infantile, les philies et les phobies violentes qui en découlent, la possibilité de mimer ces animaux, de se métamorphoser en eux (se croire métamorphosé en eux), la plasticité des visages humains qui évoquent les têtes des animaux les plus divers (de veau, de chien, de biche, d'oiseau) ont provoqué universellement des fixations qui se sont concrétisées entre autres dans les rites, coutumes, croyances, mythes du totémisme. Lévy-Bruhl a surabondamment analysé la mentalité « participative » de ces « primitifs » qui se croient des léopards ou des perroquets en même temps que des hommes et qui pensent que les sorciers-caïmans ont dévoré leurs parents pendant leur bain. L'homme « primitif », justement parce qu'il est homme « participant », se croit un animal.

L'homme mime les animaux, avons-nous dit ; il faut aller plus loin, l'homme mime tout, il est l'animal mimétique par excellence. Le mimétisme c'est la faculté de résonance aux choses ambiantes, l'ouverture au monde, la participation elle-même, la possibilité en effet de confusion avec l'autre. Le mimétisme n'est

4. Les jurons, les surnoms, les proverbes témoignent encore de la présence obsédante des animaux dans notre inconscient.

pas apparu avec l'homme. La puissance mimétique dans la nature est prodigieuse. Mais elle s'est partout figée avec la spécialisation et l'adaptation. La force mimétique s'est à jamais durcie chez ces papillons ou insectes à forme de feuille, à couleur de verdure, ou ces animaux à pelage de neige ou de forêt. Elle s'est manifestée au cours de « l'époque de plasticité des espèces [5] ». Chez l'homme, au contraire, le mimétisme, d'origine non moins pratique, est resté instable ; il s'ouvre perpétuellement sur le jeu, la danse (dont l'érotisme, avec ou sans orgasme, jaillissant des « nappes souterraines » s'élève jusqu'à l'extase panique, cosmique).

Les jeux, les danses, sont de véritables mimes du cosmos. Ils miment la création du monde, l'unité et l'indétermination premières, comme l'ont découvert par des voies différentes Mircea Eliade et Roger Caillois.

Et ainsi l'homme est bon à tout, bon à rien, ouvert à l'éros le plus général, participant à toutes les forces de l'univers, microcosme doué de toutes les possibilités, de toutes les plasticités. Dans cette perméabilité aux participations, l'individualité tend à s'absorber, à s'identifier à tout. Et toute régression, tout oubli, tout dépassement, se traduit par l'oubli de la mort ou le risque de mort.

Le noyau de l'individualité.

Avec sa sensibilité quasi protoplasmique, l'homme a donc presque autant de généralité que l'amibe, que les premiers êtres vivants indifférenciés, mais avec en plus la possibilité inouïe de la main et du cerveau.

Il garde son indétermination, sa juvénilité, sa généralité, précisément parce qu'il fabrique ses spécialisations et ses déterminations, qui, elles, vieillissent, meurent et se remplacent à l'extérieur. Il s'en entoure et s'en sert pour vivre, sans que celles-ci puissent pénétrer son être intime. Et il n'y a pas d'adaptation stabilisée possible. La capacité d'invention, figée dans l'instinct spécifique, reste éveillée dans chaque individu humain : c'est l'intelli-

5. Roger Caillois, *le Mythe et l'Homme.*

gence, circulant dans, sur et par le langage et aidée de la main, qui fonde, sur et par l'individualité, l'affirmation de l'humain.

La *progression* du cerveau, du langage et de la main éclaire et donne le sens de la régression de l'espèce. Ils sont les organes mêmes de la non-spécialisation, de la généralité, de l'invention juvénile. Ce sont eux qui ont permis et peut-être provoqué, si l'on peut désagréger ce tout complexe qu'est l'homme, cette régression. Tout est lié. « La persistance, chez les hominiens, de caractères qui ne sont que transitoires chez les anthropomorphes[6] » est liée à l'extrême lenteur du développement humain, de l'enfance à l'âge adulte, lenteur elle-même liée à des modifications endocriniennes ; mais ces modifications sont elles-mêmes liées à des transformations telluriques du quaternaire et de la glaciation, à une transformation du genre de vie de l'ancêtre de l'homme, à une cessation de la vie arboricole qui a sans doute libéré la main et le cerveau de leurs spécialisations : l'homme s'est mis à marcher debout et ses mains sont devenues disponibles. La dé-spécialisation de la main, devenue un véritable *Maître Jacques* (Howels), a été le point de départ d'une prodigieuse dialectique main-cerveau et cerveau-parole, mère de toutes les techniques et de toutes les idées. Tout est lié : la mâchoire, libérée par la main du plus gros de son ancien travail, elle-même libérée par l'outil, lui-même produit par la main intelligente... Le museau est devenu visage, le silex outil, la main s'est faite inventive, et l'esprit s'est trouvé saisi par la mort...

Ainsi l'on comprend le sens de la transformation progressive-régressive, qui, créant l'homme, a créé un rapport nouveau individu-espèce. La désagrégation des spécialisations anthropoïdiennes, opérée par la régression, simultanément à la démomification de l'instinct, devenu intelligence, ont toutes les deux dépossédé le phylum, l'espèce, de ses attributs pratiques au profit du pseudo-phylum, la société, qui nourrit l'individu. *C'est le même mouvement qui fait de l'homme un individu auto-déterminé et un microcosme indéterminé ouvert aux possibilités de la nature, et qui le pousse vers l'évolution.* Et ce n'est pas le corps qui évoluera vers la spécialisation, au contraire : le corps humain au

6. Vandel, *l'Homme et l'Evolution.*

fur et à mesure que la science et la technique se perfectionnent, se dé-spécialise de plus en plus. Nulle spécialisation physiologique donc, nulle détermination organique, ne viendront stopper cette évolution, la transformer en adaptation. Non seulement l'humanité demeurera juvénile, mais elle rajeunira de plus en plus.

Ainsi c'est l'affirmation de l'individu qui commande la régression de l'espèce, et du même coup l'irruption du monde dans l'homme, le caractère « microcosmique » de l'humain. L'intelligence, guidée par la main, toujours disponible, fait de l'homme un animal général auto-déterminé, c'est-à-dire délivré de la détermination figée de l'instinct devenu inutile.

Aussi grâce à l'intelligence et la main, l'individu humain non seulement posera ses propres déterminations extérieurement à lui, mais encore il les utilisera pour déterminer son milieu, c'est-à-dire le monde. C'est-à-dire en fin de compte, se l'approprier. Mais dans ce mouvement, il est en même temps envahi par les participations cosmiques, c'est-à-dire le monde. Son affirmation individuelle ne peut être dissociée de l'irruption du monde en lui. Il y a sans cesse déséquilibre, inadaptation, entre l'homme et le monde, déséquilibre et inadaptation qui se surajoutent à l'inadaptation de l'homme à l'espèce et en procèdent. Il adapte et s'adapte en même temps. Il n'adapte qu'en s'adaptant, et ne s'adapte qu'en adaptant.

Ainsi s'achève la structure du « microcosme » humain : analogue à la nature qu'il reflète, il évolue comme elle avait elle-même évolué, effectuant la synthèse vivante entre la généralité porteuse de tous les possibles et les spécialisations qui résolvent les problèmes concrets ; il est le seul animal créateur de généralités et de spécialités, s'auto-déterminant en déterminant son milieu ; mais aussi fondamentalement inadapté à la nature, subissant ses déterminations hostiles, s'opposant à elles, perpétuellement instable, en rupture. L'homme, qui est lui-même un tout, est inadapté au tout, c'est-à-dire à ses aspirations totales qui sont de s'adapter au cosmos, tout en étant adapté à son inadaptation, qui est de transformer le cosmos.

Sa richesse est dans cette adaptation à l'inadaptation et cette inadaptation à l'adaptation. Dans l'une sa bonté originelle, dans l'autre son péché originel : la mort.

6

La mort et l'outil

Ouvert au monde dans ses participations, et posant dans le monde le noyau irréductible de son individualité, tel est l'homme. C'est parce que l'homme est indéterminé (participant) que ses possibilités de déterminations sont infinies, et parce qu'il s'auto-détermine que ses possibilités d'évolution sont infinies.

Et précisément l'homme évoluera, il se produira lui-même dans la dialectique de ses participations et de son individualité. L'individualité humaine, c'est cette dialectique elle-même, c'est, à travers les participations, son enrichissement et son affirmation sur le monde.

Cette dialectique commande le mouvement total de l'histoire humaine et, à la pointe réalisatrice de ce mouvement, il y a le processus technique. La technique, c'est l'appropriation pratique du monde et de l'homme par l'homme. La technique est le produit même de la rencontre des participations et de l'auto-détermination individuelle ; elle est stimulée non pas par le besoin brut, qui aurait pu se satisfaire de la cueillette ou de la nourriture de petits animaux, mais par la poussée des besoins humains, qui peuvent apparaître comme du « luxe » par rapport aux besoins animaux, mais qui deviennent nécessaires, comme le sont aujourd'hui le gaz, l'électricité, l'autobus. Le silex, l'arc expriment à l'aube de l'humanité des besoins issus des participations humaines, besoins non seulement du corps qui veut de la nourriture, mais aussi de l'homme total qui veut jouir du feu, de la chasse, de la guerre, qui veut, dans tout son être, s'assimiler le monde, y participer et s'y affirmer. C'est pourquoi, à l'origine, technique, magie, religion, art, sont indifférenciés et renvoient toujours l'un à l'autre.

C'est pourquoi on ne peut dissocier les participations mimétiques aux animaux et aux plantes (qui iront jusqu'à l'identification totémique) de la domestication des animaux et des plantes, ni la participation au monde matériel de la domestication de la matière. Selon ce mouvement l'homme s'appropriera la matière minérale en fabriquant des outils et des objets, la matière végétale en passant de la cueillette à l'agriculture, la matière animale en passant de la chasse à l'élevage ; l'élaboration de la notion de propriété, au cours de ces transferts, illustrera le processus général d'individualisation. La propriété sera l'établissement, l'affirmation, la consécration concrète de l'individualité, et les premiers propriétaires (des choses, du sol, des terres, du bétail, des esclaves, et sans doute de tout cela ensemble : les chefs) seront les premières individualités reconnues.

Ce processus d'individualisation est indissolublement lié à l'appropriation matérielle du monde, et en même temps à la participation illimitée au monde. La technique permet sans cesse à l'homme de s'ouvrir davantage au cosmos ; elle le fait sans cesse déboucher sur de nouvelles participations : non seulement, en le délivrant de la nécessité brute, elle lui donne « le loisir » du propriétaire, c'est-à-dire la jouissance apaisée, le jeu, l'esthétique, qui est participation à demi repue, mais, dans son mouvement propre, elle est une activité qui, séparant l'homme de la nature, l'émancipant de la nature, le fait analogue à la nature, et par là même en « correspondance » avec elle.

La technique donc ouvre le monde à l'homme et l'homme au monde ; dialectiquement le monde pénètre en lui et l'enrichit. Et en même temps l'homme, ainsi transformé, transforme le monde, lui donne les déterminations humaines, l'humanise. La plante et l'animal domestiques, la hutte, le soc, l'animal attaché au joug, sont les signes du transfert des attributs humains sur la nature. L'homme s'affirme dans la nature. Il s'affirme parce qu'il se l'approprie, et en même temps il s'approprie lui-même : Il met au jour ses propres facultés inventives ; il développe son intelligence et sa conscience ; il se produit.

Ainsi donc, concrètement, l'individualité humaine se construit dans un perpétuel échange avec le monde. A travers ces échanges, la nature devient « objective » ; à mesure que l'outil et la domestication la transforment, elle apparaît comme la chose, la propriété, l'*objet* de l'homme ; et en même temps ses structures apparaissent analogues aux structures de l'intelligence technicienne, qui va s'affirmer logique, rationnelle, *objective.* Mais ces échanges techniques, objectifs, sont enveloppés de participations, enveloppés d'échanges subjectifs : à travers la subjectivité des participations, l'homme se sent analogue au monde ; et c'est ce qu'on appelle le cosmomorphisme du « primitif » ou de l'enfant ; en même temps, il sent le monde comme animé de passions, de désirs, de sentiments quasi humains, c'est l'anthropomorphisme. Anthropomorphisme et cosmomorphisme renvoient simultanément et dialectiquement l'homme à la nature, la nature à l'homme. Et cet anthropo-cosmomorphisme subjectif correspond, fantastiquement certes, à l'anthropo-cosmomorphisme réel de la technique qui donne réellement forme humaine à la nature et force cosmique à l'homme. Au stade archaïque, effectivement, échanges subjectifs et objectifs sont indifférenciés, les deux anthropo-cosmomorphismes sont mêlés : la technique est enrobée de magie et la magie de technique. Plus tard, elles se différencieront, et ce qui était magique deviendra esthétique, c'est-à-dire à la fois « vie intérieure » et « effusion cosmique ».

Le langage.

Le langage est la plus significative acquisition progressive-régressive de l'humanité. Seul parmi tous les langages animaux, le langage humain est un système codé à double articulation qui permet à la fois l'accumulation, la conservation, l'organisation, la création du savoir ; en même temps ce progrès retrouve en fait les structures du système fondamental qui est à l'origine et à la base de toute vie : le code génétique [1].

Le langage ne va pas seulement permettre la culture et la

1. R. Jakobson, *op. cit.*

communication, c'est-à-dire la société. Il va participer au grand processus anthropologique d'échanges entre l'homme et le monde, selon le double mouvement de cosmomorphisation de l'humain et d'anthropomorphisation de la nature.

Les mots, dans un sens, nomment, c'est-à-dire isolent, distinguent et déterminent des objets, comme le fera l'outil. Mais aussi, dans un sens inverse, les mots évoquent des états (subjectifs) et permettent d'exprimer, de véhiculer toute l'affectivité humaine. D'où le double visage du langage ; par ses signes, il constitue le référent, c'est-à-dire un univers constitué de faits et d'objets, mais en même temps, il permet de transformer ce référent en signes de ses états d'esprit, de ses états d'âme, de ses états d'homme...

Ainsi les mots, les phrases sont les véhicules des échanges anthropocosmomorphiques aussi bien objectifs que subjectifs.

Le symbole est au carrefour de ces échanges. Tout mot peut être symbole, mais le symbole déborde hors du langage et peut rayonner à l'intérieur de tout signe, toute forme, tout objet. Le symbole est la chose soit abstraite, soit particulière, qui contient en elle tout le concret et la richesse qu'elle symbolise. Le symbole renferme à la fois la réalité naturelle qu'il exprime et la réalité humaine qui l'exprime. Le symbolisme et le langage signifient donc conjointement une première séparation d'avec la nature, la fin de l'adhérence totale au cosmos, et un rapprochement avec la nature : séparation parce que les choses elles-mêmes ne comptent plus, sont transfigurées, et rapprochement parce que le symbole dont on s'est « emparé », dont on a fait sa substance, suscite et éveille les participations. A l'épreuve d'un long usage, les mots et les symboles deviennent le cosmos de poche de l'être humain.

Les symboles, qui sont, à l'origine, des appartenances ou des fragments de la chose symbolisée, vont devenir de plus en plus séparés d'elle, de plus en plus abstraits. Un cercle symbolise le soleil, un drapeau la patrie, un mot la mort. Mais ce mot ou ce cercle portent en eux toute la puissance émotive, toute la chaleur ou l'horreur de ce qu'ils évoquent.

Avec le mot ou le symbole donc, l'homme anthropomorphise la nature : il lui donne des déterminations humaines, il la découpe en choses. Et en même temps, il se cosmomorphise, s'imprègne de sa richesse. Le mot est objectif et subjectif à la fois : état d'âme et détermination, technique et magie, outil et poésie.

Et nous retrouvons cette dualité dans la phrase, surtout dans la phrase du langage archaïque, qui tend à exprimer métaphoriquement ce qu'elle veut décrire : métaphore cosmomorphique pour désigner son objet humain : « La sève coule », dit le Canaque en désignant la veine de son bras. Les proverbes ont conservé la fraîcheur de l'ancien cosmomorphisme : « Tant va la cruche à l'eau... », « Pierre qui roule »... Réciproquement les métaphores anthropomorphiques désignent les choses naturelles : « Le temps est maussade... Le soleil sourit. » Et certes le langage va de plus en plus devenir précis, nommant un chat, un chat, et un temps maussade, « une dépression cyclonale de X millibars ».

Mais alors, de plus en plus, se distinguera et s'affirmera un deuxième langage, issu de la dislocation du langage primitif, non technique lui, mais uniquement chargé d'exprimer les participations et les échanges psycho-affectifs : la poésie. Les deux langages ne seront jamais absolument décantés. Ils pourront utiliser les mêmes mots.

Enfin, à travers les échanges cosmo-anthropomorphiques du langage, s'affirme l'individualité du locuteur, et non seulement d'une façon implicite, comme s'enrichissant de ces échanges, mais d'une façon originaire, irréductible. Parler, c'est créer. Le sorcier crée la chose qu'il nomme, et un des moteurs de la magie, c'est la parole. Le verbe sacré est ressenti comme une affirmation de toute-puissance, et le poète moderne retrouve naïvement le sentiment chamanique, védique et biblique : au commencement était le verbe. Le langage nous révèle donc la même bipolarité élémentaire que l'outil et que la mort, la même bipolarité anthropologique : l'affirmation de l'individualité d'une part se construisant à travers des participations et d'autre part s'exaltant de ses pouvoirs.

Le mythe.

L'analyse du mythe nous amène aux mêmes conclusions : ici, nous sommes obligés d'être très rapides, car les mythes, comme on sait, sont dévorants. Notre tour d'horizon anthropologique absolument nécessaire pour que le lecteur comprenne la signification humaine de la mort risque à chaque instant de nous entraîner trop loin.

1. Le mythe exprime des virtualités humaines, qui n'arrivent pas à la réalisation pratique, mais seulement fantastique. Comme le dit Caillois « le mythe représente à la conscience l'image d'une conduite dont elle ressent la sollicitation [2] », et qu'elle ne peut pas ou ne peut plus, ou n'a jamais pu réaliser. Caillois remarque en outre, à propos du mythe de la mante religieuse, que « le comportement réel d'une espèce animale peut éclairer les virtualités psychologiques de l'homme ». Ce qui nous ramène à notre point de vue : l'homme est sensible à toutes les impulsions, à toutes les tendances, qui se sont solidifiées dans la vie des espèces animales. Il voudrait les mimer, il les mime fantastiquement, il les imagine. « Nos fantasmes correspondent au comportement d'autres espèces vivantes. » Le mythe, dans ce sens, c'est bien l'irruption du cosmos dans l'homme, c'est bien le cosmomorphisme. Effectivement les légendes supposent avec leurs métamorphoses l'analogie de l'homme et du monde.

2. Mais en même temps, les mythes impliquent l'anthropomorphisme ; ce sont des « fables » où bêtes, plantes et choses ont des sentiments humains, se comportent comme des humains et expriment des désirs humains. Ils interprètent le monde comme produit d'une création de drames et d'aventures quasi humaines. Et ils le rendent familier. Expliquer la foudre par la colère de l'esprit ou du dieu est une façon de se familiariser avec la foudre, de la comprendre et de la domestiquer ; puisqu'on peut supplier, raisonner, attendrir le dieu. On sait ce qu'est la colère du dieu, c'est la sienne propre. Donc à travers le mythe, il y a mouvement d'appropriation du monde, réduction

2. *Le Mythe et l'Homme.*

poraine, est celui de cette analogie du microcosme et du macrocosme. Analogie pleinement anthropo-cosmomorphique ; l'homme est analogue au monde, et le monde est analogue à l'homme.

Ce mythe cosmique est immédiatement magique, c'est-à-dire intimement lié à la volonté du microcosme de s'identifier au macrocosme ou se l'approprier en le mimant ou en le commandant (comme fit à l'origine l'esprit de Dieu qui planait sur les eaux, et dit simplement : que la lumière soit).

Autrement dit, la magie traduit en clair le mouvement humain d'appropriation qui s'opère *dans* la nature à travers les participations micro-macro-cosmiques et qui s'opère *sur* la nature à travers l'affirmation catégorique de son individualité.

D'une part en effet la magie est participation. Piaget et Lévy-Bruhl ont bien senti ce caractère fondamental de la magie (usage de la participation pour modifier la réalité), mais en oubliant la « mimésis ». (Frazer, qui ramène la magie à l'application des lois de ressemblance et de contiguïté qui gouvernent les associations d'idées, a oublié de lier ces lois d'association des idées à l'universelle analogie que le monde évoque à l'esprit humain.)

D'autre part aussi, la magie est la croyance en la toute-puissance des idées. C'est le « je veux » et le « je pense, donc cela est ». S. Anthony a réuni ces deux aspects de la magie dans une définition unique : la magie est « un comportement qui implique que les choses arrivent comme elles sont pensées, désirées ou mimées ».

Ainsi donc la magie est, soit tantôt, soit en même temps, une participation où le moi s'insère dans l'universelle analogie du cosmos pour y infléchir la loi des métamorphoses à son profit, et une affirmation pure du vouloir individuel, un « je veux » qui se croit et se révèle capable de commander aux choses.

Ces deux éléments sont, répétons-le, mêlés ; le « je veux » se trouve rarement à l'état pur, et quand il s'y trouve, ce n'est presque déjà plus la magie, mais une sorte de pouvoir hypnotique, magnétique, fascinant. La magie dans presque tous les cas s'enveloppe de rites, c'est-à-dire de mimes. Le rite est un mime magique, hiératique, solennel de la chose voulue (envoûtement, recondite, chasse). Il devient de plus en plus abstrait en s'accompagnant de mots et de symboles, en devenant lui-même de plus en plus stylisé, c'est-à-dire symbolique [5].

Le rite symbolique contient déjà en lui la force mimétique condensée, parce qu'il est un véritable comprimé de la force appropriante du mime.

La production de l'individu.

Donc, à travers les échanges subjectifs-objectifs, anthropo-cosmomorphiques de la technique, du symbole, du langage, du mythe, de la magie, l'homme se construit. Il est le centre actif de ces dialectiques pluralistes qui affermissent, enrichissent, font évoluer son individualité et du même coup lui font prendre conscience d'elle-même. « Celui qui n'a jamais eu l'idée d'une pluralité possible n'a aucunement conscience de son individualité. » (Piaget.) Et parfois, au cœur de ces échanges, le sentiment absolu de cette individualité jaillit dans le « je crée » verbal, le « je veux » magique.

Nous retrouvons donc la bipolarité de l'affirmation individuelle : d'une part *à travers* les participations, d'autre part *par-dessus* les participations. Et effectivement la conscience *de* soi (non *du* soi) se constitue bipolairement. D'un côté, à travers ses participations, l'homme archaïque se connaît comme animal, plante ; il se sent d'autant plus « vivant » qu'il est participant, et à partir de ces participations, il va connaître ses lois, son propre cycle de vie et de mort (c'est-à-dire s'appréhender subjectivement et objectivement). Et d'un autre côté, il va se connaître comme réalité corporelle et mentale (objective et subjective) irréductible, autonome, absolue, à travers son *double.*

La première saisie de soi comme réalité propre, et nous le verrons dans le chapitre suivant, c'est l'ombre, le reflet de son propre corps, et celui-ci vu extérieurement, comme un « dou-

5. Le rite n'est pas un mythe stylisé, à l'origine. C'est le mythe qui va recouvrir de sa signification le mime magique. Ainsi, par exemple, le mythe du baptême est à l'état originaire un mime de mort et renaissance à travers le passage dans les eaux-mères. Par la suite, des mythes viendront interpréter cette mort-renaissance.

ble » étranger. L'homme connaît son « double » avant lui-même. Et à travers ce double, il découvre son existence individuelle, permanente, ses contours, ses formes, sa réalité ; il se « voit » objectivement. Comme l'ont montré Lévy-Bruhl, Piaget, Leenhardt, la conscience de son propre corps n'est pas immédiate. Le Mélanésien ne se sent pas appuyé sur son propre corps. Il en connaît la surface, il en nomme les parties, mais il le voit extérieurement. A partir de ce moi objectif, se préciseront à elle-même les déterminations de l'individualité. L'*un* se différenciera de l'*autre*[6], alors que « dans la vie des primates subhumains, il n'y a pas les mêmes distinctions tranchées entre mâle et femelle, jeune et vieux, vivant et mort, homosexualité et hétérosexualité, ou monogamie et polygamie, que dans les sociétés humaines[7] ».

Ce double n'est pas une copie conforme, c'est un être réel qui se dissocie de l'homme qui dort, continue à veiller et agir dans les rêves. Son existence est véritablement objective. Mais il ne faut pas oublier que cette existence objective est également subjective ou plutôt transsubjective.

En effet l'homme va mettre dans son double toute la force potentielle de son affirmation individuelle. C'est le double qui détient le pouvoir magique ; c'est le double qui est immortel. Et c'est en ressentant toute cette force potentielle, que l'homme se sent irréductiblement lui-même. Etre magique, être absolument objectif, être absolument subjectif, on dirait presque transcendant, le double « possède » l'individu. Et ce double, c'est son individualité triomphant de la vie et de la mort, son individualité encore trop grande pour lui.

Ainsi donc entre le double et le moi, il y a une dialectique de l'objectivité et de la subjectivité, parallèle à la dialectique qui s'opère entre le moi et le cosmos. Le moi se forme et se développe au centre de toutes ces dialectiques. Sans cesse, il se sent en autrui, se projette comme dit la psychanalyse, s'aliène comme dit plus fortement le langage hégélien, et s'approprie

6. « Un est une fraction de deux ; il n'a pas qualité d'unité, mais d'altérité. » *Do Kamo.*

7. Zuckermann, *op. cit.*

à travers cet autrui, que ce soit l'animal totémique ou le double.

C'est dans cette navette incessante de l'extérieur à l'intérieur, du subjectif à l'objectif, entre les deux pôles, celui du double et celui de l'analogie cosmo-anthropomorphique, que s'organise la conscience de soi qui, comme l'a dit Piaget, ne résulte pas d'une intuition directe, mais d'une construction intellectuelle. Spencer, peut-être, l'avait pressenti dans ce qu'il nommait « le caractère commun de dualité uni à l'aptitude de passer d'un mode d'existence à l'autre [8] ». Cette navette s'intègre dans le grand mouvement d'échange et de production de l'homme à la nature et de la nature à l'homme, mouvement à la fois réel (technique) et fantastique (magie).

Mort, magie, technique.

Et la mort va être appropriée magiquement et mythiquement. Les deux conceptions premières et universelles de la mort dans l'humanité vont se cristalliser, l'une autour du cosmomorphisme, c'est-à-dire la métamorphose ou l'intégration cosmique où toutefois l'individu s'insère et surnage (mort-renaissance, mort-repos, etc.), l'autre autour de la survie du double, où l'individualité s'affirme par-delà la mort qu'elle anthropomorphise totalement.

Ces deux conceptions de la mort traduisent la dialectique exigence de l'individualité : se sauver de la destruction, mais aussi se mêler plus intimement au monde. S'opposer au monde, mais aussi y participer totalement. Ces conceptions de la mort sont donc des conceptions de la vie ; elles sont même, avons-nous vu, au départ de la conscience humaine tout court. C'est à travers elles que l'homme découvre à la fois sa mort et son immortalité. Dès qu'il se reconnaît comme double, il se reconnaît comme forme temporelle et spatiale finie et comme être concerné par la mort. Dès qu'il se connaît à travers la plante ou l'animal, il se connaît comme commençant et finissant, comme obéissant à un cycle de naissance et de mort. Mais en même temps, à travers le cosmomorphisme, il va s'affirmer renaissant,

8. Spencer, *Principes de sociologie*, t. I, p. 177.

comme les feuilles et les bêtes au printemps, de même qu'à travers son double transcendant et magique, il va s'affirmer immortel. De toutes ses forces l'humanité archaïque adhérera à cette double immortalité mythique et magique.

Nous pouvons ainsi déjà saisir les profondes réalités humaines que recèlent les croyances en l'immortalité. Elles correspondent au mouvement même de production de l'homme par lui-même. Elles font partie de ce mouvement, elles sont sœurs de l'outil. Et tandis que l'outil est à la pointe réalisatrice concrète de l'humain, la magie se trouve à la pointe de réalisation fantastique.

La double appropriation, magique et technique, tend à faire de l'individu le sujet du monde. La technique humanise le monde matériellement, tandis que la magie l'humanise non seulement fantastiquement, mais mentalement et affectivement. La technique conduit le mouvement, en est le pilote effectif, mais la magie la précède idéalement, lance en avant les aspirations et les désirs humains. Elle embrasse l'infinie participation mimétique de l'homme, elle en fait une danse où la possession du monde devient fusion avec le monde. Elle annonce une aspiration à l'identification du moi et du monde, une possession possédée... Technique et magie tendent à faire de l'homme le *sujet* du monde.

Il voudrait ressembler à l'éternelle nature,
A la mère des dieux, la terrible mère,
Ah ! c'est pour cela, ô terre,
Que sa présomption l'éloigne de ton sein.

La technique résoudra et reposera sans cesse les problèmes de l'adaptation et de l'inadaptation. Elle tend à adapter progressivement, concrètement, le monde à l'homme et l'homme au monde.

C'est pourquoi il y a sans cesse réciprocité et dialectique entre la magie et la technique. On sait que les origines de la technique sont enrobées de magie. Puis la magie se désagrège quand la technique la remplace. La magie, et avec elle le mythe, disparaissent (pour ressusciter en poésie) quand la technique peut les relayer.

Les conceptions de la mort, certes, vont subir les contrecoups de la dialectique magie-technique, mythe-rationalité. D'une part, plus l'appropriation technique du monde par l'homme affirmera la puissance de celui-ci, plus l'immortalité sera riche et glorieuse. Les mythes de la mort vont conquérir l'au-delà au même rythme que l'homme conquiert son ici-bas. D'autre part, en même temps et contradictoirement, les progrès techniques entraîneront ceux de la pensée rationnelle, qui se révélera alors capable de critiquer et dissoudre le mythe de l'immortalité.

Mais en dépit de ces « rationalisations », et à l'intérieur même de ces rationalisations comme nous le verrons, le domaine de la mort demeurera la zone d'ombre où triomphent de la façon la plus catégorique et la plus permanente la magie et le mythe. Les rites, pratiques et croyances de la mort demeurent le secteur le plus « primitif » de nos civilisations. A partir d'elles on pourrait presque reconstituer une psycho-sociologie de la mort archaïque.

C'est que la mort échappe à la dialectique pratique de la magie et de la technique. Dans cette dialectique pratique de l'inadaptation et de l'adaptation où la technique relaie la magie, il y a ce trou aveugle, absolument : la mort. La mort est le lien de dépendance du soma au phylum, que le soma ne peut rompre. Elle est ce qui le lie au cycle de l'espèce, au cycle naturel qu'il a rompu ou transformé sur tous les autres fronts...

L'homme ne peut adapter la mort : jamais sa technique, ni son savoir, s'ils ont pu reculer l'heure de la mort, n'ont pu pénétrer à l'intérieur de son domaine, et ressusciter un mort. Il ne peut que l'adapter magiquement : là seulement le cri : « Lazare, Lazare, réveille-toi », trouve sa réponse. Il ne peut l'humaniser que mythiquement. Les mythes de la mort réalisent fantastiquement cette revendication essentielle de l'individu. La technique saura-t-elle la réaliser ? Ou la mort restera-t-elle toujours la plaie irréparable de l'homme ? Plaie d'autant plus irréparable que, l'homme s'humanisant, la mort apparaîtra de plus en plus comme la brèche inhumaine au plus profond de son être ? Ou bien a-t-elle un fondement de nécessité ? L'homme pourra-t-il adapter la mort, ou devra-t-il s'adapter à elle ? Ce n'est qu'au terme de notre enquête anthropo-socio-historique que nous pourrons nous prononcer.

Et ainsi la conscience de la mort, l'idée traumatique de la mort, le risque de mort, et les contenus de l'immortalité, traduisent tous la même réalité de l'individu. Ils sont le test fondamental de cette individualité ; ils permettent de reconnaître ses structures et ses exigences.

Une telle reconnaissance anthropologique n'était pas possible dans les perspectives de l'empirisme anglo-saxon ; l'immense catalogue de Frazer tourne court. Il n'était pas possible dans le climat si instructif et si excitant parfois d'imprudence et d'incontrôle métaphysique de la sociologie allemande. Il n'était encore pas possible dans le cadre durkheimien sectaire ; celui-ci, dans ses fondements, s'était révélé incapable d'intégrer l'organicisme de Spencer et d'Espinas, c'est-à-dire de comprendre l'analogie, comme d'intégrer l'imitationnisme de Tarde, c'est-à-dire de comprendre la faculté mimétique, et, par-delà, tous les phénomènes déterminés par la régression des instincts. En dépit des inquiétudes et de certaines recherches de Mauss [9], l'anthropologie, c'est-à-dire l'homme, a été absente de la sociologie française, engoncée dans son sociomorphisme. Elle n'était pas possible enfin à l'intérieur du dogmatisme psychanalytique qui ignore l'histoire et l'évolution.

Elle n'est possible que dans le cadre d'une anthropologie génétique, qui s'efforce de saisir et déterminer l'homme total, individu, espèce, société. Nous avons donc suivi la voie ouverte par Hegel et par Marx surtout, ouverte mais non explorée en ce qui concerne la mort. Grâce à leurs indications, grâce à l'acquis postérieur des sciences humaines et en dépit de la dispersion de cet acquis, nous pouvons construire une anthropologie.

Il n'y a pas, répétons-le encore, d'une part opposition à la nature (technique), et d'autre part opposition à la mort (mythi-

9. « Nous rejoignons à de tels points la physiologie... qu'entre le social et celle-ci, il semble que la couche de la conscience individuelle soit très mince : rires, larmes, lamentations funéraires, éjaculations rituelles sont autant de réactions physiologiques que des gestes et des signes obligatoires... suggestionnés ou employés par les collectivités... en vue d'une sorte de décharge physique et morale de ses attentes, physiques et morales elles aussi. » (Mauss, *Journal de psychologie*, 1924, p. 899.)

que). Il n'y a pas deux sources, l'une rationnelle, l'autre mythique, du devenir humain, et les croyances concernant la mort ne sont pas que des aberrations fantastiques nées de l'imbécillité de l'esprit à ses origines, mais le même mouvement produit outils et mythes qui s'accrochent au monde biologique et le dépassent.

Les contenus anthropologiques de la mort s'ouvrent sur ce qu'il y a de plus humain dans l'homme.

Non seulement ils réalisent l'aspiration à l'immortalité, mais ils réalisent les aspirations de la vie que la vie n'a pu ou ne peut satisfaire ; ils réalisent le triomphe magique de l'humain : les dieux, ce sont les morts, et leur toute-puissance naîtra du gouffre de la mort. Hamlet a tort : il y a beaucoup plus de choses dans les royaumes de la mort que dans le séjour terrestre. Hamlet a raison : toutes ces choses sont nées de la terre, issues de la vie, conçues par l'homme réel [10]...

10. *Dialectique de l'homme et Dialectique de la nature.* — Les dialectiques du progressif et du régressif, du général et du spécial, de l'indéterminé et du déterminé, de l'inadapté et de l'adapté, n'apparaissent pas avec l'homme. Ce sont les dialectiques mêmes de la vie. Engels, le premier, dans *Dialectique de la nature,* avait exprimé la dialectique fondamentale du progressif et du régressif : « Le fait essentiel est que tout progrès dans le développement organique est en même temps une régression, puisqu'il fixe un développement unilatéral, et qu'il exclut la possibilité du développement en bien d'autres directions. »

L'évolution naturelle a toujours progressé en niant les spécialisations, mais en conservant les aptitudes développées par ces spécialisations et les organes spécialisés de caractère général (yeux, oreilles, système digestif, etc.). Ces progrès de la nature se sont manifestés dans les mutations créatrices. Par contre, le développement propre des espèces n'a jamais pu échapper à la spécialisation, c'est-à-dire à la sénescence. Comme l'écrit Vandel (*l'Homme et l'Evolution*), « toute adaptation, même lorsqu'elle apparaît parfaite, est une cause de sénescence de la lignée. Les merveilleuses adaptations des cétacés, des chauves-souris, des taupes, leur interdisent toute possibilité d'évolution ultérieure. » La « sur-spécialisation » même, selon l'expression de Frobenius, a causé la disparition des ammonites, des trilobites, des sauriens, et d'autres espèces qui jadis peuplèrent le monde.

Il existe donc une véritable dialectique de l'adaptation nécessaire provisoirement à la survie de l'espèce, mais mortelle à l'espèce même, soit brusquement si le milieu se transforme, soit lentement par son évolution déterminée naturelle, car « une espèce n'abandonne ou ne réduit jamais un caractère spécialisé » (Howells, *Préhistoire et Histoire naturelle de l'humanité*, Payot).

Chez l'homme, la dialectique du progressif-régressif joue plus que jamais, mais à l'intérieur de l'homme, sans mutation d'espèce. Les mutations sont sociales...

De même en ce qui concerne l'instinct ; il n'y a pas rupture, hétérogénéité radicale entre l'instinct et l'intelligence, pas plus qu'entre la spécialisation et la non-spécialisation, le « mécanique » et le « vivant ». Bien au contraire, plus l'intelligence spécifique (l'instinct) est grande chez l'animal, plus est grande autour la frange d'intelligence individuelle. La capacité d'invention qui s'est fixée dans l' « instinct » animal est la même que celle qui s'agite en liberté dans l'esprit humain. Mais l'une a terminé son office, elle s'est durcie dans la spécialisation, l'autre a toujours le champ libre, et, grâce à la main, peut s'adapter à tout, sans pouvoir du fait de sa généralité s'adapter au tout, c'est-à-dire devenir une spécialité du tout.

Par ailleurs, la progression des espèces supérieures tend à la production des individualités de plus en plus évoluées. L'instinct ne peut en effet progresser qu'à travers des individualités qui progressent. Les progrès de l'espèce sont donc fonction des progrès de l'individualité. Un moment donc, dans le processus progressif de l'évolution, devait venir où l'accomplissement de l'instinct serait sa suppression en tant qu'instinct, sa libération en tant qu'intelligence individuelle. Cette transformation s'est opérée chez l'animal le plus évolué cérébralement, et le moins spécialisé physiologiquement, l'homme.

I

Les conceptions premières de la mort

I

La mort-renaissance et la mort maternelle

Dans les consciences archaïques où les expériences élémentaires du monde sont celles des métamorphoses, des disparitions et des réapparitions, des transmutations, toute mort annonce une naissance, toute naissance procède d'une mort, tout changement est analogue à une mort-renaissance — et le cycle de la vie humaine s'inscrit dans les cycles naturels de mort-renaissance.

La conception cosmomorphique primitive de la mort est celle de la mort-renaissance, pour qui le mort humain, immédiatement ou plus tard, renaît en un vivant nouveau, enfant ou animal.

Syncrétisme des conceptions de double et de mort-renaissance.

Les deux grandes croyances (mort-renaissance par transmigration et mort-survie du double), ethnologiquement universelles, et de plus décelées, sans aucun contact préalable avec les ethnologues, par les psychanalystes ou les psychologues de l'enfant, se trouvent en général mêlées l'une à l'autre. La croyance aux esprits (doubles), s'intègre souvent dans un vaste cycle de renaissances de l'ancêtre en nouveau-né [1]. Les mythes de l'au-delà portent symbiotiquement la marque des deux grands systèmes de la mort, tantôt harmonisés, tantôt se refoulant plus ou moins l'un l'autre. Le plus souvent le double survit pen-

1. Et cela dès le paléolithique ancien où le squelette est recroquevillé dans la position fœtale (renaissance), mais recouvert d'ocre et bientôt accompagné de ses objets personnels, ce qui implique incontestablement le double.

dant un temps indéterminé, puis va rejoindre le séjour des ancêtres, d'où reviennent les nouveau-nés ; la naissance reste la provocation directe mais retardée d'une mort. Comme disent les Ashanti : « Une naissance dans ce monde est une mort dans le monde des esprits. » Aux îles Trobriand (Malinovski), la future mère reçoit le message d'un parent décédé lui annonçant la naissance d'un enfant. Le fœtus, porté par un esprit, arrivera directement de Tuma, l'île des morts. Chez les Arouta [2], des embryons d'enfants, ou *ratapa,* détachés d'un arbre, d'un rocher, ou sortis d'un trou d'eau, situés dans un lieu où l'ancêtre s'est enfoncé dans le sol, s'introduisent dans une femme qui passe. Chez les Tsi et les Evhe, d'après Westermann, chaque individu a un double auquel il rend un culte : celui-ci, après la mort, rôde autour du cadavre, puis va vivre avec les morts de sa famille et enfin se réincarne dans un nouveau-né qui portera son nom. Chez les Dayaks de Bornéo, le jour des funérailles est celui où le double part en barque vers son royaume. Le navire fonce parmi les obstacles. Les assistants, haletants, suivent les péripéties du voyage ; soudain l'enthousiasme éclate : « Il est sauvé ! La ville des morts est atteinte ! » Pendant sept générations le double restera dans la ville d'or, y mourra et renaîtra, puis il redescendra sur terre. Il entrera dans un champignon ou un fruit. Qu'une femme le mange, et il renaît enfant. Qu'un animal le mange et il renaît animal... (Hertz) [3].

Il est remarquable qu'à l'intérieur de ces syncrétismes la renaissance du mort en un enfant ne s'opère que lorsque s'affaiblit la présence-souvenir de l'individualité du défunt. La survie

2. Karl Strehlow, *Die Arenda und Loritza Stämme in Zentral-Australien* (Francfort, 1907, 1920). Lévy-Bruhl, commentant des exemples de cet ordre, dit que « par l'effet de cette symbiose des morts et des vivants mystique et concrète à la fois, l'individu n'est tout à fait lui-même que grâce aux ancêtres qui revivent en sa présence » (*Ame primitive*).

3. La mythologie de la mort tibétaine a conservé d'une façon remarquable la dualité des conceptions du double et de la mort-renaissance. D'après le *Bardo-Thodol,* un des plus grands livres de la mort de tous les temps, le double, au moment de l'agonie, sort du trépassé et s'éveille au monde du Bardo, d'où, après d'hallucinantes épreuves, il renaît selon son Karma.

du double tend à ronger la loi cosmomorphique de mort-naissance, et celle-ci prend sa revanche quand le double n'est plus qu'un vague ancêtre. Lorsque le thème de mort-naissance sera chassé (répétons-le encore, dans sa forme élémentaire de naissance en un être nouveau) par d'autres conceptions de la survie, on pourra encore déceler sa trace dans des mythes émouvants de renaissance ratée. A Naurou (Amérique équatoriale) on dit que l'homme a été mis trois jours en terre pour ressusciter sous la forme d'un enfant. On l'y oublia un jour de trop et depuis il ne ressuscite plus : il meurt. De nombreux mythes africains (Frobenius) nous montrent comment l'homme a raté sa renaissance, alors que le soleil et la lune, triomphants, ont pu réussir la leur.

Dans un sens, le « double », c'est-à-dire la survie individuelle, tend à refouler et à la limite chasser la renaissance du mort en un nouveau vivant. Mais le système des croyances relatives à la force magique de renaissance, de fécondité et de vie contenues dans la mort n'en sera pas chassé pour autant. Les deux notions, primitivement aussi puissantes, vont, au cours de leur histoire, se transformer, se dissocier et se renouer sans cesse ; dans les religions de salut elles se retrouveront : les forces de renaissance de la mort deviendront forces de résurrection de l'individu, pour « qu'en lui-même enfin l'éternité le change ».

La réincarnation autochtone.

Dans les groupes archaïques, il n'est pas rare que le mort renaisse dans « le nouveau-né autochtone » (Mauss). Les femmes Algonkin, désireuses d'être mères, accourent au chevet du mourant, pour que son « âme » se loge en l'une d'elles. Les Tibétains, qui cherchent dans l'enfant né au moment de la mort du grand Lama sa réincarnation, ont conservé l'archaïque croyance.

Quand le dernier-né de la famille — ou du clan — est la réincarnation du dernier mort, nous retrouvons la croyance de mort-naissance à l'état presque pur : l'enfant va porter le nom du défunt. La réincarnation s'est faite automatiquement dans le ventre de la mère (Vikings), ou bien elle s'opère, comme chez les Eskimos, au moment de la fête des morts. Encore aujourd'hui, l'idée de réincarnation familiale sommeille dans la transmission au nouveau-né de prénoms du parent ou de l'aïeul mort.

Comme Hertz le remarque dans un bas de page, « le nouveau-né est l'objet de représentations tout à fait analogues à celles qui ont cours au sujet du mort[4] ». Les Dayaks qui abandonnent les enfants sur des arbres, ou les Mongols et les Algonkins qui les déposent au bord des chemins, pensent qu'ils pourront facilement se réincarner. Ce ne sont pas des infanticides, mais des « rendus » au royaume de la mort-renaissance. La mort des enfants n'est pas une vraie mort ; ceux-ci ne sont pas encore tout à fait séparés du monde des esprits, ils y retournent facilement. Comme on dit dans le folklore chrétien, ils « redeviennent des anges ».

La réincarnation totémique est une systématisation, rigoureuse et déjà complexe, de la renaissance autochtone. Les morts se réincarnent dans les nouveau-nés ou dans les animaux de l'espèce du totem (ainsi chez les Bororos le mort devient aussitôt perroquet), et, à travers ces réincarnations, c'est, en même temps que le mort, l'ancêtre-totem qui renaît. Le clan totémique retrouve le rapport phylum-soma à partir du totem phylum, mais *sans détruire la renaissance individuelle*. En outre, le totémisme introduit un autre élément de mort-renaissance qui prendra par la suite une importance extraordinaire dans les religions de salut : c'est l'utilisation périodique des vertus revivifiantes du mort dans le repas totémique rituel (ou *intchyuma*) au cours duquel l'ancêtre animal est solennellement dévoré par les membres du clan, qui ainsi puisent des forces nouvelles aux sources mêmes de leur vie.

La réincarnation élargie, ouverte sur les animaux ou les plantes, va frayer ses voies à la métempsychose. Nous avons vu la profonde familiarité, participative et mimétique, que l'homme ressent à l'égard des animaux. A côté de la tendance à faire renaître l'homme dans sa famille, il existe une tendance à reconnaître le mort dans le premier animal qui décampe aux environs du cadavre. Le folklore est encore rempli de souris

4. *Op. cit.*, p. 130.

blanches, lièvres, écureuils où se sont incarnées des âmes (Van Gennep).

La métempsychose va se développer dans des sociétés élargies, où l'espace des vivants aura débordé l'espace du clan ou de la famille : le cycle des morts-renaissances joue alors librement au sein de la nature universelle. La métempsychose est déjà une vaste conception philosophico-religieuse ; elle a restreint ou refoulé la survie du double qui est en contradiction avec la loi de métamorphose qu'elle a universalisée.

Profondeur et universalité de la mort-renaissance.

La renaissance du mort est universelle chez les peuples archaïques : on la retrouve en Malaisie et en Polynésie, chez les Eskimos, en Amérique indienne, etc. Aujourd'hui encore elle est la croyance de six cents millions d'êtres humains et elle est une des bases de l'occultisme contemporain (cf. p. 179-180). Les vestiges de la réincarnation subsistent dans de nombreux mythes, dans nos fables, nos folklores, nos littératures et même nos philosophies. Pour le socialiste utopiste Pierre Leroux, il est évident que le même homme renaît sans cesse (*l'Humanité*), et Jean Reynaud complète cette réincarnation par une transmigration d'astre en astre. Feuerbach lui-même exprime l'association fondamentale mort-naissance, en contradiction naïve avec sa philosophie rationaliste : « Je descends dans le néant et par là un autre homme va monter. O vous, chers petits enfants, qui entrez après moi dans le monde des vivants, vous êtes comme des fleurs qui croissent sur des tombeaux... » « O chers petits enfants qui marchez après nous, vous serez notre moi métamorphosé. » Et les chers petits enfants s'irritent de voir les vieillards s'accrocher à la vie ; « les chers petits enfants, ils vous ordonnent de vous en aller » (p. 558). Chez Lichtenberg, la mort-renaissance s'impose avec une force de conviction absolue. « Mais voici une idée, mes amis, qui me paraît juste : *Après notre mort il y aura ce qu'il y a eu avant notre naissance.* C'est du moins une idée instinctive si je dois m'exprimer ainsi, et qui est antérieure à tout raisonnement. On n'a pas encore réussi à la démontrer, mais elle possède pour moi un attrait invincible... »

Et nous allons retrouver cette mort archaïque universellement présente dans les profondeurs mêmes de l'humanité contemporaine. La psychanalyse a découvert par ses propres moyens l'universalité du thème de la mort-naissance, non seulement chez les névrosés (dans un cas de catatonie, Nunberg retrouve l'idée de mort et de nouvelle naissance), mais aussi dans l'activité inconsciente normale de l'esprit. Jung déclare (c'est nous qui soulignons) :

« Mon expérience psychologique m'a amené à faire une série d'observations sur des personnes dont j'ai pu suivre l'activité psychologique inconsciente *jusqu'à l'approche de la mort. En général, celle-ci était annoncée par les symboles, qui, même dans la vie normale,* indiquent les transformations d'états psychologiques : *symboles de renaissance* tels que changement de lieu, voyages, etc. [5].

Bien plus, les idées de mort-renaissance sont à ce point ancrées dans la mentalité enfantine que les psychanalystes les déclarent *spontanées*. La mort y est imaginée comme un rabougrissement fœtal, suivi d'une renaissance. Sylvia Anthony cite cette question d'une enfant de cinq ans : « Quand on est mort, on repousse ? » Les observations confirment « cette croyance souvent notée chez les enfants, selon laquelle les morts redeviennent petits et renaissent sous forme de bébés [6] ». Il existe également une métempsychose infantile spontanée, sans parler de la métempsychose des fous qui se prennent pour des poulets, des lions, Romulus ou Napoléon. Ben, neuf ans (cité par S. Anthony), se livre à une belle exaltation métempsychosiste : « Oui, j'ai été Richard Cœur de Lion, et avant j'étais Jules César, et avant j'étais Caractacus, et avant j'étais un singe, et avant cela un crabe, et avant un petit insecte, et avant encore j'étais un très grand arbre poussant sur le soleil. »

Et ainsi, la mort-renaissance nous apparaît comme un *universel*. Universel de la conscience archaïque, universel de la conscience onirique, universel de la conscience enfantine, universel de la conscience poétique (comme nous le verrons) et

5. Jung, *Ame et Mort*.
6. Sylvia Anthony, *op. cit.*

même philosophique. Ceci nous éclaire les analogies fondamentales qui existent entre les structures mentales archaïques, oniriques, infantiles, philosophiques. Le « primitif », en tout homme, est dépassé mais conservé.

Peut-être y a-t-il autre chose encore que l'analogie des structures mentales pour expliquer la persistance ou la résurgence du thème de mort-renaissance. Peut-être s'agit-il *aussi* d'un acquis psychologique ancestral. Il est courant de rejeter cette supposition en lui opposant que l'ontogenèse psychologique ne reproduit pas la phylogenèse. Mais ne peut-on simplement poser la question ?

En tout état de cause, renaissance, réincarnation, métempsychose impliquent, avec les participations cosmiques, la sauvegarde de l'individualité[7] qui meurt et renaît à travers les métamorphoses naturelles. On peut devenir enfant, vieillard, plante, animal, bon, méchant, et toutefois rester le *même*. Le mort qui renaît est toujours lui-même, même lorsqu'il est aussi l'ancêtre primitif (totémisme). Toujours le même individu ressuscite et continue, et continuera toujours et toujours à renaître. La mort-naissance, loi du cosmos, est, appropriée par l'homme, une immortalité.

La mort féconde : le sacrifice.

L'homme ne s'approprie pas seulement mythiquement la loi de mort-naissance pour fonder sa propre immortalité, il s'efforce aussi d'utiliser magiquement la force naissante de vie qu'est la mort pour ses propres fins vitales.

La mort c'est la fécondité. Et vice versa, la fécondité est sollicitée par la mort, fécondatrice universelle. « Les zones d'interférence entre les cultes de la fécondité et les cultes funéraires sont (extrêmement) nombreuses » (Eliade). L'ancienne fête indienne des morts coïncide avec celle de la récolte. Pendant

7. Rank est allé jusqu'à supposer que peut-être l'homme « n'a pas voulu pendant si longtemps reconnaître le lien entre l'accouchement et l'acte sexuel, de peur d'abandonner ses croyances à la résurrection ». Mais même après avoir reconnu ce lien, l'humanité n'en a pas pour autant abandonné les croyances de mort-renaissance.

longtemps, la Saint-Michel fut la fête des morts et de la moisson. A Leipzig (folklore) on montre aux jeunes filles une effigie de la mort pour les rendre fécondes. En Moravie, en Transylvanie, en Lusace, l'effigie de la mort est sortie au printemps et on la brûle au milieu des rites de fécondation et de résurrection.

Le sacrifice est l'exploitation magique systématique et universelle de la force fécondante de la mort. Présente dans toutes les civilisations, et dès le paléolithique ancien [8], l'énorme dépense sacrificielle peut se mesurer à l'énorme dépense funéraire. On comprend que Georges Bataille, dans *la Part maudite,* ait cherché à construire une anthropologie sur la notion de luxe et de dépense. Le sacrifice fait jaillir, dans son acte vivifiant, l'exaltation « luxueuse » du sacrificateur (et du sacrifié volontaire). Mais c'est avant tout un rite de surfécondation exploitant la mort fécondante [9]. Sacrifier c'est en quelque sorte planter. Plus l'exigence vitale est grande, plus le sacrifice doit être grand. Selon les principes analogiques de la magie, plus ce que le sacrificateur désire lui est cher, plus ce qu'il sacrifie doit lui être cher : Iphigénie, Isaac.

Dans le repas endo-cannibale, qui est une des formes archaïques et même préhistoriques (Kleinpaul) des funérailles, l'on consomme la chair du mort familial ou clanique : dans le repas totémique, l'on mange le substitut animal de l'ancêtre, et plus tard, dans l'eucharistie, l'on consomme la chair du dieu. Ces « Cènes » visent autant et même plus à régénérer la chair des vivants par les vertus fécondantes du mort, qu'à assurer la renaissance de celui-ci. De telles cérémonies ont un aspect nettement sacrificiel. Dans les civilisations « manistes » chères à Frobenius, le roi, double du dieu solaire ou lunaire, sera lui-même sacrifié tous les ans et remplacé par un nouveau roi. Partout, toujours, la mort-sacrifice rejaillit en vie nouvelle.

8. Oswald Menghin, « Der Nachweis des Opfers im Altpaleolithikum », *Wiener prähistorische Zeitschrift,* XIII, 1926, cité dans *Anthropologie,* 1927.

9. Hubert et Mauss, obsédés par le « sacré », n'ont pu déterminer que les caractères formels du sacrifice, c'est-à-dire la consécration (« Essai sur la nature et la fonction du sacrifice », *Mélanges d'histoire des religions,* Paris, 1909).

Mais il ne faut pas oublier que le *sacrifice* comme tout grand acte de mort s'entoure d'autres significations. Autour du noyau de mort-fécondité, viennent s'agglutiner d'autres thématiques liées à la mort. Le sacrifice est un véritable *nœud de mort*.

Ainsi il devient très souvent un transfert purificateur qui écarte sur autrui (esclave ou animal) la nécessité de mourir. Il peut traduire même le souci obsédant d'échapper au talion, c'est-à-dire au châtiment en retour qu'appellent les crimes et les mauvais penchants. En effet, la structure intime du talion exige que nous payions de notre mort, non seulement nos meurtres réels, mais nos souhaits de mort. Le sacrifice, qui fait expier le bouc émissaire à notre place, apporte le soulagement de l'expiation elle-même. Les boucs émissaires sacrifiés en Israël ou à Athènes durant les Thargelies, comme les massacres actuels de boucs émissaires humains, infidèles et juifs, ont effectivement pour but de purifier la cité, d'attirer sur la victime la souillure mortelle. Nous verrons par ailleurs que plus l'angoisse de la mort s'affolera chez l'homme, plus il aura tendance à se décharger de sa mort sur autrui par un *meurtre* qui sera un véritable sacrifice inconscient. Nous pourrons déceler par la suite la signification névrotique de ces meurtres sacrificiels, qui tendent à délivrer le meurtrier-sacrificateur de l'emprise de la mort.

Par ailleurs, il existe une dialectique du sacrifice et de l'offrande, en rapport avec la dialectique des deux conceptions de la mort (mort-naissance et double). Les offrandes, qui sont les cadeaux en nature offerts au double du mort pour qu'il se nourrisse, se muent aisément en sacrifices quand il s'agit d'offrandes d'animaux ; et, réciproquement, le sacrifice se présente *aussi* comme offrande aux Esprits ou aux Dieux ; plus tard, lorsque la barbarie sacrificielle reculera ou se camouflera, le sacrifice prendra un sens officiel d'offrande au dieu qui s'en réjouit, s'en nourrit et en échange daigne satisfaire les prières qui montent des mortels.

L'évolution supprimera le sacrifice en tant que tel et rendra clandestines les significations de mort-fécondité que pourront prendre les meurtres. Mais nous pouvons penser que tout meurtre solennel, comme tout festin sacré, réveille, en dehors de son objet propre, les émotions sacrificielles fondamentales, issues de la participation à la grande loi élémentaire du cosmos : mort-renaissance, mort-fécondité, mort-vie nouvelle.

De même, tout don de soi ressuscitera les valeurs fécondantes du sacrifice. Le héros-dieu, par son auto-sacrifice permanent (Jésus) ou toujours renouvelé (Osiris, Orphée, Dionysos), fera rejaillir sur toute l'humanité mortelle les vertus de résurrection. Aujourd'hui encore, la métaphore poétique qui assure que le sang du héros fait lever des moissons nouvelles, fait appel aux associations sacrificielles [10]. Le martyr se « considère un peu comme une feuille qui tombe de l'arbre pour faire du terreau [11] ».

L'initiation ou l'envers de la mort-naissance.

Toute mort appelle une naissance, et inversement toute naissance appelle une mort. Comme dit Bachelard, les « grandes images qui disent les profondeurs... que l'homme sent en lui-même, dans les choses ou dans l'univers..., sont, parce qu'elles sont cosmomorphes, naturellement les métaphores les unes des autres [12] ».

C'est pourquoi l'appel se fait dans les deux sens : mort-naissance et naissance-mort. A cet égard les *rites d'initiation,* quels qu'ils soient, n'offrent aucune équivoque.

L'initiation est en effet le passage à une vie nouvelle : entrée dans la société des adultes, dans la société secrète, archaïque ou contemporaine (franc-maçonnerie, Ku Klux Klan), ou dans la société religieuse des mystères. Que ce soit en Afrique noire, en Australie, en Amérique indienne, chez les Canaques comme chez les Ashantis, dans l'Europe moderne comme dans l'Anti-

10. Bien entendu, il ne faut pas oublier que les métaphores, dans leurs contenus modernes, sont justement utilisées comme métaphores. Sinon on serait conduit à penser que la vache qui rit est le totem des amateurs de gruyère, que les footballeurs sont considérés comme des pingouins, des dogues ou des aiglons, que la phrase « les morts sont des vivants » implique une survie des morts, etc. Mais il ne faut pas oublier non plus que ces métaphores sont puisées dans un contenu inconscient, dépassé, submergé, enrobé, mais persistant, de l'esprit.

11. Jacques Decour, *Sa Dernière Lettre.*

12. *La Terre et les Rêveries de repos.*

quité archaïque, les rites d'initiation sont des véritables mimes symboliques de la mort et de la naissance, qui traduisent le grand thème analogique : « Vers la vie nouvelle par la mort. » Briem [13] a nettement dégagé ce dénominateur commun à toute initiation.

Il suffit de prendre l'exemple élémentaire de l'initiation du jeune homme dans le groupe archaïque [14]. Elle comporte trois étapes. La première est une mise à l'écart : l'isolement total des jeunes gens en un lieu retiré de la brousse, où règnent les ancêtres morts. *Les garçons sont dévorés dans la brousse pour renaître ensuite* (Jensen). Au Cameroun, le jeune homme doit traverser un couloir souterrain où le guettent des masques effrayants (les morts). Chez les Selknam de la Terre de Feu, les enfants, après s'être séparés de leurs mères dans un chagrin intense, doivent, dans une lutte contre des hommes figurant les esprits (les morts), y trouver une mort symbolique ; de cette mort va enfin pouvoir naître une vie adulte.

La seconde étape est marquée par des tortures et des opérations rituelles traumatiques : circoncision, subincision, dent arrachée, etc. (on sait que la dent qui tombe, dans les rêves, est symbole de mort ou de naissance). Enfin intégré dans la société des adultes, l'initié prend un *nom nouveau* et participe au repas commun.

Après avoir emprunté son symbole à la mort-naissance, l'initiation va devenir symbole de la mort-naissance : un renversement dialectique de l'analogie s'effectue ; la mort, en tant que passage, va devenir précisément une *initiation.* Toute une gamme de pratiques, au cours des cérémonies funéraires, vise à *initier* le mort à sa vie posthume et à lui assurer le *passage* soit à la nouvelle naissance, soit à sa vie propre de double [16].

C'est à la mort-naissance également que la *purification* fait appel. La purification lave les souillures mortelles qu'accumule

13. *Les Sociétés secrètes de mystère,* Payot.

14. Cf. notamment A. W. Howitt, *The Native Tribes of South East Africa.*

16. Elles prennent place à côté des repas funéraires et des autres pratiques qui font des funérailles le *phénomène total* où fleurissent toutes les croyances, tous les traumatismes de la mort.

la vie profane et fait pénétrer dans le « sacré », c'est-à-dire la communication magique avec les forces de mort-naissance. Tout rituel commence par une purification sacramentelle « dont le bain est le plus connu » (Bastide). Dans ce bain, ce n'est pas seulement la vertu intrinsèque des eaux désaltérantes ou fertilisantes qui entre en jeu, mais une force de fertilisation plus profonde : la plongée dans les eaux originelles, maternelles, où se fait le passage de la vie à la mort. Alors « le vieil homme est mort » !...

La mort maternelle.

La renaissance du mort s'effectue à travers une maternité nouvelle. Maternité de la femme-mère proprement dite, quand l'ancêtre-embryon pénètre en son ventre. Mais maternité aussi de la « terre-mère », de la mer-mère, de la nature-mère qui reprend en son sein le mort-enfant. Les immenses analogies maternelles qui enveloppent le mort s'étendront et s'amplifieront à mesure que les sociétés se fixeront sur une mère-patrie ou à proximité de la mer infinie, à mesure que s'approfondira l'idée que le mort repose au sein de la vie élémentaire ; elles s'élargiront au sein de l'idée de mort-renaissance, se mêleront à d'autres conceptions de la mort, et même formeront le noyau d'une conception nouvelle. La mort maternelle va se dégager avec sa force propre.

L'étude des associations affectives entre l'idée de mort et celle de la femme-mère chez les peuples archaïques n'a pas, à notre connaissance, été entreprise. Grâce à l'enquête de S. Anthony et à la psychanalyse en général, en dépit des excès de l'interprétation œdipienne, nous savons que l'association mort-mère est très nette, très puissante, chez l'enfant de nos sociétés évoluées. S. Anthony cite l'admirable mot d'un enfant qui va dans le lit de sa mère le matin :

L'enfant : « J'aimerais mourir. » La mère : « Pourquoi ? » L'enfant : « Parce que j'aimerais être dans la même tombe que toi. »

Un autre enfant dit à sa mère : « Et quand je mourrai, tu viendras dans le cercueil avec moi ? »

Il faut, dans tous ces exemples, faire la part de la détermination extrêmement profonde de la mère, au sein de la famille bourgeoise, où opère le psychanalyste. On pourrait même penser qu'ils ne traduisent qu'un désir enfantin de ne pas quitter la mère dans la mort. Il ne faut pas ignorer la qualité intrinsèque de ce désir : la plupart des récits d'enfants de huit à seize ans qui ont échappé à une mort accidentelle, relatent de l'agonie cette seule pensée, ce seul cri : « Je ne verrai plus ma mère ! » Mais les correspondances entre *l'expression* du désir de la mère dans la mort et les mythes universels de la mort maternelle nous incitent à rechercher leur contenu commun. Tout ce qui est enfantin est aussi infantile, en rapport avec les stades et les puissances infantiles de l'humanité, et ce qui a trait à la mort est ce qu'il y a de plus universellement infantile dans l'homme. Tout homme, infantilisé par la mort, tend à s'agripper à la mère. « Maman », s'écrie le vieillard sur son lit d'hôpital.

Certains cas de schizophrénie procèdent peut-être de ce mouvement. Storch [17] affirme que pour beaucoup de schizophrènes l'idée du retour au corps maternel apparaît aussi matérielle qu'au primitif celle de réincarnation.

Mais il semble que la nature « maternelle » soit moins présente à l'enfant des villes contemporaines. Chez celui-ci et chez certains schizophrènes, c'est surtout la mère réelle, concrète, qui irradie sa présence ; par contre, dans les conceptions archaïques, ce sont la terre, la mer, les éléments où retourne le mort, où se préparent les naissances qui vont être « maternalisées ». Ces conceptions embrassent une très vaste analogie cosmomorphique où la mère est assimilée au cosmos, anthropomorphique où le cosmos est assimilé à la mère. Entre ces deux extrêmes il est un

17. *Das Archaisch-primitive Erleben und Denken des Schizophrenen.* Notons en passant que c'est à tort que Storch, dans le passage que nous citons, semble opposer le thème de retour intra-utérin à celui de la réincarnation.

moment où les rapports affectifs à la mère et à la nature sont les uns et les autres également intenses ; alors s'épanouit la grande Demeter cosmique des civilisations agraires.

La terre maternelle, la mère patrie.

C'est recroquevillé dans la position fœtale que le mort préhistorique prend place dans la terre funèbre. La pratique préhistorique de l'ensevelissement peut s'expliquer par le souci de protéger le mort ou son double de l'injure des bêtes féroces, ou de se protéger du mort lui-même en l'enfermant dans son trou. Mais aussi il s'agit déjà de réintroduire le squelette-fœtus dans la terre d'où il renaîtra. De toute façon, il est probable qu'à partir du retour du cadavre ou du squelette à l'élément terrestre, les analogies cosmomorphiques de mort-renaissance aient assez tôt lié la mort et la terre : la terre où va se transmuter la mort en naissance appelle la détermination maternelle.

Le *Rigveda* demande à la terre [18] d'être bonne et accueillante (X. 18, 49, 50) : « Soulève-toi, terre vaste et large, n'appuie pas trop sur lui, sois-lui facilement accessible et facilement abordable. » Mais ce n'est, croyons-nous, que dans les civilisations agraires, déjà historiques, que s'épanouira dans toute son ampleur la métaphore de la terre-mère : le laboureur-Antée puise sa force au contact de la terre, sa matrice et son horizon, symbolisée dans la grande Déesse mère, Demeter cosmique où gisent ses ancêtres, où il se croit être fixé depuis toujours.

Avec cette fixation au sol s'imposera la magie de la terre natale ; celle qui nous fait renaître, parce qu'elle est notre mère.

On connaît la douleur du banni, grec ou romain, qui non seulement n'aura personne pour entretenir son culte quand il sera mort, mais sera séparé à jamais de la terre mère. Tous les ans, une formidable cargaison de cercueils entre dans le port

18. Sur l'universalité du mythe de la terre mère (Grèce homérique, Maoris, Océanie, Afrique noire, etc.), cf. Mircea Eliade, *Traité d'histoire des religions* ; A. Dieterich, *Mutter Erde,* 1905, 3e éd., 1925.

de Shangaï. Elle apporte les corps des chinois émigrés dans le vaste monde (en Amérique notamment) qui veulent être enterrés dans leur terre mère. Certains cimetières sacrés, comme la lamasserie des Cinq Tours en Mongolie, reçoivent des cercueils qui ont effectué jusqu'à un an de voyage : ils détiennent les attributs et les vertus de la maternité tellurique.

Chez nous, qui rapatrions les corps des soldats morts en terre étrangère, on connaît les clichés de nos enterrements : « Repose dans le sein de la terre maternelle, la mère patrie. » La force attractive de la terre natale se fait de plus en plus insistante à mesure que l'on approche de la mort. Le vieillard répugne à quitter ses horizons de toujours et celui qui a émigré dans sa jeunesse ressent l'appel des lieux de sa naissance. Au moment où nous écrivons, une vieille parente qui a quitté la France à 17 ans pour le Mexique, où elle s'est mariée et a fondé une nombreuse famille, retourne pour la première fois à l'âge de 75 ans dans son pays natal, la Dordogne, alors que tous les siens y sont morts depuis longtemps. Elle songe à y acheter une petite maison pour s'y fixer. Rares sont les humains chez qui, à l'instar des oiseaux migrateurs, la tendance au retour n'est pas, à un moment donné, aussi puissante que l'a été celle du départ... L'appel mystérieux de la mort, c'est l'appel mystérieux de la terre de sa naissance... *Hic natus, hic situs est.*

La terre est donc maternisée [19] en tant que siège des métamorphoses de mort-naissance d'une part, et en tant que terre natale de l'autre. A l'échelle philosophique, dans les civilisations évoluées, c'est tout l'univers terrestre qui pourra se charger de l'affectivité maternelle.

Et par ailleurs les cavités quasi ventrales de la terre, imprégnées d'analogies maternelles diffuses, vont appeler les idées et les cultes de mort-renaissance, et par là même préciser dialectiquement le thème de la maternité tellurique. En effet,

19. L'enterrement symbolique, pour guérir un malade, a la vertu d'une nouvelle naissance : il régénère (cf. Eliade, qui cite des exemples). Par ailleurs, on enterre les enfants, même chez les peuples incinérateurs, « dans l'espoir que les entrailles de la terre leur feront don d'une vie nouvelle » (Eliade).

selon la conception archaïque [20] de mort-naissance, c'est très souvent dans les cavernes, grottes, fentes, puits que les fœtus attendent le moment de s'introduire dans le ventre de la mère.

La caverne. — La maison.

Il est frappant que les cavernes soient précisément les lieux propres des cultes de mort et de renaissance : cavernes de Demeter, Dionysos, Mithra, Cybèle et Attis, catacombes des premiers chrétiens ; les églises, basiliques, cathédrales sont des cavernes surélevées, construites par l'homme, mais obscures, nues et résonnantes comme la caverne naturelle ; elles portent en elles, comme un utérus dans un ventre, la crypte souterraine. Comme dit un personnage de D. H. Lawrence, la cavité profonde de la cathédrale recèle les ténèbres de la germination et de la mort.

Les mêmes ténèbres de germination et de mort imprègnent les grottes. Bachelard a fort bien dégagé la signification onirique de la grotte. L'esthétique de la grotte artificielle des jardins à l'anglaise ou à l'allemande répond au même besoin de recherche de *sources profondes de vie ou de mort* qui poussa les romantiques à s'évader vers les grottes solitaires et moussues, au sein d'une nature consolatrice. « La grotte magique de l'enfance — qu'il soit permis au poète d'en ouvrir la porte. »

Parmi les analogies caverneuses va prendre place la maison. N'oublions pas qu'il s'agit de la maison rurale, à même la terre, de la maison siège du culte des ancêtres, de l' « asile héréditaire ». N'oublions pas que la maison est restée obscure et fermée jusqu'à l'introduction de l'électricité et du confort. « Recouverte de chaumes, vêtue de paille, la maison ressemble à la nuit [21]. » Dans une grande ville sans racines, le désir d'une petite bicoque en banlieue, pour y vieillir et mourir, n'exprime-t-il pas la recherche d'un substitut à cette maison « onirique » dont parle Bachelard, où se mêlent indistinctement l'appel de la mère, de la terre et de la tombe, c'est-à-dire de la mort-naissance ?

20. Demeurée folklorique.
21. L. Renou, *Hymnes et Prières du Veda.*

La belle mort est bien la mort dans son lit, dans les creux intimes de sa maison. Les vieilles paysannes veulent mourir dans le lit où elles ont mis leurs enfants au monde. Du grabat d'hôpital comme de la luxueuse clinique, monte le cri des mourants, suppliant qu'on les ramène chez eux.

La maison natale, rayonnant de la présence immense de la mère, pourra se surimprimer au tombeau, la maison mortelle, où l'on rejoint sa mère. Car le tombeau est une maison, parfois la maison même occupée par le mort lorsqu'il était vivant. Ici encore il ne faut pas croire que le tombeau est un substitut du ventre de la mère. En tant que maison du mort, il correspond aussi et surtout à la survie postmortelle du double, qui, de même que le vivant, doit avoir un domicile. Mais cela n'empêche pas les analogies de mort-naissance de s'emparer de la maison-tombeau et de l'intégrer dans le grand cycle de la maternité de la mort.

Il est inutile de poursuivre ici les analogies caverno-utérines qui se diversifient à l'infini. Il nous suffit de poser que tout lieu obscur, isolé, paisible, peut évoquer la présence d'une mort maternelle ou porteuse de renaissance.

Le sommeil de la mort.

Dans la mort maternelle, la vie est analogue à celle du fœtus : latente, aveugle, endormie. Cette analogie converge en plein vers le donné universel de l'expérience : le sommeil est la première apparence empirique de la mort : le sommeil et la mort sont frères, dit Homère.

Partout, en tous temps et en tous lieux, depuis le proverbe boshiman « la mort est un sommeil » jusqu'au « repose de ton dernier sommeil » de nos enterrements, en dépit des survies, des renaissances, des résurrections, des doubles, des fantômes, des métempsychoses, la métaphore du sommeil reste ancrée au plus profond des âmes : le mort est comme un homme qui s'est endormi. Mais l'observation empirique n'aurait pas suffi à implanter aussi profondément la notion de sommeil : le corps ne « s'endort » que pour quelques heures, puis il est entraîné dans le processus de décomposition. L'idée d'éternel sommeil n'aurait été qu'une idée à la surface de l'expérience, aussitôt démentie par elle, si elle ne s'était alourdie, épanouie et poursuivie dans la tiède communication de toutes les profondes analogies de la mort. C'est le sommeil *originaire* que retrouve le mort. Il y a triple analogie entre le sommeil nocturne des vivants, le sommeil de la mort et le sommeil fœtal. Ils se tiennent tous trois au niveau des « sources élémentaires » aux « tréfonds de toute vie ». « Notre petite vie est baignée d'un grand sommeil. Le sommeil notre berceau, le sommeil notre tombeau, le sommeil notre patrie, d'où nous sortons le matin, où nous rentrons le soir, et notre vie, le court voyage, la durée entre l'émergement, l'unité première et l'engloutissement en elle [22]. »

Ils sont également tous trois nocturnes. La nuit entre majestueusement dans les analogies de la mort. Au sein de ses ténèbres où tout s'endort, s'éteint, repose, s'indifférencie dans l'unité magique qui enveloppe la vie multiprésente et invisible, où les essences parlent dans la confusion des apparences, tout se prépare à la renaissance. La nuit est le placenta, le bain de renaissance du jour qui va naître ; les nuits sont enceintes, dit le proverbe arabe. La nuit est la mort du jour et la mère du jour. On comprend que les cultes voués à la pâle puissance de l'astre nocturne aient victorieusement rivalisé avec ceux du soleil.

A travers les conduits de la nuit et du sommeil s'opèrent également des communications syncrétistes entre les croyances relatives au double et à la mort-maternité-naissance. Le sommeil pourra être considéré comme une plongée dans le royaume des « esprits » (doubles) d'autant plus évidente lorsque ce royaume deviendra, à la suite d'une évolution que nous retracerons plus loin, nocturne et souterrain. Gérard de Nerval a bien exprimé cette ambivalence onirique, qui s'ouvre sur les deux leitmotive anthropologiques de la mort : « Les premiers instants du sommeil sont l'image de la mort. Un engourdissement nébuleux saisit notre pensée et nous ne pouvons déterminer l'instant précis où le moi, sous une autre forme, continue l'œuvre de l'existence. C'est un souterrain vague qui s'éclaire peu à peu et d'où se dégagent, de l'ombre et de la mort, de pâles

22. Karl Joel, *l'Ame et le Monde,* Iéna, 1912.

figures : le monde des esprits s'ouvre pour nous. » Une fois de plus nous constatons que les deux grands mythes de la mort ne sont pas séparés par des cloisons étanches. Et, bien entendu, à l'intérieur des analogies de la mort-naissance, il n'y a pas de barrières. Mère, Grotte, Ventre, Terre, Caverne, Maison, Tombe, Nuit, Sommeil, Naissance, Mort, s'appellent et se renvoient les uns les autres, sont les symboles les uns des autres...

Les eaux-mères.

Par-delà la nuit, le sommeil, la terre, un grand thème de mort-renaissance en englobe et en élargit toutes les puissances, c'est celui des eaux. Anita Muhl, étudiant les suicides dans une petite ville de Californie, a remarqué que ceux-ci s'effectuent surtout en un paysage donnant sur la mer, à l'heure du coucher du soleil sur les eaux... On connaît la valeur mythique universelle de mort et de vie nouvelle des eaux. Eaux fascinantes qui entourent toujours les Enfers et les îles de la Mort. Et aussi, surtout, eaux de renaissance. La puissance de l'eau, comme élément de renaissance et de vie, est incomparable dans la magie, les mythes et les religions [23]. Non seulement les secrets de rajeunissement sont des eaux de jouvence, mais tous les secrets de vie sont contenus dans les eaux ; les eaux raniment les arêtes que les hyperboréens jettent à la mer et en font de nouveaux poissons ; l'alchimiste essaie de retrouver les secrets de création du monde enfouis dans l'eau première (le mercure). Comme nous l'avons dit plus haut, les baptêmes qui à l'origine sont des immersions totales, et des purifications aquatiques, sont des symboles de nouvelle naissance. C'est une naissance plus belle que portent les eaux limoneuses du Gange à Bénarès. Aux origines de la grande résurrection chrétienne, saint Jean-Baptiste est engagé à mi-corps dans les eaux du Jourdain. Aujourd'hui encore, les miracles sont des miracles de l'eau, que ce soit l'eau de la grotte de Lourdes ou celle des guérisseurs, qui chassent le mal, brûlure, cancer, tuberculose, avec un liquide où l'analyse des experts ne trouve

23. Cf. Eliade, *op. cit.,* ; P. Saintyve, *Corpus du folklore des eaux,* etc.

que de l'eau distillée. Achille, plongé dans les eaux de la mort, sera invulnérable à la mort, car les eaux de la vie sont les eaux de la mort, et les eaux de la mort sont les eaux de la vie : ce sont les eaux-mères, le règne primordial liquide de la Bible où se meut l'esprit de Dieu avant toutes naissances, l'océan Apsou de la cosmogonie de Nippour (Sumer).

L'océan !... Je te salue, *vieil* océan, s'écrie l'homme, éternel Maldoror. Il salue sa matrice éternelle, sa vie et sa mort confondues dans l'infini marin. Il sent dilater son indétermination originelle : « de plus en plus proche, plus intime et plus à moi retentit le bruit des vagues : maintenant comme un pouls qui tonne il retentit dans ma tête, il saute par-dessus mon âme, l'enlace, l'engloutit, tandis qu'elle-même, au même instant pourtant, nage au loin comme le flot bleuissant, où dedans et dehors ne font qu'un. Briller et écumer, glisser, caresser et gronder, toute la symphonie d'excitations éprouvées meurt dans un ton unique : tous les sens deviennent un sens qui se confond avec le sentiment : le monde s'évapore dans l'âme et l'âme se dissout dans le monde [24]. »

L'eau est la grande communicatrice magique de l'homme au cosmos : « tout rêve devant l'eau se cosmose » (Bachelard), la grande communicatrice magique de l'homme à sa mort qui n'est autre que sa vie originelle. C'est pourquoi l'eau est à la fois « le cosmos de la mort [25] » et le « véritable support matériel de la mort [26] ». La grotte sous-marine où Giliatt va rencontrer le poulpe, est « on ne sait quel palais de la Mort, contente ». « Si l'eau tient la mort dans sa substance [27] », c'est que la vie utérine, larvaire, embryonnaire est d'essence aquatique analogue à la vie obscure des poissons cavernicoles dont parle Queneau (*Saint-Glinglin*).

« Mort contente ! » dit Hugo, dans sa prodigieuse métaphore. Car la mer va porter en elle la grande harmonie, la grande réconciliation avec la mort. Elle est la nature première, la mère cosmique analogue à la mère réelle, charnelle, protectrice,

24. K. Joel, *op. cit.*
25. Bachelard, *l'Eau et les Rêves.*
26. *Ibid.*
27. *Ibid.*

amoureuse. En faisant de la mer uniquement le symbole de la mère, en supprimant l'alternative et le vice versa de la mère à la mer, une certaine psychanalyse a laissé échapper une vérité anthropologique. Elle a oublié en effet que la vie intra-utérine du fœtus humain porte en elle et recommence l'expérience première, maritime, des êtres vivants ; ce n'est pas tant le poisson de Michelet qui est « nourri comme un embryon au sein de la mère commune ». C'est le fœtus qui est physiologiquement poisson dans le sein de sa mère, et qui répète la vie intra-marine, muette, hébétée. Vérité biologique fondamentale qui se réfracte sur tous les plans de l'esprit humain. Autant la mer renvoie à la mère, autant la mère renvoie à la mer. Et la mort renvoie à la mère et à la mer, c'est-à-dire au creuset des naissances.

Ceci nous montre avec évidence que les eaux n'évoquent pas la mort seulement parce qu'elles sont dormantes, et la naissance seulement parce qu'elles sont fertiles. Elles portent un au-delà cosmomorphique qui émeut le plus profond de l'homme : elles lui parlent le langage des origines que peut-être il reconnaît confusément. Ce qui ne veut pas dire que l'homme ait gardé le *souvenir,* au sens précis du terme, de sa vie intra-marine, et intra-utérine. Mais il en ressent peut-être les réminiscences. Réminiscences quasi platoniciennes, de l'homme, non pas « ange déchu qui se souvient des cieux », mais poisson promu qui se souviendrait des eaux...

Monde ou moi

L'exposé ci-dessus nous montre qu'originairement le thème de « l'intimité maternelle de la mort » (Bachelard) prend place dans le grand cycle de mort-naissance. De ce point de vue, Jung a raison d'insister sur la renaissance comme thème central d'une conception de la mort qui traduit « l'ardent désir de rentrer dans le giron de la mère, afin de renaître, c'est-à-dire de devenir immortel[28]... », contre Rank qui fait de la mort avant tout

28. « Tout ce qui vit sort des eaux, à l'instar du soleil, et s'y replonge le soir. Issu des sources des fleuves et des mers, l'homme après sa mort arrive aux bords du Styx pour entreprendre la traversée

une métaphore du retour intra-utérin et qui fait du ventre de la mère le fourre-tout terminal de l'humain et du cosmos [29]. Mais ni l'un ni l'autre n'ont pu insérer le thème de la mère dans les structures de la pensée magique anthropo-cosmomorphique. Ils n'ont pu établir une conception anthropologique de la mort qui intègre également les croyances au double. Sur ce dernier point, comme nous le verrons plus loin, Rank, en dépit de son faible matériel ethnologique, a fait des découvertes remarquables. Regrettons en passant que les sociologues aient ignoré l'apport de ces deux esprits inquiets et audacieux, ou n'aient retenu que leurs extravagances.

Si le leitmotiv de la mort maternelle est inclus dans celui de la mort-renaissance, il va ultérieurement s'en différencier, et même s'y opposer parfois. Il pourra alors, selon la puissance de la crainte et de l'horreur de la mort, étendre cette horreur aux visages de la nature qui rappellent cette mort : horreur ou mélancolie, ou désespoir de l'eau, de la terre, de la caverne, de la maison, etc. Les mêmes eaux qui dissolvent le « malheur » (parce qu'elles sont naissance et vie) pourront dissoudre le bonheur (parce qu'elles sont mort). L'homme angoissé par la mort s'efforcera de fuir cette nature odieuse que-l'on-dit-une-mère-et-qui-est-une-tombe. Il s'enfermera dans la ville, dans les salles ruisselantes de lumière électrique. Il n'aimera que les visages et les formes humaines. La mort maternelle s'est muée en marâtre. L'horreur de la mort a désagrégé la maternité de la mort, pour n'en retenir que la mort tout court.

Inversement, il se pourra que cette même nature calme et guérisse les angoisses de mort, ouvre la réconciliation pan-cosmique avec la mort. Il se pourra même que l'appel de la mort soit entendu comme l'appel de la vraie vie, tel que l'exprime le film *Juliette ou la Clef des Songes*. Alors se lèvera l'appel du

---

nocturne. Son désir, c'est que les sombres eaux de la mort deviennent des eaux de la vie, que la mort et sa froide étreinte soient le giron maternel, tout comme la mer, bien qu'engloutissant le soleil, le réconforte dans ses profondeurs. » (Jung, *Métamorphoses et Symboles de la libido*.)

29. Rank, *Le Traumatisme de la naissance*.

« favorable minuit », de la nuit mystérieuse des romantiques allemands. L'appel du sommeil : « Mourir, Dormir... c'est un dénouement que l'on doit souhaiter avec ferveur » (Hamlet). L'appel de la terre : « Laissez-moi m'endormir du sommeil de la terre » (Vigny). L'appel de la mer : « Et comme aux temps anciens tu pourras dormir sur la mer » (Eluard). L'appel de la mère : « c'était pour se blottir qu'il voulait mourir » (Noël Bureau, in Bachelard) [30].

Il arrivera que la confiance en la maternité cosmique de la mort submerge la volonté de renaissance. Ce sera alors l'appel du Nirvana, de la mort heureuse, de la vraie vie totale, qui s'exprimera, à partir d'un certain stade d'évolution, dans de grandes religions.

Dans d'autres, se fera entendre plus instamment encore l'appel de la résurrection, de la vie immortelle. Appel exigeant, angoissé qui exprime la volonté de renaître dans son individualité propre (et s'incorpore à l'exigence qu'implique la survie du « double ») grâce à la magie de mort-renaissance du salut.

Deux grands thèmes donc, tous deux également bouleversants d'absurdité et de vérité, se dégageront des analogies de la mort, s'élèveront au cours d'une histoire humaine tendue dans une lutte de fer pour survivre, se défendre, conquérir. C'est parce que l'homme est débarrassé de la croûte des instincts spécialisés, c'est parce que son affectivité est générale, ouverte à l'action comme au rêve, à l'immobilité comme au mouvement, c'est parce qu'il n'est jamais tout à fait adapté, tout à fait satisfait qu'est montée en lui si souvent et si puissamment la nostalgie des origines, l'obscur désir, la vieille mémoire informulable, et qu'elle s'est fondue dans la revendication pan-cosmique de l'individu qui voudrait être immédiatement *tout,* quitte à se perdre homme pour se retrouver Monde.

C'est pour la même raison que l'autre appel de l'individu, celui de sa conscience qui ne veut se perdre, de son corps qui veut lutter, du jaillissement de l'activité, l'appel solaire, com-

30. Et lorsque dans une même âme contemplative, méditant devant tout spectacle qui réveille les analogies de la mort, s'irradieront à la fois la douleur de mourir, l'espoir de la naissance et la confiance en la mère, alors s'exprimera le sentiment le plus riche.

bat, recouvre et domine sans jamais l'étouffer l'appel de la nuit, du repos et de l'indétermination. L'homme était peut-être « heureux » dans le ventre maternel, mais il en est sorti.

Et la vérité profonde oscille à l'intérieur de ce désir contradictoire d'y rentrer et d'en sortir. C'est parce que son individualité est tiraillée entre l'affirmation de sa singularité qui veut renaître par-delà la mort et le désir de sa généralité qui veut retrouver l'harmonie cosmique dans la mort, et parce que ces tiraillements s'entourent d'espoir, d'angoisse, de crainte et de bonheur, que le cycle de mort — retour aux eaux-mères-résurrection — forme dans sa totalité la conception la plus riche d'affectivité, la plus émouvante, la plus profonde, la plus encourageante, la plus permanente de toute l'idéologie humaine. En elle se noue l'aspiration dialectique de l'humanité, de la vie elle-même, qui se traduit naïvement dans l'idée d'éternel retour et d'éternel recommencement. Avec l'éternel retour, les besoins contraires qui frappent à la porte de l'homme sont alternativement donc totalement assouvis. Ils espèrent ne rien laisser échapper de la totalité de la vie, retrouver l'arrière en allant de l'avant, ne rien perdre, pas même le sommeil et pas même la mort. Ils veulent croire que fatalement la vie sera vécue jusqu'à l'épuisement, jusqu'à la lie, puis abolie et recommencée à nouveau vierge et neuve.

Déjà, *dans le renvoi* perpétuel de la mort à la naissance et vice versa, l'idée du devenir est en germe [31] ; et peut-être est-ce le devenir qui éclairera la mort de l'homme...

En résumé, l'humanité archaïque saisit sa propre loi de mort à l'image de la loi de métamorphoses qu'elle reconnaît dans la nature où toute mort est suivie d'une vie nouvelle.

Partant des croyances immédiates selon lesquelles le mort

31. « De la mort renaît une vie nouvelle. Les Orientaux ont eu cette idée et c'est peut-être leur plus grande idée, le sommet de leur métaphysique. La métempsychose exprime cette idée en ce qui concerne la vie individuelle. On connaît aussi le symbole du Phénix, de la vie naturelle qui prépare éternellement son propre bûcher et s'y consume : de telle sorte qu'une vie nouvelle, rajeunie et fraîche, sort éternellement de ses cendres. » (Hegel, *la Raison dans l'Histoire. Leçon d'introduction à la philosophie de l'histoire universelle.*)

renaît enfant ou animal, l'homme va s'approprier les forces de naissance et de fécondité de la mort selon la magie du sacrifice et de l'initiation. Cette appropriation, il l'exercera sur sa mort quand il ne croira plus en la renaissance ou la survie automatique, en se faisant renaître de la mort selon la magie du salut.

Parallèlement se développera le thème de la maternité de la mort. La terre et les eaux sont les éléments maternels où s'opère le passage de mort à renaissance. Ce thème, en s'amplifiant et en s'autonomisant, s'élargira dans une conception de la mort pancosmique où l'homme se fond au sein de la matrice universelle de la vie.

Ainsi, sous ses deux aspects divergents s'exprimera la structure profonde de l'individualité humaine qui refuse de considérer la mort comme un terme, mais en fait un au-delà où persiste et triomphe la singularité (Salut) ou l'universalité de l'homme (Nirvana).

2

Le « double » (fantôme, esprits...) ou le contenu individualisé de la mort

1. La conception archaïque.

La croyance en la survie personnelle sous forme de spectre est une brèche dans le système des analogies cosmomorphiques de la mort-renaissance, mais une brèche originaire fondamentale, à travers laquelle l'individu exprime sa tendance à sauver son intégrité par-delà la décomposition.

Dès le paléolithique, où l'on trouve des morts accompagnés de leurs armes et de leur nourriture, dès les sociétés rudimentaires de cueillette — comme les Yokuts de Californie méridionale — *les morts vivent de leur vie propre, comme des vivants,* et cette croyance est non moins universelle, dans l'humanité archaïque passée et présente, que celle de mort-renaissance avec laquelle, comme nous l'avons vu au chapitre précédent, elle se mêle et se syncrétise. Résumant Frazer, Valéry écrit : « De la Mélanésie à Madagascar, de la Nigéria à la Colombie, chaque peuplade redoute, évoque, nourrit, utilise ses défunts ; entretient un commerce avec eux ; leur donne dans la vie un rôle positif, les subit comme des parasites, les accueille comme des hôtes plus ou moins désirables, leur prête des besoins, des intentions, des pouvoirs [1]. »

Ces morts ne sont pas des principes désincarnés, et de ce

1. Valéry, préface à *la Crainte des morts* de Frazer.

fait les termes « d'âmes » et « d'esprits », quoique encore usuels, ne correspondent pas à cette conception primitive. En dépit toutefois des anachronismes de traduction qu'ils ont pu commettre, les fondateurs de l'ethnologie ont nettement saisi la nature corporelle des morts. S'ils sont invisibles souvent, c'est à la manière de l'homme invisible de Wells, qui a un corps. Ce sont des spectres doués de formes, des fantômes, comme l'avait déjà remarqué Tylor, à l'image exacte des êtres vivants. Il s'agit, et Spencer l'avait décelé avec une très grande perspicacité, de véritables *doubles.*

C'est la même universelle réalité du « double » que traduisent l'*Eidolon* grec, qui revient si souvent chez Homère, le *Ka* égyptien, le *Genius* romain, le *Rephaim* hébreu, le *Frevoli* ou *Fravashi* perse, les fantômes et les spectres de nos folklores, le « corps astral » des spirites, et même parfois « l'âme » chez certains Pères de l'Eglise. *Le double est le noyau de toute représentation archaïque concernant les morts.*

Mais ce double n'est pas tant la reproduction, la copie conforme *post mortem* de l'individu décédé : il accompagne le vivant dans toute son existence, il le *double,* et ce dernier le sent, le connaît, l'entend, le voit, selon une expérience quotidienne et quotinocturne, dans ses rêves, son ombre, son reflet, son écho, son souffle, son pénis et même ses gaz intestinaux.

Les manifestations du double.

Car c'est le double qui veille et agit pendant que le vivant dort et rêve, et inversement « l'eidolon dort tant que les membres sont en mouvement, mais elle annonce souvent en songe l'avenir à celui qui dort » (Pindare). De même les syncopes et les évanouissements signalent une fugue du double. Rêve et syncope sont déjà à l'image de la mort, où le double désertera, cette fois à jamais, le corps.

De plus, le double peut agir d'une façon autonome même durant l'état de veille. Comme il dispose de la force surnaturelle, il se métamorphosera en tigre ou en requin pour accomplir un meurtre, mais cette ruse ne trompera personne, et les ayants droit du dévoré viendront exercer leur vengeance sur la personne que le double assassin a réintégrée.

Une des manifestations permanentes du double est l'ombre. L'ombre, qui est un être vivant pour l'enfant comme l'avait déjà remarqué Spencer, a été pour l'homme un des premiers mystères, une des premières saisies de sa personne. Et comme telle l'ombre est devenue l'apparence, la représentation, la fixation, le nom du double. Non seulement les Grecs avec l'*Eidolon,* mais les Tasmaniens (Tylor), les Algonquins, et d'innombrables peuplades archaïques emploient le mot ombre pour désigner le double et en même temps le mort. A Amboine et à Ulias, deux îles sur l'équateur, les habitants ne sortent jamais à midi où l'ombre disparaît, car ils craignent de perdre leur double [2]. Dans *Tabou et les Périls de l'âme,* Frazer a relevé un grand nombre de tabous, les uns visant à protéger l'ombre, à l'empêcher de fuir, les autres à protéger de l'ombre. Les superstitions qui traduisent la crainte et le souci de l'ombre du vivant sont de même nature que celles qui expriment la crainte et le souci des morts-ombres. Ainsi il ne faut pas laisser traîner son ombre sur les aliments, ni rencontrer l'ombre des femmes enceintes ou de sa belle-mère, ni porter son ombre sur un mort. Les femmes doivent craindre d'être fécondées par l'ombre, etc. Notre langage porte encore les marques des tabous de l'ombre : l'ombrageux est, au sens propre, celui qui a peur de son ombre, mais au figuré c'est l'homme dont l'irritabilité est analogue à celle des morts. Porter ombrage signifie jeter un mauvais sort. En allemand, *Schatten* (ombre) est phonétiquement proche de *Schaden* (pas bien, dommage), fait remarquer Rank.

D'autres superstitions nous montrent qu'en frappant l'ombre on frappe le vivant. Les droits archaïques, comme par exemple le droit germanique, connaissent le châtiment de l'ombre : la magie peut pratiquer ses envoûtements aussi bien sur l'ombre que sur l'effigie. A partir de l'ombre, on déterminera des présages qui, selon l'ambivalence mort-renaissance propre aux présages macabres, pourront signifier mort ou longue vie. En Allemagne, Autriche, Yougoslavie on allume une bougie la nuit

2. Frazer, *op. cit.,* p. 87.

de Noël, et celui qui projette une ombre sans tête mourra dans l'année. Et bien entendu les morts, qui sont les ombres elles-mêmes, n'ont pas d'ombre dans leur vie aérienne ou infernale. Le mort qui ressuscite, chez les Grecs, se reconnaîtra à l'absence de son ombre. Et l'on trouvera encore dans le Purgatoire de Dante le corps sans ombre des morts.

Le double peut également se manifester par le reflet. Les indigènes des îles Fidji séparent l'ombre noire de « l'ombre claire » (celle du reflet dans l'eau ou le miroir). « Maintenant je peux voir le monde des esprits », dit l'un d'eux à Thomas Williams qui lui montre un miroir. L'au-delà du miroir est le véritable royaume des doubles, l'envers magique de la vie... Les tabous, les superstitions, les présages du reflet et donc du miroir sont de même nature que ceux qui concernent l'ombre. Encore aujourd'hui un miroir brisé est un signe néfaste et, lorsque la mort survient, on recouvre de noir les glaces en France, Allemagne, etc.

Le double peut encore se manifester dans l'écho (reflet auditif) ou dans le reflet microscopique que renvoie l'œil ; cette « âme pupilline », ce double homoncule, dont font état les Upanishads, donne à son tour naissance à « l'âme poucet [3] », petit être autonome qui se déplace soit dans le cœur, soit dans la tête et qui s'associe souvent à l'idée du pénis, autre petit être autonome dont le rôle, fort important par ailleurs dans les conceptions primitives de mort-renaissance, exprime également à sa façon la présence, étrangère et intérieure à soi, du double.

Enfin le mouvement d'air respiratoire ou intestinal peut traduire la présence du double. Ernest Jones a bâti une théorie qui fait du pet l'origine de l'âme. Exagération de psychanalyste, certes. Il faut remarquer toutefois que « l'Anemos » grec est le vent : les tourbillons du vent, chez de nombreuses peuplades, sont les esprits des ancêtres. L'invisibilité propre au double tient à cette nature aérienne.

3. Cf. Ed. Monseur, « L'âme pupilline, l'âme poucet », *Revue d'histoire des religions,* 1905.

L'ego alter.

Le double est donc un alter ego, et plus précisément un *ego alter,* que le vivant ressent en lui, à la fois extérieur et intime, tout le long de son existence. Et du coup ce n'est pas une copie, une image du vivant qui, à l'origine, survit à la mort, mais sa réalité propre d'*ego alter.* L'ego alter, c'est bien le « Je » qui « est un autre » de Rimbaud. On saisit maintenant que le support anthropologique du double, à travers l'impuissance primitive à se représenter l'anéantissement, à travers le désir de surmonter l'obstacle empirique de la décomposition du cadavre, à travers la revendication fondamentale à l'immortalité, est le mouvement élémentaire de l'esprit humain qui d'*abord* ne pose et ne connaît son intimité qu'extérieurement à lui. Effectivement on ne se sent, ne s'entend, et ne se voit d'abord que comme « autre », c'est-à-dire *projeté* et *aliéné.* Les croyances du double s'appuient donc sur l'expérience *originaire et fondamentale qu'a l'homme lui-même* [4].

La vie des morts, image de la vie.

Le double, qui vit intégralement de la vie du vivant, ne meurt pas de sa mort. La mort n'est qu'une maladie de la peau.

Sa peau seulement est malade, répond un Canaque à Leenhardt qui l'interrogeait sur un mort.

Comme le dit Pindare, « le corps obéit à la mort, la toute-puissante, mais l'eidolon du vivant reste vivante ». Tandis que le corps pourrit, l'autre corps, incorruptible, immortel, va se dégager et continuer à vivre. « Le double » est « la personne »,

4. Au moment de mettre sous presse, nous prenons connaissance de deux ordres de faits capitaux relatifs à l'expérience du double. C'est d'une part le « stade du miroir », comme stade formateur de la personnalité de l'enfant (Docteur Lacan), et d'autre part le caractère actuel de fréquence, voire d'*universalité potentielle,* de la vision du double. Celle-ci, étudiée comme hallucination spéculaire en psychiatrie, n'est pas moins fréquente chez les sujets sains que chez les déments. C'est « une expérience à la portée de tous » (Docteur Fretet), une « expérience très vive de soi-même » (J. Lhermitte). Chacun est, « avec une aptitude plus ou moins grande, susceptible de voir son double ».

comme diraient les théologiens. Mais nulle « transcendance » encore en elle ; plus l'humanité est archaïque, plus la rupture entre la vie du double et la vie des vivants est faible. Et c'est la vie quotidienne qui est projetée dans la mort.

A l'origine, les spectres ne quittent pas l'espace des vivants. Ceux-ci les sentent omniprésents : l'atmosphère est imprégnée d'esprits ; les lieux hantés pullulent ; les morts apparaissent dans les rêves ; l'inconnu rencontré est souvent interpellé ainsi : « Qui donc es-tu, toi, homme ou esprit ? » C'est que la vie des morts est imbriquée dans celle des mortels, analogue à celle des mortels, de même que le double est corporellement analogue au mortel.

Le double garde les traits de son dernier jour ; aussi, pour être un *ghost* vigoureux préfère-t-on mourir vigoureux : parfois on enterre vifs les vieillards, tant qu'il leur reste encore un peu d'énergie, afin que leur double ne soit pas trop sénile.

Le double a les mêmes besoins élémentaires que les vivants, les mêmes passions et sentiments. Duddley Kidd [5] cite ces propos cafres : « Quand les hommes sont vivants ils aiment la louange et la flatterie, la nourriture et les soins ; après la mort ils veulent tout à fait la même chose [6]. » Les doubles ont besoin de manger ; ils ont besoin de leurs armes, de leurs biens, et parfois même de leurs veuves et de leurs esclaves. Ils perpétuent par-delà la mort leurs activités propres, leur genre de vie. Chez les Ostiaks pêcheurs, le mort est attaché à la pirogue. Les Kirdis, pasteurs du Cameroun, le cousent dans une peau de bœuf. Les Samoyèdes nomades l'enveloppent dans une tente, et la vie continue, analogue à celle des vivants.

Avec la différenciation du pouvoir, l'esclavage et la formation des classes, la polarisation des rapports sociaux entre chefs et sujets, maîtres et esclaves, se traduira par une polarisation encore plus poussée à l'intérieur du monde des morts. Tout homme dévalorisé, *tout homme qui n'est pas reconnu comme homme,* n'a alors pas droit à la survie ; en Polynésie, seules

5. *The Essential Kafer,* Londres, 1904.

6. Ils aiment les distractions aussi : « Lollius a été placé sur le bord du chemin pour que tous les passants puissent lui dire : "Bonjour, Lollius." » (Inscription sur une tombe romaine.)

les personnes de haut rang accèdent à l'immortalité. En perdant la liberté, le prisonnier perd son « âme ». Esclave, il n'a pas de vie posthume ; il n'est qu'un « outil animé » (Aristote) ; tout au plus son existence de mort sera aussi servile que sa vie.

Les paradis sont les transpositions idéales de la vie de la classe dominante (Walhalla, Champs-Elysées) et de la caste masculine : les nymphes ou les houris y sont à la disposition des hommes. (Ce n'est que sur le tard qu'ils s'ouvriront aux classes inférieures et aux femmes.)

Les opprimés vont revendiquer l'au-delà qu'on leur refuse. Le christianisme des origines est en quelque sorte l'immortalité du pauvre. La révolution de la sixième dynastie, en Egypte (vers l'an 2000 avant J.-C.), a eu comme effet de généraliser la survie à tous les hommes libres.

Mais l'inégalité subsiste toujours dans la mort. Le double du pauvre reste humilié, accablé, lumpen-prolétaire de l'au-delà, tandis que le roi a le sort des dieux, et le grand celui des héros. Elle se manifeste toujours dans les villes-nécropoles comme dans nos Père-Lachaise où sont séparés les splendides mausolées des pierres tombales nues, les « gros morts », comme dit Deffontaines, des petits morts. La maison du mort est le reflet de la maison du vivant. La concession à *perpétuité* dresse une immortalité qui veut s'affirmer éternellement, tandis que la fosse commune recueille ceux qui n'auront dans la mort même pas cet embryon de vie personnelle qu'ils pouvaient dérober de leur vivant. Celui dont la vie individuelle a été ignorée ou niée n'aura pas de tombe : qui n'a pas de propriété n'a pas de survie. Le criminel, le traître, l'impie, le vagabond, n'ont pas plus le droit de survivre que de vivre.

La libération du double. Différentes façons de traiter le cadavre : leur signification unique.

La pratique de l'ensevelissement n'est pas universelle. L'incinération, qui s'applique aujourd'hui à quatre cents millions d'êtres humains, a été utilisée dès les temps préhistoriques. Ces deux types extrêmes peuvent être dégagés parmi l'infinie et contradictoire diversité des pratiques concernant les cadavres.

Le domaine de l'incinération englobe les anciennes civilisations finno-scandinaves et babyloniennes, l'Asie du Sud-Est, les Indes et en partie l'Insulinde. Celui de l'ensevelissement comprend l'Ancienne Egypte, la Méditerranée classique, les pays sémites, la Chine, l'Europe et l'Amérique contemporaines. En fait, toutes ces pratiques contradictoires répondent à un souci commun. Elles ont une signification anthropologique unique, qu'Addison n'a pas su dégager.

L'opposition entre l'incinération et l'ensevelissement s'efface quand on remarque que l'incinération ne vise pas à détruire *tout* le cadavre : les cendres sont conservées. Il arrive même que chez des peuples crématistes on apporte de la nourriture aux cendres. Kleinpaul[7] a fort bien vu que la crémation joue le même rôle que la décomposition naturelle. *Elle ne fait que hâter la libération du double afin d'éliminer le stade impur du pourrissement où le* ghost *n'est pas encore lui-même.*

C'est la même obsession de la décomposition qui, dans un sens contraire, a déterminé l'embaumement et la momification du corps que pratiquait l'Ancienne Egypte. Inaltérables toutes deux, la cendre indienne et la momie égyptienne sont deux victoires sur la pourriture.

L'ancien endo-cannibalisme, quoique ce ne fût pas, croyons-nous, sa fonction essentielle, liquidait à sa manière le problème de la chair. Rank suggère que la livraison du cadavre aux animaux dévorants correspond à un transfert ultérieur de ce cannibalisme des funérailles. Toujours est-il que, dans les Tours de silence perses, l'abandon des morts aux vautours dure un an, c'est-à-dire le temps de la décomposition. Ensuite on recueille les ossements et on les conserve dans un ossuaire.

L'impureté du corps en décomposition est telle que « c'est un attentat à la terre, l'eau et le feu que leur infliger le contact immonde d'un corps mort[8] ». Non seulement chez les Perses, mais universellement, la décomposition est la période terrible où corps et double sont encore mêlés l'un à l'autre, où tout n'est pas accompli, où plane une sourde menace vampirique. Les

7. *Die Lebendigen und die Totem,* p. 93-95.
8. Hertz, *op. cit.*

vampires slaves qui sucent le sang des vivants sont des doubles non délivrés du cadavre, ce sont des cadavres animés qui ont besoin de sang frais pour s'alimenter. Le macabre médiéval du XVe siècle et le macabre espagnol, avec leurs morts décharnés, grinçants, horribles, squelettes recouverts ou non de lambeaux de chair, sont des ossements-cadavres possédés par le double. Là où la conscience des vivants n'arrive plus à dissocier nettement le double du cadavre, là où le double demeure plus ou moins englué au cadavre, là règne la terreur. D'où la minutie du rituel des funérailles.

Presque partout où règne l'ensevelissement existe une période qui correspond à la durée de la décomposition, période que viennent clore, soit les secondes funérailles (Polynésie, Amérique indienne du Sud, Dayaks de Bornéo), *soit la fin du deuil*. Pendant le deuil, le mort est entre deux vies, effroyable, amer, haineux, sa pourriture est contagieuse ; la veuve et les parents sont isolés, condamnés à une vie abjecte, leur maison et leur habillement portent la marque du tabou qui les rend intouchables. Aujourd'hui encore, et quoique des significations « morales » en camouflent les significations magiques, le noir signale, le voile isole, le deuil cloître pendant l'horrible période.

Ainsi donc le deuil et les traitements funéraires sont originairement déterminés par la décomposition et le souci d'en protéger à la fois le double et les vivants. Tous tendent à assurer *la meilleure survie du double.* Et tous, également, tendent à conserver et à localiser un point d'appui au double : soit ses ossements [9] en entier ou en partie (le crâne en Nouvelle-Calédonie), soit encore dans les cas extrêmes un substitut symbolique de ceux-ci (effigies, tablettes).

L'os ou la poudre d'os reste, en dernière analyse, le produit mystique qui manifeste, par son indestructibilité, l'indestructibilité potentielle du double. Ossements ou effigies seront les supports du culte rendu au mort. Ils seront les intermédiaires

9. Au Moyen Age, si un homme important mourait loin de sa résidence, on faisait bouillir le cadavre jusqu'à ce que la chair se fût séparée des os, et on envoyait ceux-ci au lieu où ils devaient être solennellement inhumés. Ce fut le cas des nombreux Anglais morts en France pendant la guerre de Cent ans. (Huizinga, *le Déclin du Moyen Age.*)

magiques [10], les points de fixation du double. Le culte est une absolue nécessité, pour le vivant qui craint les maléfices du *ghost,* et pour celui-ci qui, abandonné à lui-même, serait inconsolable, mendiant, heimatlos. C'est une des raisons pour lesquelles la pratique de l'adoption était si répandue dans l'Antiquité romaine : il fallait des héritiers pour entretenir la survie du double, pour la conservation des cendres et du culte familial.

On peut donc établir que les diverses pratiques concernant le cadavre visent, selon la conscience archaïque, à assurer la sérénité du double et à localiser son culte. Les grandes oppositions se manifestent dans la liquidation de ce qui est périssable : les chairs.

Cette liquidation s'opère par la restitution de la chair à l'un des éléments « originels », ce que Bachelard nomme « Loi des quatre patries de la mort » : Air (exposition), Eau (immersion), Terre (ensevelissement), Feu (crémation) [11]. Il faut noter en passant que, lorsque le corps est livré aux eaux ou à la terre (éléments « maternels » comme nous l'avons vu), les soucis que cause la décomposition du cadavre sont plus atténués que lorsqu'il est exposé à l'air (Tours du silence). L'eau surtout est, par elle-même, la grande purificatrice, et les marins voient sans crainte les vagues engloutir le mort, double et cadavre mêlés, qui pourtant sera privé de culte. (Il faut remarquer toutefois que les doubles maritimes existent. Ce sont eux qui forment l'équipage des bateaux fantômes. L'albatros de *The Rime of the Ancient Mariner* est sans doute l'incarnation d'un grand mort-esprit de la mer...)

Notons encore que la tendance crématiste, qui réalise la destruction immédiate du corps, accepte sans difficultés la transmigration ininterrompue des âmes et, par son obsession de purification, elle favorisera la spiritualisation plus rapide de la notion d'âme. L'ensevelissement, par contre, sera plus propice à l'idée de résurrection des corps.

10. Ils posséderont des vertus magiques (colliers d'os, nourriture de poudre d'os), parce qu'ils participeront à l'essence surnaturelle des doubles.

11. Dans les sociétés modernes, les pratiques de crémation, de sépulture et même d'embaumement coexistent. Les crématistes français forment une société qui publie ce journal au titre éloquent, *la Flamme purificatrice,* où s'exprime une passion que les préoccupations hautement proclamées d'hygiène n'expliquent pas à elles seules.

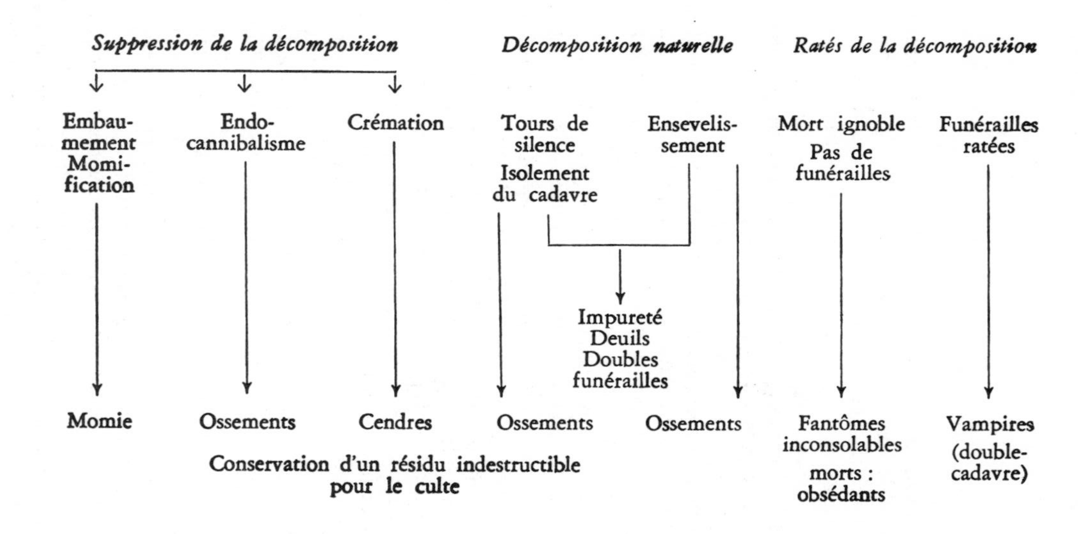
DOUBLE-CADAVRE
Suppression de la décomposition
Décomposition naturelle
Ratés de la décomposition
Embaumement Momification
Endo-cannibalisme
Crémation
Tours de silence
Isolement du cadavre
Ensevelissement
Mort ignoble
Pas de funérailles
Funérailles ratées
Impureté
Deuils
Doubles funérailles
Momie
Ossements
Cendres
Ossements
Ossements
Fantômes inconsolables
morts : obsédants
Vampires (double-cadavre)
Conservation d'un résidu indestructible pour le culte

Le séjour des morts.

Dans la couche la plus ancienne des croyances, les morts (doubles) vivent dans l'espace proche, l'espace même du groupe auquel ils appartiennent. C'est l'espace du clan pour le clan, l'espace de la *gens* pour la famille patriarcale. Le *ghost* ne vit pas encore sous terre, mais près de sa tombe, aux environs de son ancien séjour. Plus la civilisation est primitive, c'est-à-dire plus l'espace des vivants est étroit, plus les morts sont rapprochés.

La vie d'outre-tombe des « ghosts » a comme point d'appui la maison familiale des vivants. Leurs restes y sont parfois logés, mais la plupart du temps la crainte des morts a quelque peu éloigné les tombes des habitations des vivants. Parfois ceux-ci abandonnent aux morts l'ancienne demeure (Ancien Japon, anciens palais pharaoniques en Egypte). Parfois les morts ont une case identique à celle des vivants (Fangs, Loangos de l'Afrique noire) ou bien une maison appropriée : tombe ou mausolée. Ou bien encore leurs cités à eux (nécropoles, cimetières...).

Si les pratiques diffèrent en ce qui concerne le logement des morts, elles correspondent toutefois, de même que pour le traitement du cadavre, à une conception unique de la vie des doubles. Même lorsque les morts ne logent pas chez les vivants, ils y demeurent localisés, soit par un ossement symbolique (le crâne par exemple), soit par un substitut figuratif du mort réel (poupées de bois des Ostiaks, tablettes des Chinois, photos des « chers disparus ») qui servent de support à la fois à la présence du mort et au culte qu'on lui rend. Habile solution qui permet de concilier les désirs contradictoires des vivants : d'une part garder le mort (pour qu'il ne s'irrite pas et pour qu'il protège) et d'autre part fuir la présence macabre. Ces deux désirs se manifestent dès les temps préhistoriques (sépultures sous le foyer des cavernes d'une part, et nécropoles de l'autre).

Il existe encore en France une superstition très forte, concernant les maisons nouvellement bâties, selon laquelle un des habitants doit mourir dans l'année. La maison a-t-elle besoin d'un *ghost* protecteur, d'un Lare ou a-t-elle besoin du sacrifice humain nécessaire à la construction nouvelle [12] ? Peut-être s'agit-il de ces deux besoins confondus, mêlés.

De toute façon, le mort a besoin d'une maison et la maison a besoin d'un mort. « Quand la maison est terminée, le mort y pénètre », dit le proverbe arabe.

L'espace domestique reste habité par nos morts, et les croyances ultérieures qui éloignent le mort dans un au-delà ne détruisent jamais la conviction *qu'il vit aussi dans l'en-deçà des vivants :* le mort demeure présent-absent, celui que nous aimons est là, quoiqu'il ne soit plus là. (« Celui que nous aimons est là et n'est plus là. » Mauriac.)

Comme dit un enfant de huit ans que cite Piaget [13] :

— Qu'est-ce que l' « Esprit » ?

— C'est quelqu'un qui n'est pas comme nous, qui n'a pas de peau, pas d'os, qui est comme l'air, qu'on ne peut pas voir ; après notre mort, il part du corps.

— Il part ?

— Il part, mais il reste, mais en partant il reste. Il reste mais il est quand même au ciel.

Cette coexistence des deux couches de croyances ne se manifeste pas seulement chez des peuplades archaïques tels que Bochimans, Maoris, etc. Les croyances folkloriques en France et sans doute ailleurs maintiennent avec une grande vivacité l'idée de la persistance de « l'âme » du mort dans les environs du village. Van Gennep [14] remarque que cette « âme » est « quelque chose d'à moitié matériel » ; elle a l'apparence vivante du corps ; nous pouvons dire que c'est le *ghost, le double.* En Basse Bretagne, les doubles vivent en communauté dans les cimetières (Anaon), non loin de la communauté des vivants.

De toute façon les morts ne ratent pas une occasion de revenir chez les mortels. Ils sont de toutes les fêtes primitives [15]. Ils ont quartier libre une ou plusieurs fois l'an (Anthestéries) et vont se promener dans la cité, entrent dans les maisons, se faisant

12. Cf. Westermarck, *Origines des idées morales.*
13. *Représentation du monde chez l'enfant.*
14. *Manuel du folklore français,* 1946.
15. Caillois, *Théorie de la fête.*

nourrir comme des mendiants, jusqu'à ce qu'ils soient chassés : « Hors d'ici, âmes, l'anthestérie est finie. » Même dans les civilisations évoluées, les morts archaïques reviennent annuellement parmi les vivants, et c'est le sens de cette pâle anthestérie qu'est notre « Jour des morts ».

Plus se développeront les sociétés, plus l'espace social des vivants s'élargira, plus l'espace des morts se dilatera jusqu'à ce qu'apparaisse l'idée d'un royaume des morts aux frontières du royaume des vivants. On peut poser cette relation sociologique : plus la route du mort est longue, plus l'activité humaine s'est étendue loin, plus la pensée humaine est allée loin.

On peut retrouver, à travers la pensée mythique d'Hésiode, les étapes mêmes de l'évolution qui conduit le *ghost,* de l'espace du vivant, au séjour qui lui est propre. D'après *les Travaux et les Jours,* les morts du premier âge, ou âge d'or, vivent dans l'espace (démons) ; ceux du deuxième âge ou âge d'argent vivent sous terre (bienheureux mortels souterrains) ; ceux du troisième âge (d'airain) vivent dans le royaume d'Hadès ; ceux du quatrième âge (héros) vivent à l'extrémité de la terre, dans les Iles des Bienheureux. (Mais, illogiquement, c'est encore le royaume d'Hadès qui recueille les trépassés du cinquième âge, celui de fer.)

Le double, pour rejoindre son royaume, devra accomplir un *voyage*. Il y a dans les sociétés qui élargissent leur espace social un rapport dialectique entre l'idée de voyage et l'idée de royaume des morts. L'une appelle l'autre. Si les morts partent en voyage, c'est pour aller quelque part (soit vers une réincarnation, soit vers un séjour fixe, soit vers les deux). Et s'il existe un séjour des morts, il faut effectuer un voyage pour s'y rendre.

L'idée de voyage est cependant antérieure à l'idée de royaume des morts. Elle est liée aux notions de passage, dans les eaux, à travers les eaux, ou sous la terre même, qui caractérisent la conception de la mort-renaissance (nous touchons là un nouvel exemple du syncrétisme primitif qui mêle les deux conceptions : mort-renaissance et double). On la retrouve dans nos adieux funèbres : « Tu t'en vas » — « Tu nous abandonnes. » Elle se concilie également avec les intuitions immédiates de la présence-absence du mort qui demeure tout près tout en partant très loin, ce qui explique qu'elle peut se superposer à la couche première des croyances (proximité des morts) sans la détruire.

Il est toujours émouvant de suivre le voyage du mort. Sa pérégrination est souvent longue, dangereuse. Il part parfois seul, à pied, sans se retourner. Il franchit les mille obstacles que dressent sur sa route les terreurs des vivants. Avant le départ, le chaman ou le prêtre lui a donné les derniers conseils :

« Je suppose que tu n'es pas loin, mais là, derrière moi. Voici le tabac que tu devras tenir devant toi alors que tu chemineras... » Le *ghost* devra bien prendre garde : il rencontrera une vieille femme maléfique, il devra traverser un pont qui oscille sans cesse, il devra marcher et marcher. Enfin il arrivera dans le village des morts. Là, le chef lui désignera sa cabane, où vivent tous ses parents : « c'est là qu'il faut entrer[16]. »

Ou bien c'est la grinçante charrette celtique qui s'enfonce dans la nuit avec sa cargaison d'ombres, ou bien c'est la traversée nostalgique du Styx et de l'Achéron, c'est la barque mythique des Egyptiens qui nous emporte dans les ténèbres ; et toujours les vivants s'empressent autour du mort ; ils lui remettent l'obole qui paiera le droit de traversée des eaux nocturnes. Ou bien c'est la glissade glorieuse, acclamée, vers les îles de Félicité, les bienheureuses îles de la mort, chères aux peuples maritimes, tandis qu'à l'adagio de la mort maternelle se superpose l'allegro de l'immortalité (Dayaks de Bornéo, Omagnas du Haut Amazone, îles Salomon, îles Trobriand, Bretagne celtique, Grèce homérique)... Joyeux ou tristes sont ces voyages, selon des déterminations que nous examinerons plus loin, mais presque toujours heureux le départ sur la mer...

Nous avons l'impression, devant ces croyances où se mêlent la mort, la nuit, les eaux, les voyages, d'avoir vécu nous-mêmes ces mythes : dans nos rêves, notre peur, notre confiance, dans notre être qui porte en lui la mémoire vagabonde de l'espèce, et celle de la vie mourante et renaissante au sein des eaux-mères.

16. Radin, *The Winnebago Tribe.*

Des enfers aux cieux.

Parmi tous les séjours des morts, les enfers, séjour souterrain, ou plutôt *envers de la terre* considérée comme une surface plate, sont les plus répandus. La coïncidence de la disparition des ombres avec le coucher du soleil, qui est la disparition du soleil lui-même sous terre, les associations analogiques terre-giron maternel, sont assez visibles pour que nous n'insistions pas ici sur le caractère de ce mythe. Il faut noter qu'à l'origine les enfers ne sont sans doute pas nocturnes ou nostalgiques : le soleil y règne pendant la nuit terrestre. « Sous la terre en forme de disque, se trouve un autre monde qui appartient aux défunts. Lorsque le dieu solaire fait son entrée dans ce monde, les morts lèvent les bras et chantent ses louanges [17]. » Le monde des morts est souvent plus beau que celui des vivants. Le fruit des arbres-fantômes de Nouvelle-Calédonie est plus succulent que le fruit réel. Les Enfers des Todas (Indes) ne connaissent ni rats ni cochons qui menacent les récoltes, et dans ceux des Tamboukas (Afrique) faim et douleur sont ignorées, et règne le printemps éternel de la vie et de l'âge.

Plus tard, le royaume des ombres deviendra triste, morne, nocturne, « la maison poudreuse du glacial Hadès » (Hésiode), quand le double lui-même sera dévalorisé ; alors l'Istar babylonienne comme l'Ulysse grec y frémiront au cours de leur voyage. Le Cheol hébreu apparaît dans la Bible comme un séjour larvaire. « Le Cheol ne peut le louer (Jahvé), la mort ne peut le célébrer, ceux qui descendent dans la fosse ne peuvent espérer que sa vérité y pénètre. »

La lune, l'astre pâle et nocturne, a été souvent reconnue comme séjour des morts [18]. Cette vieille croyance se retrouve souvent dans les doctrines occultistes : Gorghieff enseignait à ses disciples que « la vie organique (de la terre) alimente la lune. Tous les êtres vivants libèrent au moment de leur mort

17. *Livre des morts égyptien.*

18. Cf. Frobenius, *la Civilisation africaine ;* Eliade, *Traité d'histoire des religions.*

une certaine quantité de l'énergie qui les anime... Les âmes qui vont à la lune possèdent peut-être une certaine somme de conscience et de mémoire... (La lune est) l'électro-aimant qui suce la vitalité de la terre[19] ».

Plus tardivement enfin apparaît l'idée du royaume des cieux. Il existe, certes, des séjours aériens ou solaires dans certaines conceptions archaïques de la mort, mais ils sont comme chez certaines tribus indiennes d'Amérique le produit de la dilatation immédiate de la vie aérienne des *ghosts*. Par contre les grands royaumes des cieux qui se superposent aux méchants enfers et deviennent paradis (christianisme) ou les nient purement et simplement (Egypte) sont les produits d'une évolution sociale et idéologique où se sont spiritualisées les notions de divinité et de « double », où les obstacles qui se dressent au cours du voyage du mort se sont déjà transformés en jugement moral.

L'évolution des conceptions de la mort en Egypte illustre avec une pureté classique notre propos : dans une première étape, le *ghost* vit dans l'espace de son tombeau. Puis apparaissent les idées de voyage, de tribunal, du royaume souterrain d'Osiris, qui est finalement supplanté par le séjour des cieux et la barque du soleil.

Comme l'a remarquablement dégagé — à un tout autre propos — Max Stirner, la vie céleste exprime le besoin d'une conscience déjà mûre qui veut s'arracher à la contingence mortelle, aux déterminations pratiques, pour vivre enfin d'une vie dégagée et libre. « Le ciel n'a en effet pas d'autre sens que d'être la vraie patrie de l'homme où il n'est plus déterminé ni dominé par rien d'étranger, où nulle influence terrestre ne l'aliène plus à lui-même, bref où les scories de ce monde sont rejetées, et où la lutte contre le monde a trouvé une fin, où rien ne lui est donc plus refusé. »

Et ainsi, géographiquement, le monde des morts se différencie du monde des vivants. Cette différenciation s'opérera sur tous les plans : les morts, ou du moins certains morts, deviendront de plus en plus immortels, c'est-à-dire des dieux.

19. Ouspensky, *Fragments d'un enseignement inconnu*, Stock, 1949.

2. La divinité potentielle du double.

La crainte des morts.

Si « les non-civilisés éprouvent à l'égard des morts tous les sentiments que l'homme peut éprouver pour les vivants » (Frazer), la crainte domine. La tendresse et l'amour, conquêtes tardives, parfois hypocrites, ne la recouvriront jamais totalement.

Certes, les doubles terribles, les doubles persécuteurs, sont ceux des morts mal morts, mal entretenus, ou privés de sépulture. L'ombre vengeresse de celui qui a été lâchement assassiné terrorise, obsède, maudit ses héritiers et ses meurtriers jusqu'à ce que réparation par le sang soit faite. (Oreste, Hamlet). Le taon meurtrier qui persécute Io n'est autre, selon Eschyle, que l'eidolon même d'Argos. Les tragédies grecque et shakespearienne forment un véritable « digest » de la douleur persécutrice des victimes d'une mort lamentable. Les doubles des suicidés sont également effrayants, et il arrivera qu'on se suicide pour donner liberté et possibilité à son double d'exercer sa haine sur un ou plusieurs vivants. Le Chinois qui se pend à la porte de son ennemi veut, c'est le cas de le dire, lui jouer un tour pendable. Aujourd'hui encore, le suicide du bafoué implique une vengeance confuse contre l'être aimé, qui sera « hanté » toute sa vie par son « fantôme ». Enfin, rien n'est plus épouvantable, parmi les doubles mal dégagés du cadavre, qu'un vampire qui se nourrit du sang des vivants.

Mais, même « bien morts », même bien entretenus, même bien honorés dans leurs funérailles et leurs sépultures, les doubles sont menaçants et redoutables. Ils n'ont plus d'amour : comme dans la complainte des deux ménétriers, s'ils veulent tous vivre deux fois, « même les plus fous » refusent d'aimer encore. Ils sont ombrageux, irascibles, méchants. « Les morts sont rageurs, entêtés, féroces. Gare si un mort hait un vivant, gare s'il s'en éprend », dit Malaparte [20] dans son livre où affleure si souvent la réaction archaïque à la mort.

20. *Kaputt,* p. 203.

Gare ! Les morts en savent plus long et peuvent davantage que les vivants. Ils connaissent l'avenir [21] ; les nécromanciens vont dormir sur les tombeaux, ou bien enlacent des crânes déterrés, pour en pénétrer les secrets et se pénétrer de leur puissance. Les humeurs des morts décident de la pluie, de la fécondité, de la fortune à la guerre ou à la chasse. « Protégez-nous dans la chasse, dans la guerre, ô ancêtres. » « O esprits de mes pères, s'il vous plaît, chassez un petit troupeau dans notre direction, pour que nous ayons un peu de nourriture, et nous vous apporterons aussitôt, s'il le faut, une offrande », disent les Galelarese d'Halmahera (île à l'ouest de la Nouvelle-Guinée). Et si les chasseurs reviennent bredouilles, ils s'écrient avec dépit : « les esprits sont restés assis là, et n'ont pas chassé le moindre troupeau dans notre direction ».

C'est pourquoi on ne fera jamais trop pour satisfaire, entretenir, nourrir, honorer, aduler, flatter, amadouer les morts. On les sert *obséquieusement* (le mot vient de loin !). On les comble de présents excessifs. La douleur du vivant est peut-être sincère, mais l'exhibitionnisme de la douleur, qui va jusqu'à utiliser pleureurs et pleureuses professionnels, vise avant tout à flatter la mort, comme aujourd'hui encore les belles paroles qui exaltent sur la tombe du dernier des imbéciles ses éminentes vertus et ses profondes qualités. *De mortuis nihil nisi bene !* On n'ose plus dire du mal du mort. Freud a très bien insisté sur le caractère étrange de ce respect dont le mort « n'a cependant nul besoin, mais qui apparaît comme supérieur à la vérité ».

Ainsi, par la *crainte* qu'ils inspirent, par le *pouvoir* qu'ils détiennent, par le *culte* qu'ils suscitent, les morts-doubles détiennent potentiellement les attributs de la divinité.

Le mort Dieu.

A quoi tient donc ce pouvoir surnaturel, embryon du pouvoir divin ? Tout d'abord à l'essence même du double : avant la mort, le double du vivant jouit déjà du don d'ubiquité, de prophétie. C'est lui qui détient la force magique.

21. Frazer, 4ᵉ et 5ᵉ conférence de la *Crainte des morts*.

Le double sorcier n'hésite pas à commettre vilenies, forfaits, et même meurtres. Mais en même temps, le double représente le pouvoir, le savoir, la conscience morale, c'est-à-dire le sur-moi. Et effectivement le double *obsède* parce que les « mauvais penchants » sont transférés sur lui, et *persécute* parce qu'il est aussi le super-ego rigide, tatillon, l'œil qui poursuit Caïn. Il est en même temps ange gardien et mauvais génie, le Soi qu'on extériorise et le Sur-moi qui n'est qu'à demi intériorisé. De nombreux cas actuels de folies paranoïaques, caractérisés par la persécution du double rival et ennemi où celui-ci multiplie les interdits, vole les plaisirs, ricane, chatouille, confirment notre propos, ainsi que la dislocation ultérieure des doubles archaïques : dans le folklore religieux des civilisations évoluées, le double *se dédoublera* d'une part en « ange gardien », parangon de toutes les vertus, protecteur mais sévère, d'autre part en « mauvais génie », résumé de tous les vices, l'un et l'autre doués de puissance magique.

Ceci peut, non seulement nous aider à approfondir la signification anthropologique du double, c'est-à-dire le rôle essentiel qu'il a joué dans la prise de conscience du moi par rapport au soi et au sur-moi, mais encore nous montrer une des sources de son pouvoir surnaturel ; le Soi, c'est-à-dire les pulsions et désirs insensés qu'on n'ose ou ne peut réaliser, c'est la *liberté.* Et le double, lui, *peut* et *ose ;* il n'est pas sous la contrainte du *sur-moi,* parce qu'il est aussi le sur-moi, c'est-à-dire le *pouvoir,* le *commandement,* la liberté également.

Le double possède donc en lui toutes les *puissances maléfiques du soi et tous les pouvoirs capitaux du sur-moi.* Il est essentiel de remarquer que dès son vivant l'homme élabore la divinité à partir de sa propre substance. La mort va libérer et épanouir pleinement cette divinité à la faveur de la rupture traumatique qu'elle provoquera.

Comme nous l'avons déjà dit, toute mort individualisée, c'est-à-dire toute conscience de la mort, provoque toujours des réactions infantiles, car la mort est la seule chose hors du pouvoir de l'homme, la seule devant laquelle il est impuissant totalement, comme un enfant. Dans la mesure donc où *le* mort participe à la mort, à son mystère, à son bouleversement horrible, à son insaisissabilité, la crainte des morts apparaît comme une fixation, une concrétisation de la crainte de la mort en général.

D'autre part, le double se transforme qualitativement du fait même qu'il se libère du cadavre : il est quasi-dieu parce qu'il a cessé d'être lié au corps mortel. La mort consacre par elle-même une sorte de divinité implicite. Selon le magnifique poème liturgique que cite Frazer :

> *... Après l'abandon de ton corps*
> *Si tu arrives au libre éther*
> *Tu seras un immortel*
> *Non plus un mortel*
> *Un dieu qui ne meurt pas.*

Cette mutation qualitative qui exalte le mort en dieu rabougrit d'autant plus le vivant à l'échelle enfantine.

Cette « infantilisation » du vivant, cette déification du mort sont particulièrement nettes lorsque le vieillard, l'ancien, le père meurent. Et en général, les parents meurent avant les enfants, les vieux avant les jeunes. Il y avait donc déjà rapport de domination entre le mort avant sa mort (paternité — suprématie politique de vieillards) et le vivant. C'est pourquoi les morts qui vont véritablement se charger de divinité et devenir des dieux sont l'ancêtre, le chef de clan, le chaman. Ils étaient et demeureront « pères du peuple ».

Le mort-père, ou chef, va perpétuer par-delà la tombe l'ancienne autorité qu'il exerçait de son vivant, il va ressusciter l'omnipotence absolue que représente le père *pour l'enfant,* et, de plus, ses pouvoirs de mort-dieu vont lui conférer une autorité nouvelle, absolue, libérée de toute entrave. Il va donc être triplement *sur-moi,* d'abord en fonction de cette autorité à la puissance deux, et ensuite parce qu'il a la puissance de « surmoi » inhérente au double. Et de même, il va être triplement *soi,* parce que, avec les puissances de « soi » du double, il aura la puissance capricieuse, tyrannique, du père et du chef, débarrassée grâce à la mort de la crainte des tabous, de la répression, de la loi sociale. Et ceci va nous permettre de saisir l'essence profonde de la crainte des morts et des dieux, de comprendre pourquoi ceux-ci sont si terribles, égoïstes, despotiques, cruels :

ils n'ont pas de morale. Ce qui n'est pas en contradiction avec le fait qu'ils détiennent le pouvoir moral, au contraire : ceux qui fondent ou font régner le tabou en sont affranchis. Toujours libres de toute morale sont les rois, les dieux, qui l'imposent. Sur le plan supérieur, il y a unité du soi et du sur-moi.

A cette situation s'ajoutent les déterminations de la mauvaise conscience des vivants. Mauvaise conscience que trahit l'absence d'amour des morts à l'égard de ces vivants, comme si la mort leur en avait appris long sur les véritables sentiments des humains. Pour comprendre cette absence d'amour, il ne faut pas simplement plaquer dans la mort le schéma de la haine « œdipienne » qui a toujours négligé les liens d'amour de père à fils, et réciproquement. Il faut se souvenir en outre que le fait de la mort provoque une situation *infantile* différente de la situation enfantine normale.

C'est ce fait de la mort qui, à notre sens, provoque une mauvaise conscience irrémédiable chez le fils, le sujet ou l'être proche, et peut ainsi expliquer la redoutable absence d'amour du mort. Ici, Freud a su admirablement dégager les sentiments de culpabilité qui accablent les enfants à la mort de leurs parents. Et, de même que les enfants, les adultes infantilisés par la mort sont portés à croire que ce sont leurs colères, leurs faux serments, leurs méchancetés, leurs négligences, leurs souhaits de mort, qui, selon la magie de la toute-puissance des idées (du « je veux »), ont tué le parent qu'ils pleurent. Ce sentiment est si profond qu'en Chine on imputait au fils la mort de son père[22], et qu'aujourd'hui encore, tout homme gémit, devant le cadavre de celui qu'il a le plus aimé, l'éternel « Pardonne-moi... tu es mort parce que je ne t'ai pas assez aimé... Je t'ai tué... »

Et ainsi, du même coup, la mort qui libère le double de toute morale accable d'autant le vivant du poids de la morale ; le double est tout-puissant, libre de sa méchanceté, vide de tout amour ; le vivant est enfermé, terrorisé, essayant d'exhaler son amour vers le fantôme. Tout concourt donc — les structures du double, les structures du père, les structures du remords — à faire des morts des immoraux tout-puissants détenteurs de la

22. De Groot, *Religions System.*

morale. Pour calmer les morts immoraux, le vivant s'efforcera au comportement moral. L'immoralité des morts vivra de la moralité des vivants et la moralité des vivants vivra de l'immoralité des morts. Extraordinaire dialectique de l'immoral et du moral, digne pendant de la grande dialectique héraclitéenne : « Immortels, mortels ; mortels, immortels ; notre vie est la mort des premiers et leur vie notre mort. »

Du double au dieu, dévalorisation des doubles.

Ainsi s'éclairent les attributs divins du double ; le culte, c'est-à-dire la fixation institutionnalisée de l'infantilisme humain devant la mort, les entretiendra. Invisible et partout présent, porteur du bonheur et du malheur de sa descendance (et comme le malheur est plus fréquent que le bonheur, l'idée de méchanceté du mort se fortifie d'autant), tirant sa puissance terrorisante de la terreur dont elle est née, il ne restera plus au mort « supérieur » qu'à se différencier quantitativement, par l'étendue de ses pouvoirs, des autres doubles, pour se retrouver qualitativement dieu.

Dans la montée des morts vers la divinité, les morts-ancêtres vont se détacher élastiquement des autres morts, qui alors tendent à retomber plus près des vivants, et élastiquement encore les dieux vont se détacher des morts-ancêtres qui tendent à retomber plus près des autres « ghosts ». Une nouvelle couche de dieux s'élève sur les couches anciennes, mais ne les supprime pas. Elle les dévalorise.

Parmi les grands dieux royaux, les dieux-ancêtres subsistent avec des pouvoirs restreints, comme dieux locaux, tribaux, familiaux ou comme « héros ». Le christianisme les intégrera à son tour. Lucius a bien montré que les caractères propres aux cultes des ancêtres et des héros se sont transférés sur les saints [23]. Ce sont des petits dieux, faiseurs de miracles, intercesseurs, bénéfiques, dont les pouvoirs s'échelonnent entre ceux des Ghosts et du Grand Dieu. Ils demeurent très présents encore

23. *Die Anfänge der Heiligen Kultus in der christlichen Kirchen*, Tübingen, 1906.

en Espagne et en Italie où la religion est très liée au folklore.

Souvent les doubles vont devenir clients des dieux, plus puissants, former des troupeaux indistincts de petits génies, démons, anges ou djinns, à la dévotion de tel ou tel dieu ou de tel ou tel diable. Ils s'éparpillent aux quatre coins de l'univers divin.

D'autre part, le progrès de la notion d'âme (voir chap. IV, p. 198 *sq.*) atrophiera et intériorisera le double.

Effectivement, avec l'évolution, les « doubles » ordinaires se dévalorisent ; la relégation dans l'Hadès est déjà une diminution de présence active auprès des vivants. Les ténèbres vont recouvrir l'Enfer. Les corps spectraux vont devenir de plus en plus impalpables, légers, fantomatiques, de plus en plus semblables aux ombres. La crainte des morts va prendre une coloration nouvelle. « Les morts se sentent jaloux. C'est pourquoi ils sont méchants », dira Radin. Ils seront jaloux de la *vie* [24]. Il faudra craindre cette jalousie, bien qu'elle soit appelée à perdre de sa vigueur. La méchanceté des vivants sera à son tour efficace sur le double : leur haine pourra se satisfaire sur lui, en le privant de funérailles, de sépulture, de sacrements. Le mort mal mort qui terrorisait les vivants finira par être terrorisé à son tour. C'est la vengeance de Créon sur Polynice, et celle d'Achille sur Hector. Les ombres sont devenues pitoyables ; leur divinité est atrophiée.

Dans le folklore, les doubles conservent le plus durablement leurs pouvoirs surnaturels, mais limités. S'ils restent en marge de la religion officielle, leur présence aura toujours une signification néfaste. Elle sera empreinte de diabolisme. De ce fait, le diable, qui revigore tout ce qu'il touche, pourra revigorer le double. Il en empruntera la forme comme dans la vision d'Ivan Karamazov. Mais il sera toujours possible d'exorciser ces spectres en faisant appel aux grands dieux (le signe de croix de nos campagnes). C'est l'occultisme, c'est l'esthétique qui conserveront de la façon la plus durable la vitalité du double, comme la vitalité de la mort-renaissance.

24. Peut-être ce sentiment existe-t-il déjà inconsciemment dans la mentalité archaïque, puisque celle-ci, dès les origines, ressent à la fois que la mort est un gain (immortalité) et une perte (traumatisme). Rien n'est plus contradictoire que les émotions et les sentiments que libère la mort.

3

L'occultisme, l'esthétique Prolongement et résurgences des conceptions primitives de la mort

1. L'occultisme et la mort.

Avant de suivre l'évolution qui va désintégrer le contenu des croyances concernant le « double » et la « mort-renaissance » pour aboutir au salut, au Dieu suprême et à la philosophie de la mort, il nous faut envisager les permanences et même les résurgences de ce substrat primitif de croyances dans notre société actuelle.

Dans un sens il s'agit du bain même de la vie mentale quotidienne. Nos rêves ne connaissent que les conceptions et les analogies primitives de la mort, et il suffit d'interroger la clef symbolique freudienne, comme sur un autre plan les clefs des songes occultistes, pour s'en rendre compte. Nos songes éveillés, nos « fantaisies », sont de même nature, à peine moins magiques, que les rêves du sommeil. De même nos passions — haines, amour — nos émotions violentes — épouvantes, colères — réveillent les modes de penser magiques. Tout ce qui endort, fait oublier, inhibe ou chasse en nous le rationnel, ressuscite le « vieil homme » du fond des âges et le jeune enfant. C'est pourquoi, comme nous l'avons déjà dit, l'idée de mort-anéantissement est, dans la vie quotidienne, sans cesse refoulée, transférée, métamorphosée.

Mais nous n'insisterons pas là-dessus. Nous ne voulons, d'autre part, qu'à peine indiquer les structures sociologiques qui, au sein de nos sociétés modernes, entretiennent d'une façon permanente, organique, les conceptions archaïques de la mort.

Nous voulons pour le moment envisager, non pas les déterminations de « crise » propres à notre siècle, qui suscitent le retour « anthestérique » de la mort primitive, mais les signes de la permanence évidente ou occulte de cette mort primitive. C'est le folklore et l'occultisme qui conservent la mort-renaissance et le double.

Nous avons déjà fait état, en passant, du folklore où sont conservés, comme dans de véritables caves ou greniers de l'histoire, les thèmes les plus archaïques de l'humanité, en dépit de l'évolution religieuse et laïque ultérieure. Conservation non pas poussiéreuse, mais entretenue sans cesse par de nouveaux phénomènes mystérieux, apparitions, maisons hantées, lieux maudits ; conservation vivante qui nous montre que les couches ancestrales et infantiles de l'esprit subsistent sous les couches plus récentes.

Le folklore des campagnes tend cependant à dépérir avec l'effritement du secteur archaïque rural ; mais il existe au sein de la vie urbaine, déséquilibrée et instable, une tendance profonde, permanente, à reconstituer le contenu préhistorique selon d'autres formes, mais à partir d'un même fond. Les fakirs, voyants, guérisseurs, thaumaturges, astrologues [1] dont le rôle considérable et trop peu connu s'étend dans toutes les couches de la société industrielle, nous révèlent l'importance de ce folklore urbain. Une baraque foraine sur six recèle en son creux tapissé la prédiction magique de l'avenir. Soixante mille Français spirites [2] communiquent chaque nuit avec les esprits, mais des millions ont peur des ténèbres, perdus dans la forêt ou seuls dans un lieu maudit ; des millions frémissent au théâtre ou au cinéma à l'apparition du spectre, des millions possèdent fétiches et porte-bonheur, prennent garde aux nombres fatidiques, évitent les échelles, consultent l'horoscope...

1. Le ministère de l'Intérieur a même son astrologue.
2. D'après le docteur Philippe Encausse, *Sciences occultes,* Paris, 1949.

Enfin, le contenu préhistorique magique est transmis, consolidé, dans son intégralité, dans sa totalité, en une « science » secrète permanente aux multiples rameaux, l'occultisme.

L'occultisme.

L'occultisme c'est « l'ensemble de la tradition écrite et orale, venue de sanctuaires égyptiens et chaldéens jusqu'à nous par Moïse, Daniel et les cabbalistes juifs, les Esséniens et les disciples initiés du Christ, les néo-platoniciens, les maîtres de la Grâce, les alchimistes, les maîtres illuminés de la Rose-Croix, etc. ».

Cette définition de Papus est à la fois incomplète et extravagante ; elle oublie la source essentielle : la mentalité archaïque et infantile. Mais elle a l'avantage de nous montrer que l'occultisme s'est effectivement toujours transmis par l'intermédiaire de sectes parasociales, à l'intérieur mais en marge de la société générale (monde romain, féodalité, capitalisme). Toute civilisation évoluée renferme des secteurs occultes, des micro-sociétés où se transmettent les notions fondamentales de la magie « primitive ». Le contenu occultiste va tantôt recouvrir de sa vague la philosophie (IVe siècle : néo-platonisme ; XVIe siècle : Giordano Bruno, Campanella ; XVIIIe siècle : Leibniz, franc-maçonnerie) et tantôt il se refermera sur lui-même. Jung flairait juste quand il a cherché à comparer les données fondamentales du spiritisme et de l'alchimie à celles des mythes archaïques [3]. Mais, prisonnier d'une optique sectaire, il n'a pu les rattacher au substrat anthropologique, ni les replacer dans l'histoire générale de l'homme.

Nous ne nous appesantirons pas ici sur la sociologie de l'occultisme. Nous n'examinerons pas dans ce chapitre pourquoi ni comment une grande flambée d'occultisme coïncide avec la grande crise qui, depuis le XIXe siècle, secoue les croyances et les valeurs. Comme nous l'avons dit, nous consacrerons un chapitre ultérieur à cette crise qui a bouleversé sur tous les plans les idées de la mort. Qu'il nous suffise de poser que toute micro-

3. Jung, *Phénomènes occultes. Psychologie et Alchimie.*

société occultiste tend à être secrète, parce que le savoir occultiste est par essence ésotérique, imprégné du tabou qui entoure la science sacrée ; parce que ses symboles, en apparence de pauvres images géométriques, exigent d'être *vécus* à travers une longue initiation pour apparaître en véritables clefs du cosmos ; parce qu'il est persécuté par le savoir religieux officiel. Et qu'inversement toute micro-société secrète [4] tend à être occultiste (l'exemple de la franc-maçonnerie comme de la synarchie est à cet égard démonstratif) parce que tout micro-groupe, à la fois en marge et à l'intérieur de la société normale, tend à se fonder sur des rapports plus primitifs que le rapport social général existant [5]. C'est donc toujours dans des groupes fermés que se transmet ou renaît, en totalité ou en partie, le contenu anthropologique archaïque.

Celui-ci est plus ou moins intellectualisé, plus ou moins poétisé, plus ou moins ritualisé. Il est également mêlé à des conceptions postérieures. Ainsi on peut trouver, intégrés diversement aux croyances occultistes contemporaines, un fond hindou, un fond pythagoricien ou kabbaliste, un fond chrétien, dans la mesure où ceux-ci sont précisément magiques. L'occultisme contemporain se présente d'ailleurs comme un véritable *digest* de tous les occultismes. C'est pourquoi nous n'envisageons aucune école en particulier : nous ne nous intéressons pas aux différences, mais à la « vulgate » occultiste. Notons enfin que même dans notre civilisation l'occultisme n'est pas qu'un simple corps de doctrine. Il se manifeste toujours à l'état « naissant », s'incarne dans des « mages », véritables chamans, messies à l'état sauvage, qui apportent physiquement la révélation sacrée et le miracle, comme le maître Philippe de Lyon (mort en 1905), ressusciteur de morts (Papus *dixit*), dont la tombe est toujours fleurie, comme l'énigmatique Gorghieff, sorte de Socrate yogi-occultiste, dont

4. Il ne faut pas confondre société secrète et société clandestine qui n'est clandestine que par la force des choses, parce que sa doctrine est persécutée.

5. Ainsi le « milieu » reconstitue les lois de clan à clan (talion, vendetta, code de l'honneur viril), retransforme la femme en marchandise, et sécrète un langage métaphorique (un argot) de type archaïque.

l'enseignement, depuis la parution du livre d'Ouspensky, *Fragments d'un enseignement inconnu,* commence à être révélé.

Ce qu'Abellio appelle le nouveau prophétisme n'est autre que le prophétisme éternel qui se ranime aux époques d'angoisse et de crise. Selon la magie des nombres, selon la magie pythique de la toute-puissance des idées, etc., les mages occultistes lisent dans l'avenir, où est inscrit un salut apocalyptique. Tout ceci nous montre que le contenu préhistorique est plus qu'un savoir conservé, c'est un feu qu'entretiennent vitalement les déséquilibres et les désadaptations des sociétés évoluées. L'occultisme est une névrose sociale permanente, dans le sens où nous entendons névrose : compromis régressif avec le monde.

Dans *Différence et identité entre spiritisme et occultisme,* le « mage » Papus poursuit la définition de l'occultisme dont nous avons cité le début : « La tradition (occultiste) se reconnaît toujours aux caractères suivants :

1. Elle enseigne toujours que l'homme est composé de trois principes : *a*) le corps physique ; *b*) le corps astral, doublement polarisé, intermédiaire ; *c*) l'esprit immortel.

2. Elle affirme la correspondance analogique entre les trois mondes, entre le Visible et l'Invisible, dans tous les plans (physique, astral et divin).

3. Elle est essentiellement spiritualiste, enseigne et prouve que la maxime « mens agitat molem » est une réalité universelle. »

Ainsi cette définition affirme la conception anthropo-cosmomorphique (analogique) du monde (2), le principe de la toute-puissance des idées (3), et la réalité du double, nommé ici *corps astral.* (L'esprit immortel est une adjonction.)

En effet, la conception analogique du monde, avec les conceptions de macrocosme-microcosme, mort-renaissance, avec les principes mimétiques d'initiation et les symbolismes cosmiques, est au cœur de toutes les théories et médecines occultistes. L'alchimie, comme nous le savons maintenant, est une magie symboliste concrète, tournée vers la transmutation des éléments, une magie pratique visant à l'utilisation par l'homme de la loi de métamorphoses qui régit l'univers.

Ce fondement analogique et symbolique se retrouve dans l'interprétation des rêves (clef des songes), l'astrologie, les tarots, le marc de café, etc. Tout est lié à tout. Tout est symbole. Tout est signification. Tout est interaction. Les pierres porte-bonheur ne sont autre chose que des symboles au sens primitif, chargées de la force même des éléments bénéfiques du Cosmos.

Le spiritisme.

Les sciences occultes sont particulièrement tournées vers la mort. Il est tout à fait remarquable que la constitution du spiritisme en tant que doctrine coïncide avec les premières crises de la société bourgeoise (1848) et les premiers jaillissements au grand jour de l'angoisse moderne de la mort. Les innombrables livres, brochures, conférences, expériences spirites s'efforcent de prouver *expérimentalement* la réalité de la survie. L'occultisme emprunte les visages et les armes de la science, pour ressusciter les certitudes que la science a détruites ; il ramène les consolations et les espérances de la victoire sur la mort :

« Va, petit livre ; si tu parviens à apaiser quelques angoisses, si tu redonnes du courage à quelques cœurs meurtris qui se laissent abattre, je ne regretterai pas la peine que j'ai eue à t'écrire, car j'aurai obtenu la plus désirable des récompenses [6]. »

« L'océan sans borne de la vie ne déferle pas seulement sur les rivages terrestres, il bat de ses flots toutes les grèves de l'univers... La grande vague doit nous reprendre pour nous porter ailleurs, là où nous attendent nos pensées et nos amours. Car ce sont elles, comme des vents alizés, qui nous poussent vers " le grand large [7] ". »

Le spiritisme, centre de toutes les croyances concernant les spectres et fantômes, *n'est autre chose que la théorie et la pratique expérimentale des relations avec le double avec ou sans l'intermédiaire des médiums* (nécromanciens aptes à la communication hypnotique avec l'au-delà).

Un spiritisme latent s'est maintenu dans les folklores (maisons hantées, apparition des morts) en tous temps et en tous

6. Dr A. Rattier, *De l'utilité de la mort.*
7. Wietrich, *Enigme de la mort.*

lieux. Mais le spiritisme, en tant que tel, est né en 1847, à Hydesville, où des « esprits » se sont manifestés avec insistance aux nouveaux locataires d'une maison. Le spiritisme s'est répandu alors en Europe et en Amérique, avec une rapidité foudroyante. Dès 1857, Allan Kardec fondait la doctrine en France avec la publication du *Livre des Esprits*. Nous extrayons de son *Qu'est-ce que le spiritisme ?* une définition de « l'esprit » qui est exactement celle du double. C'est nous qui en soulignons les passages essentiels : « Le spiritisme est fondé sur l'existence d'un monde invisible, *formé d'êtres incorporels qui peuplent l'espace,* et qui ne sont autres que les âmes de ceux qui ont vécu sur la terre ou dans d'autres globes où ils ont laissé leur enveloppe matérielle. Ce sont ces êtres auxquels nous donnons le nom d'Esprits. *Ils nous entourent sans cesse,* exercent sur les hommes et à leur insu *une grande influence ; ils jouent un rôle très actif dans le monde physique...* La mort du corps débarrasse l'esprit de l'enveloppe qui l'attachait à la terre et le faisait souffrir ; une fois délivré de ce fardeau, il n'a plus que *son corps éthéré,* qui lui permet de parcourir l'espace et de franchir les distances avec la rapidité de la pensée... *Les Esprits ont toutes les perceptions qu'ils avaient sur la terre, mais à un plus haut degré,* parce que leurs facultés ne sont pas amorties par la matière... Toutes nos pensées se répercutent sur eux, et ils y lisent comme dans un livre ouvert... Les Esprits sont partout : *ils sont parmi nous à nos côtés, nous coudoyant et nous observant sans cesse.* Par leur présence incessante au milieu de nous, les Esprits sont les agents de divers phénomènes. »

Etonnante, extraordinaire identité entre le spiritisme et les croyances les plus archaïques concernant le double ! Visible jusque dans les moindres détails ! Ici comme là le double se manifeste avant la mort. Ici comme là le miroir, l'effigie, et ce reflet moderne qu'est la photo, peuvent fixer la présence du double : certains spirites déconseillent de se faire photographier, par crainte des maléfices possibles sur le double ; les radiesthésistes peuvent travailler avec une photo ou la « représentation mentale » c'est-à-dire à partir du double ; les voyantes voient l'avenir à travers le miroir, ou son dérivé, la boule de verre, c'est-à-dire d'après les indications du monde des doubles.

Ici comme là les doubles ont un corps qui leur est propre. Ici comme là ils sont analogues aux vivants : « les morts, m'affirmait sereinement une voyante, sont pareils aux vivants, sauf qu'ils sont morts et voilà tout [8] ». Ici comme là ils se meuvent dans l'espace des vivants à la fois présents, absents, lointains et très proches. Ici comme là leur présence peut se matérialiser (l'ectoplasme, c'est le double, le « corps astral » devenu visible un instant). Ici comme là, pendant le sommeil, le double du vivant se manifeste et communique avec ceux des morts. « Vous sentez et vous savez que les chers morts sont là autour de vous. Ils viennent en un songe trop peu souvent renouvelé embrasser la mère ou l'épouse aimée... Le petit enfant que les forces terrestres n'ont pas encore accaparé vit aussi sur « les deux plans » et il aperçoit à l'état de veille le « papa » soldat que la mère pleure en cachette [9]... » Ici comme là les hallucinations sont les apparitions des doubles. Ici comme là les spectres des morts tragiques sont malheureux, tourmentés, méchants. Ils se manifestent dans *les appartements du malheur,* qui deviennent hantés, comme la chambre célèbre du jeune suicidé de Brighton. Ici comme là les vampires sont les fantômes « qui se tiennent accrochés au cadavre » (Maître Philippe, recueilli par Papus). Ici comme là les morts ont des pouvoirs surnaturels, qu'ils peuvent rendre bénéfiques où maléfiques. Ici comme là la survie du double se syncrétise avec les conceptions de mort-renaissance et de métempsychose [10]. Maeterlinck cite l'expérience de Joséphine dont il a été témoin. Endormie par le colonel de Rochas, ladite Joséphine remonte son passé, jusqu'au ventre de sa mère. Sommeil, silence. A ce moment surgit de la bouche de Joséphine une voix de vieillard bourru, mort à 70 ans, qui a eu l'idée de se réincarner en s'introduisant dans la mère de Joséphine. On remonte encore

8. Colette, *En pays connu.*
9. Papus, *Que deviennent les morts ?,* 1914.
10. Voici, extraite du *Tarot de Marseille,* une précieuse définition de la mort, où se trouvent associés avec une pureté remarquable le double et la mort-renaissance : « Cette Lame signifie Transformation : elle symbolise le mouvement, le passage d'un plan de vie dans un autre plan de vie. Elle est, dans l'invisible, l'opposition de son image dans notre monde, représentant, en effet, l'immobilité de la vie physique et celui de la marche dans l'au-delà. »

plus haut. Le vieillard redevient bébé. Resommeil, resilence. C'est alors la voix d'une vieille très méchante, qui s'était incarnée dans cet enfant. Ici comme là enfin, le séjour des morts est parfois un au-delà nocturne, avec cette différence que la localisation des « enfers » est accommodée au système de Copernic. « Dans le cône noir que la terre traîne après elle..., les âmes expient leurs fautes et épurent leur astral... Et c'est de là que les êtres astraux exigent l'obscurité totale des séances spirites [11]. »

Au-dessus du « corps astral » (double) les spirites qui se veulent « spiritualistes [12] » placent un « corps spirituel » pour se réconcilier avec l'âme immatérielle, c'est-à-dire la religion officielle. D'autres spiritismes sont plus élaborés et se présentent comme des syncrétismes cosmologiques, très proches des conceptions présocratiques, avec parfois même, chez Gorghieff, des notions quasi platoniciennes.

Mais, répétons-le, le double reste la réalité première. Maeterlinck avait bien vu que « nos morts d'aujourd'hui ressemblent étrangement à ceux qu'Ulysse évoquait il y a trois mille ans dans la nuit cimmérienne ».

Le spiritisme a-t-il raison ?

Question aberrante... Et pourtant, bien plus que la croyance en Dieu qui s'arroge la preuve du consensus commun, la croyance en la survie des doubles est universelle. Les dieux, qui en sont issus, n'ont jamais pu effacer les « ghosts » du tréfonds des âmes. Ceux-ci existent-ils ? Existe-t-il un sens, aujourd'hui à demi atrophié, qui permettait de percevoir autrefois la vie pullulante des esprits ?

Se fondant sur les expériences spirites, Bergson disait que « la survivance devient si vraisemblable que l'obligation de la preuve incombera à celui qui nie ». Argument de chicane, comme si la connaissance était un maquis de procédure ! Comme si la preuve n'incombait pas toujours à celui qui veut démontrer, affirmativement ou négativement !

11. Papus, *la Terre est un être vivant,* conférence du 9 janvier 1908, aux Sociétés savantes.
12. Afin d'éviter les foudres des Eglises.

Sans vouloir entrer dans la polémique (les séances spirites sont-elles truquées ou non ?) il est impossible de ne pas relever la mesquinerie, la sottise et la naïveté des « esprits ». Il est impossible de ne pas remarquer que les spectres des grands hommes, comme ceux de Napoléon ou Pasteur, ne manifestent nullement le génie de *leur vie*. Que penser de ce Bien-Boa, esprit hindou de la générale Noël, guide moral exemplaire et adorateur follet de sa protégée qu'il couvrait de baisers ? Les « priez pour moi » des esprits chrétiens sont louches. Les morts gardent leurs religions particulières, comme si l'au-delà ne devait pas les départager. Ils ont toujours les préjugés de temps, de classe, ou de race de ceux qui les invoquent. C'est la seule brèche du spiritisme. Mais elle nous conduit à nier irréductiblement la réalité *autonome* des « doubles ».

Les doubles du spiritisme sont bien comme les doubles archaïques, des projections, des aliénations de l'esprit des vivants. Projections et aliénations qui éclairent des virtualités immenses. Car le médium qui communique avec les « esprits » des chefs d'armée, des poètes, des marchands, des héros, porte en lui la possibilité du chef d'armée, poète, marchand, héros. Qui n'a pas deux, trois, cinquante hommes en lui ? Les célèbres cas de dédoublement de la personnalité ont leur origine dans l'indétermination profonde de notre vie subconsciente, qui, soulevant le couvercle de la détermination sociale, de la spécialisation, s'aliène en personnalités secondes et triples (chacune possédant même sa propre écriture), comme ces enfants qui se voient boxeurs, rois, cow-boys, capitaines, professeurs. Cette indétermination revendique inconsciemment *une vie générale totale,* qui réaliserait les désirs et les possibilités anthropologiques.

Comme le rêve, l'état médiumnique traduit des possibilités mimétiques infinies. Comment se fait-il que les personnages soient si parfaitement reconstitués dans nos rêves avec leur voix, leurs tics, leurs réactions propres, leur présence absolue ? La présence intégrale des esprits invoqués par le médium n'est pas plus effarante que la présence intégrale de nos familiers ou étrangers dans nos songes. Nous nous trouvons devant les abîmes inexplorés de notre sympathie... Ils recèlent sans doute les secrets de la transmission de pensée, de l'hypnotisme, des guérisons miraculeuses, et de bien d'autres choses encore...

Dans un sens les doubles sont les aliénations sympathiques des vivants qui les évoquent. Mais inversement ce sont aussi les aliénations des défunts qui survivent en autrui. Ce sont ces aliénations qui restent encore vivantes dans le souvenir et les rêves des vivants. Ma mère morte, c'est moi-même, mon amour mimétique survivant jusqu'à la mort, mon moi aliéné en elle, et c'est aussi son être aliéné en moi, le dépôt inoubliable de son existence en mon âme. Dans cette équivoque on dit que « les morts vivent en nous » : c'est la version atténuée du spiritisme, de la croyance en l'existence du double. C'est leur vérité. Mais ils ne vivent plus *en eux,* ils n'ont plus d'individualité, et c'est cela la mort. L'individu meurt toujours le premier, avant la mort du cadavre, *avant la mort de toutes ses aliénations.* Il laisse toujours une objectivité, une objectivité qui se subjectivise dans les sujets qui restent en vie. Cette présence objective-subjective *ressemble* à une vie, mais c'est cette vie sans noyau qui est la mort... La mort, c'est les autres...

Il est possible que la marque invisible d'anciennes aliénations, un je ne sais quoi de magnétique qui imprégnait les lieux où le mort a vécu, les longs rapports synchrones [13] entre l'homme et ses choses familières, se manifestent d'une façon que la science ne connaît pas encore... Longtemps les objets craqueront dans les chambres et longtemps les âmes des vivants frissonneront.

Le spiritisme interroge chacun de ces craquements, de ces pressentiments, de ces craintes. Mais il ne peut ressusciter que des ectoplasmes de vie. Le mort est mort quand le moi est mort. De même que la conscience archaïque infantile, magique dont il est issu, le spiritisme prouve, non pas la survie des morts, mais la survie aliénée de l'humain, mais le désir de l'individu qui veut une survie véritable.

13. Certains se rompent à la mort, comme ces pendules qui s'arrêtent brusquement. D'autres survivent peut-être...

2. L'esthétique, la mort-naissance, le double.

Tandis que le folklore et l'occultisme conservent et reprennent à *la lettre* le contenu préhistorique (conception analogique du monde — micro-macrocosme — magie — mort-naissance — double, etc.), celui-ci survit par ailleurs, non plus dogmatique, non plus attaché à des rites et à des croyances absolues, mais *ressenti esthétiquement.* Il faut bien comprendre que l'esthétique déborde l'art. Il est impossible de définir un *domaine* propre à l'esthétique. Toute théorie de l'art ne recueille dans ses filets qu'un fragment d'esthétique. Celle-ci est le donné élémentaire de la sensibilité, dans toutes ses participations, qu'elles soient mystiques, civiques, pratiques, théoriques, artistiques ; elle est la sève qui court toujours à la racine de ces participations et demeure vivace lorsque le mysticisme ou le civisme se désagrège, lorsque la théorie est reconnue fausse. C'est pourquoi l'art nègre survit au totémisme, la danse à la communion sacrée, le collier à la superstition magique, la cathédrale à la foi médiévale. Radicale à toute participation, l'esthétique apparaît en elle-même, se nomme esthétique lorsqu'elle survit aux croyances mortes issues de ces participations. Elle est l'émotion profonde, reconnue et jouie, que l'homme tire de ses échanges, de ses rapports fondamentaux avec lui-même, la nature et la société.

Etant donné que les déterminations radicales de notre sensibilité demeurent les rapports anthropologiques fondamentaux — analogie entre l'homme et le monde, subjectivité du cosmos et objectivité, extériorité de soi-même à soi-même — l'esthétique demeure perpétuellement ouverte sur les émotions naïves et pleines d'une conscience qui, non seulement est restée en son tréfonds archaïque et infantile, mais ne peut désobéir au double appel anthropologique.

D'autant plus ouverte lorsqu'elle s'exprime par la poésie, qui n'est autre que le langage natif, incantatoire, magique, sacré, universellement déterminé par la métaphore, l'allitération, le rythme, c'est-à-dire l'analogie [14], qui jaillit des nappes inconscientes de l' « inspiration ». Comme l'a dit Grétry, « c'est l'homme de la nuit qui a tout fait, celui du matin n'est qu'un scribe ». Et comme le dit le jargon ordinaire de la critique, la poésie est « magie du verbe », « exercice mystique », « révélation », « prophétie », etc.

A travers la magie analogique du style, c'est dans toute la conception analogique et magique du monde que plonge la création poétique. Elle réveille les forces endormies de l'esprit, retrouve les mythes oubliés...

Il n'est donc pas étonnant de voir G. de Nerval s'efforcer à travers Pernéty de retrouver les clefs de l'alchimie ; Balzac passionné de sciences occultes ; Hugo faisant tourner les tables ; Rimbaud marqué par la lecture d'Eliphas Levi [15]. Bien entendu, l'interprétation occultiste des œuvres de ces auteurs oublie l'essentiel : la poésie ne s'explique pas par l'occultisme, mais l'occultisme comme la poésie naissent de la source magique (infantile, archaïque, onirique) c'est-à-dire de la source anthropologique.

En outre, parce qu'elle est libre et spontanée, la poésie exprime les possibilités infinies de l'indétermination humaine. En cela, elle est régressive-progressive. Le vrai poète est un non-adapté, un non-spécialisé — d'où son malheur et sa gloire, ses attributs ambivalents de poète maudit et sacré, « aimé des muses » et « haï du destin ». Archaïque ambulant, conscience nue, il ranime, à travers nos vies déterminées et spécialisées, notre généralité endormie. Et du même coup il revendique une harmonie profonde, nouvelle, un rapport total, vrai, de l'homme au monde.

On pourrait peut-être, en fonction de la profondeur de la plongée anthropologique, déterminer la valeur universelle et durable des chefs-d'œuvre de l'art.

14. Même quand le style s'efface dans le sous-entendu de l'ellipse, il contient toujours les métaphores qu'il n'exploite pas directement : il les catalysera avec d'autant plus de vivacité chez le lecteur, qui, à l'audition d'un simple mot placé au bon moment, sentira s'éveiller en lui les richesses cosmomorphiques latentes.

15. Cf. le *Balzac* de Curtius, la *Symbolique de Rimbaud* par Gengoux, les études de G. Lebreton sur *Nerval alchimiste* (Fontaine), etc.

La mort maternelle. — Les « sacrifices » littéraires.

Nous avons déjà signalé en passant l'importance du thème mort-naissance, mort maternelle dans la poésie, et singulièrement la poésie romantique. (Le romantisme, en tant que recherche de l'Arkhe, est une réaction anthropologique à la civilisation bourgeoise, capitaliste, urbaine, puis machiniste et industrielle.) Nous aurions aimé nous livrer à une enquête sur les métaphores littéraires de la mort, qui non seulement utilisent les analogies consacrées du sommeil, repos, oubli, etc., le « Mourir, dormir, rêver peut-être » d'Hamlet, mais encore retrouvent dans la description de la mort les leitmotive invincibles des eaux-mères. C'est le fleuve qu'il faut traverser (mort de Jean-Christophe). C'est la vague qui recouvre et submerge [16]... C'est l'appel extraordinaire de mort marine heureuse dans la Ballade de Claudel : « Rien que la mer à côté de nous, rien que cela qui monte et qui descend. Assez de cette épine continuelle dans le cœur ; assez de ces journées goutte à goutte ! Rien que la mer éternelle et pour toujours, et tout à la fois d'un seul coup ! La mer et nous sommes dedans ! Il n'y a que la première gorgée qui coûte [17]. »

Par ailleurs nous n'avons fait qu'effleurer les aspects sacrificiels de la mort dans la littérature. Freud a admirablement dégagé la volupté que l'écrivain éprouve à tuer ses personnages, à quoi répond une volupté égale chez le spectateur et le lecteur : « Nous y trouvons (dans la littérature) des hommes qui savent mourir et s'entendent à faire mourir les autres. Là seulement se trouve remplie la condition à la faveur de laquelle nous pourrions nous réconcilier avec la mort. Cette réconciliation en effet ne serait possible que si nous réussissions à nous pénétrer de la conviction que, quelles que soient les vicissitudes de la vie, nous continuons toujours à vivre... Nous nous identifions avec un

16. Fisson, *Voyage aux Horizons,* mort de Roubatchov dans *le Zéro et l'Infini.*

17. La terre maternelle provoque le même appel extatique chez Aliocha Karamazov, après la mort de Staretz Zossima : « Il ne comprenait pas pourquoi il étreignait la terre de ses bras, d'où provenait ce désir irrésistible de l'embrasser tout entière... »

héros dans sa mort, et pourtant nous lui survivons, tout prêts à mourir inoffensivement une autre fois avec un autre héros »...

Il ne s'agit pas seulement, avec ces meurtres esthétiques, de satisfactions inoffensives données à l'agressivité humaine, mais d'une participation au cycle de mort-renaissance, mais de véritables sacrifices qui transfèrent le mal et la mort sur les victimes littéraires, de catharsis qui font jaillir les forces nouvelles de vie. L'amant malheureux, s'il est écrivain, peut échapper au suicide en suicidant son héros. De la mort du tourmenté Werther naît la sérénité gœthéenne. La catharsis esthétique est particulièrement sensible (Aristote) dans cette cérémonie encore à demi sacrée qu'est le théâtre. La tragédie est une véritable hécatombe de mort-naissance où, selon la profonde parole de Rimbaud, « on se rajeunit par la cruauté ».

L'angoisse moderne de la mort a mis au premier plan, à travers un nombre impressionnant d'ouvrages parus ces trente dernières années, la signification sacrificielle et initiatique du meurtre. Cette signification n'apparaît souvent pas à l'écrivain, qui prétend, subtil naïf, soit faire la théorie de « l'acte gratuit » ou du « crime absurde », soit décrire un attentat militant. Notons : *les Caves du Vatican* de Gide — *les Réprouvés* de Von Salomon — *la Condition humaine* de Malraux — *la Conjuration des habiles* d'André Ulmann — *les Mouches* de Sartre — *Heureux les pacifiques* de Raymond Abellio — *Comme si la lutte entière* de Jean Kanapa — *Banlieue Sud-Est* de René Fallet — *l'Œillet rouge* d'Elio Vittorini. Le héros de ce dernier ouvrage, Alessio, exprime clairement l'idée que pour « entrer dans la société des adultes » il faut « peut-être tuer quelqu'un, ou, en tout cas, verser du sang ». Le crime apparaît comme le besoin de fonder sa virilité : un vrai de vrai, un dur de dur, cela signifie exactement, d'ailleurs, un tueur. Le meurtre a une signification de véritable naissance virile : il est l'initiation elle-même, qui comporte mort et renaissance, mais au lieu de mourir soi-même, c'est autrui qui est sacrifié.

Le sacrifice d'autrui, par là même, tente de délivrer une violente angoisse par le transfert magique de la mort sur le bouc émissaire. La mort qui me guette ne sera pas pour moi, mais pour celui que je tue. Plus on a peur de la mort, non pas la peur poltronne devant le danger, mais la peur de l'idée de la mort, plus on est tenté de tuer, dans l'espoir insensé et informulable d'y échapper en y précipitant l'autre. Et il faut remarquer que les grands obsédés de la mort sont ceux qui se précipitent dans les guerres et les aventures périlleuses, comme s'ils pouvaient dissoudre sa hantise dans sa présence même. Véritable phénomène de *vertige* intellectuel. L'angoisse nous livre toujours à ce qui nous angoisse. Ce fut une des caractéristiques de l'angoisse des années 38-39.

Le double et la littérature.

Le double joue également un rôle capital dans la littérature. Un des thèmes tragiques fondamentaux est celui du mort mal mort, dont le *ghost* demande vengeance à ses héritiers. Exigence impérative, terrible, qui brise les amours et les cœurs, mais auquel nul fils ou fille bien né ne peut surseoir (Hamlet). Parfois le double se venge lui-même, comme le Commandeur sur Don Juan. Parfois l'exigence est seulement morale, comme dans le *Cid* ou *Hernani,* où le fantôme du père assassiné est implicite. La tragédie enchaîne les uns aux autres les malheurs des morts et les malheurs des vivants, dans un cycle infernal où la provocation des uns par les autres ne s'éteint jamais. La famille des Atrides en sait quelque chose... Le Grand Guignol, avec ses transferts d'âmes, ses envoûtements, ses apparitions spectrales, est le théâtre où nous allons divertir le fond archaïque de notre âme, et ses grands thèmes sont dans le fond ceux de la tragédie grecque et du drame élisabéthain.

Et c'est bien le vieux double, l'ego-alter, compagnon de route de la vie, qu'a retrouvé, en l'entourant d'une aura de mélancolie grandiose, la littérature romantique [18].

Partout où j'ai voulu dormir,
Partout où j'ai voulu mourir,
Sur ma route est venu s'asseoir

18. Il convient de se référer sur ce point au remarquable *Don Juan* de Rank, qui est la plus pénétrante étude existant sur le « double » dans la littérature.

Un malheureux vêtu de noir
Qui me ressemblait comme un frère.

(le double parle)...

Où tu vas je serai toujours
Jusqu'au dernier de tes jours
Où j'irai m'asseoir sur ta pierre.

Toutes les associations du double : ombre, reflet, miroir, renvoient à la mort. Une fois de plus, la plume du matérialiste Feuerbach retrouve ingénument le contenu primitif de la mort : « La mort c'est la glace dans laquelle se mire notre esprit : la mort c'est le reflet, l'écho de notre être. » « J'ai contemplé la limpide fontaine, j'y ai trouvé la froide et sereine vision de la mort. »

Heine écrit (*Hartzreise*) : « Rien ne nous fait plus peur que de voir par hasard, par un clair de lune, notre visage dans un miroir. » Montaigne a repris à Plutarque l'anecdote des jeunes filles de Milet, qui se suicidaient après s'être regardées dans un miroir, où elles lisaient leur vieillesse mortelle. Le monde merveilleux d'au-delà le miroir, c'est celui d' *Alice au Pays des Merveilles,* c'est l'étrange royaume du *Sang d'un poete* et d' *Orphée :* un des thèmes obsessionnels de Cocteau est justement le désir *de traverser le miroir.* La *Danse devant le miroir,* de François de Curel, est la danse de mort. La littérature narcissique a approfondi entre autres thèmes anthropologiques le double thème de survie à la mort et d'angoisse de mort qui découlent l'un et l'autre de la contemplation du miroir. Une héroïne de Julien Green porte sa bouche sur le visage de l'homme aimé qui lui apparaît dans le miroir. L'émotion du lecteur ne vient pas seulement de cette manifestation d'amour solitaire mais aussi du fait que la bouche de l'amante a franchi la frontière de l'au-delà... elle a franchi la mort. Elle embrasse l'être indestructible, l'être immortel. Empirique et métaphysique se rejoignent devant le miroir, dit Vladimir Jankelevitch. Toute grande littérature du miroir ramène à l'amour et à la mort.

Le mythe de l'ombre a été illustré dans *Peter Schlemihl,*

l'homme qui a perdu son ombre, dans *l'Ombre* d'Andersen. On peut lire à la fin de *la Vagabonde* de Colette : « Tu ne sauras plus rien de moi, jusqu'au jour où mes pas s'arrêteront, et où s'envolera de moi une dernière petite ombre... Qui sait où ? » Claudel en invoquant le Saint-Esprit fait appel à une superstition plus ancienne de plusieurs millénaires : « Le Saint-Esprit viendra sur toi, et la puissance du Très-Haut te couvrira de son ombre [19]. »

On retrouve le double dans Dostoïevski (*le Double,* 1846), dans Edgar Poe (*William Wilson*), Julien Green (*le Voyageur sur la terre*), Lenau (*Anna*), Stevenson (*Docteur Jekyll,* où le double Hyde n'est autre que le Soi, le visage grimaçant des désirs qui ont brisé l'inhibition du super-ego Jekyll), dans les romans de Jean-Paul et dans de nombreux films dont *l'Etudiant de Vienne.* Dans *la Beauté du Diable* de René Clair et dans les hallucinations d'Ivan Karamazov, le diable n'est autre que le double, de même que dans la *Faust-Symphonie* de Liszt, le thème de Méphisto est l'inversion du thème de Faust, c'est-à-dire son reflet.

Hoffmann, l'écrivain du double, a noté lui-même dans son journal l'association essentielle : « *Tourmenté par des idées de mort. Le double.* » Quand, dans *Wilhelm Meister,* le comte voit son double assis à son bureau, il devient mélancolique et les angoisses funèbres l'assaillent.

L'histoire de Dorian Gray nous montre qu'il n'est pire chose que de porter la main sur son double.

Avec *le Horla* de Maupassant, la peur de la solitude n'est autre que l'angoisse du double. La solitude, c'est le tête-à-tête avec soi-même, c'est-à-dire avec le double, c'est-à-dire *avec la mort* [20].

Le double romantique, moderne, ramène la mort : il a totalement perdu sa vertu primitive. Il est devenu le symbole même de l'angoisse de mourir.

Ainsi tous les thèmes primitifs du contenu préhistorique se

19. *L'Annonce faite à Marie.*

20. « La solitude, c'est la dualité inexorable. » (Carlo Suarès, *la Comédie psychologique,* José Corti.) Autrement dit, c'est le double, c'est la mort.

chargent, en s'esthétisant, de mélancolie : car ils ne sont plus crus à la lettre, car ils renferment dans leurs émouvants symboles, dans leur pulpe vivante, le noyau horrible d'une mort que la conscience moderne ne peut réduire. La structure moderne de l'esprit détermine à son tour la sève toujours nouvelle qui monte de ses couches primitives. Car, répétons-le, l'apport de la sensibilité magique, dans la littérature, n'est pas pris à la lettre : l'esthétique croit à ses mythes sans y croire. D'où cette amertume et ce bonheur qui en même temps consolent, attristent, encouragent et découragent, *qui font vivre à la fois mieux et plus mal.* D'où le caractère propre de l'art, *qui est un opium qui n'endort pas, mais ouvre les yeux, le corps, le cœur à la réalité de l'homme et du monde.*

Il ne faut donc pas méconnaître la présence en nous du contenu préhistorique de la mort. C'est lui que nous retrouvons dans nos rêves, nos fantaisies éveillées, à l'heure du danger et de la douleur, dans notre esthétique... Il camoufle, dissout, enrobe, endort notre mort. Il la transforme toujours en images, en métaphores de la vie, même quand il s'agit de la vie la plus lamentable. Il a toutes les vertus !... Il porte même en lui les vérités anthropologiques les plus profondes. Il ne lui manque que la réalité, tout court.

2

Les cristallisations historiques de la mort

4

Le tournant historique
Les morts nouvelles

Montée des dieux. — Dévalorisation du double.

Dans les sociétés qui sont les plus rudimentaires et les moins différenciées socialement, les morts sont quasi confondus les uns aux autres et confondus aux vivants. « Qui donc es-tu, toi, mort ou vivant ? » demande-t-on à l'inconnu de rencontre. Leurs pouvoirs sont encore diffus. La crainte qu'inspire leur présence familière est faible (Radin). Dieux et morts sont indifférenciés : les deux notions se recouvrent l'une l'autre [1].

Les dieux sont les produits d'une *extension et d'une différenciation à deux dimensions,* elles-mêmes déterminées par l'extension des sociétés archaïques et leur différenciation sociale, c'est-à-dire *leur évolution générale.* D'une part le monde des morts s'étendra et se différenciera du monde des vivants ; d'autre part, à l'intérieur même du monde des morts, les *grands morts* se différencieront et étendront leur puissance par rapport au commun des immortels.

Et le monde des morts, comme un continent à la dérive, s'éloignera de plus en plus du monde des vivants.

Donc, plus les morts se sépareront des vivants, plus se préciseront les différenciations entre les morts, plus se préciseront les pouvoirs divins des morts-ancêtres. Et plus les morts-ancêtres se diviniseront, plus leurs attributs divins submergeront leurs caractères de morts, jusqu'à en faire des morts jamais nés, ou des vivants jamais morts, qui dès leur naissance auront vécu la vie glorieuse de l'au-delà : c'est-à-dire de purs *immor-*

1. Cf. Leenhardt, *Do Kamo.*

tels. Enfin ces mêmes attributs divins transcenderont leurs qualités d'ancêtres pour en faire des dieux *créateurs* de l'humanité, de la vie, et même de l'univers. Le pouvoir des morts est alors devenu le pouvoir des dieux, la science des morts s'est muée en science des dieux ou religion.

La transformation « quantitative » est « qualitative » au moment où l'échelle divine n'a plus aucun rapport, sinon miraculeux, avec l'échelle humaine ; l'aliénation du double s'est solidifiée très loin et très haut. Comme le dit Frobenius, « l'humain se sépare du divin et de cette séparation naquirent les dieux [2] ».

Ainsi s'épanouit, du double au dieu, en passant par le mort-ancêtre-dieu, la divinité potentielle du mort, mais à travers des sélections sévères où les morts-ancêtres et les morts-chefs se détachent des autres morts, les grands ancêtres se détachent des petits ancêtres, et les dieux se détachent parmi les grands ancêtres...

Dans son déroulement, l'histoire du Panthéon divin sera le reflet de l'histoire humaine. De la société de cueillette aux cités maritimes, des clans aux empires, les dieux triomphants, anciens totems des clans vainqueurs, deviendront maîtres du monde. Sélectionné par la guerre et la victoire, produit de multiples syncrétismes successifs, le panthéon unifié des dieux, groupant dieux-clients et dieux-féodaux autour des grands dieux, reflétera l'unification sociale, de même que ses conflits refléteront les conflits humains.

Lorsque la monarchie se consolidera sur une base à la fois agraire et urbaine, comme élément d'unité et d'équilibre qui s'oppose aux régressions féodales, lorsque apparaîtra l'homme roi, seigneur des seigneurs, alors apparaîtra le dieu-roi, roi des dieux ; la divinité des dieux-rois sera la projection céleste du pouvoir royal terrestre, projection boomerang, qui divinisera en retour le roi. O rois, vous êtes des dieux, s'écrieront les Bossuet. Dans la conception monarchique, le roi est le double du dieu, son « Ka ». Cette identification du roi-dieu à la divinité solaire et lunaire fut parfois si totale que la mise à mort rituelle du roi

2. Frobenius, *la Civilisation africaine*.

consacrait la mort de l'année solaire ou lunaire. Par la suite, les rois, soucieux de ne pas pousser l'identification aussi loin, se firent remplacer par des victimes sacrificielles.

Au cours de ce processus les dieux vont s'alourdir de toute la charge du monde. Bien entendu, dès les origines, les esprits-dieux sont cosmomorphes (identifiés aux mouvements de la nature, aux plantes, aux animaux), c'est-à-dire qu'en même temps ces plantes, animaux, mouvements naturels animés par les esprits sont anthropomorphisés. Les dieux n'échappent pas à la loi dialectique de la conscience humaine, ce sont même eux qui l'expriment le plus clairement.

Dans les sociétés guerrières de chasse ou d'élevage, où le hasard joue un si grand rôle, les voici détenteurs prodigieux de la chance, maîtres tout-puissants de la fortune. Mais c'est surtout après la fixation au sol, que la puissance des dieux s'intègre profondément à la nature, et que celle-ci s'alourdit et se remplit de chair cosmique ; aux civilisations agraires, enracinées dans la terre féconde, anxieusement tournées vers le ciel, terre et ciel apparaissent comme deux époux ; la pluie est le liquide séminal du ciel fécondant. Puis le soleil et la lune, maîtres des saisons, maîtres de la vie, s'élèvent dans leur puissance infinie. La terre, le ciel, le soleil, la lune revêtent de leurs parures éclatantes, de leurs manteaux sacrés, les anciens dieux-ancêtres, à forme animale ou humaine, ou les nouveaux dieux agraires, vache, taureau, symboles de la fécondité ou du renouveau. La vie rurale appelle donc un regain des identifications cosmomorphiques ; mais ce regain correspond à une nature plus riche à la fois de sa propre richesse productrice et de la richesse humaine conquérante : cette nature est plus naturelle et plus humaine : le cosmomorphisme enrichi des dieux, c'est l'anthropomorphisation enrichie de l'univers, et vice versa.

Dans les sociétés urbanisées, certains dieux animaux s'anthropomorphisent à demi, et deviennent animaux à têtes d'hommes, hommes à têtes d'animaux. Ils continuent à demeurer animaux en même temps qu'hommes, dans la mesure où leur forme animale reflète plus puissamment que la forme humaine les forces qu'ils incarnent ; ainsi le taureau Mithra, symbole concret de la fécondité virile, la panthère Kali, symbole de la terrible force destructrice et créatrice de la nature-mère, etc.

La grande montée des dieux à la royauté cosmique est liée en partie à la grande montée de l'angoisse de la mort. Plus ferme, plus riche, plus « propriétaire » devient la vie des hommes, plus violents sont le choc et la régression infantile ressentis devant la mort, plus inquiète est la croyance en la survie, plus puissant apparaît le dieu, père qui peut tout, et plus ardente est la prière soumise qui lui demande l'immortalité.

L'âme et le double.

A la promotion des dieux correspond la dévalorisation des « doubles ». Face aux dieux immortels et rayonnants, l'homme va considérer sous un jour de plus en plus gris son existence postmortelle de double, pauvre ersatz de vie que ronge déjà le néant.

Mais la décadence du double a des causes bien plus amples que la montée des dieux. Elle s'inscrit dans le mouvement général des civilisations qui s'urbanisent. Elle est un moment capital du progrès de la conscience de soi. L'âme va lentement supplanter un double de plus en plus extérieur, étranger.

L'idée d'âme est peut-être en germe dans la conception primitive de mort-renaissance, où, quoique l'individu change de corps lorsqu'il renaît en animal ou en nouveau-né, quelque chose, qui est l'essence de lui-même, demeure à travers la métamorphose. Mais, dans la conscience archaïque, l'essence du moi qui reste inaltérable à travers la vie et la naissance nouvelle, n'est nullement conceptualisée, définie, appréhendée : il n'y a que l'évidence de la mort-renaissance.

L'âme, en germe dans la mort-renaissance, est également en germe dans certaines conceptions du double où celui-ci, d'essence aérienne, est représenté par le souffle qui s'envole à la mort. Effectivement, la conception « pneumatique » de l'âme nous montre que celle-ci pourra conserver longtemps certains attributs du double. Elle nous montre du même coup la filiation qui va du double à l'âme, selon un mouvement de réintégration du double à l'intérieur de l'individu. L'âme, c'est le double intériorisé.

Cette intériorisation ne se fera pas d'un coup, l'on s'en doute. L'âme conservera très longtemps une certaine matérialité. Son siège sera localisé dans le diaphragme, ou le cœur, ou la tête, parce que justement, comme dit Zénon, « l'âme est un corps et persiste après la mort ». Le « ruach » hébreu comme le « pneuma » grec sont des corps. Et les premiers philosophes toujours s'efforceront de déterminer la matière de l'âme : air, feu, etc.

Mais déjà le caractère nouveau, propre, intime de l'âme apparaît comme tel : elle est l'anima, principe de vie et identité subjective.

Si donc on peut trouver des conceptions très proches de l'âme chez certains peuples archaïques qui insistent sur les localisations internes du double, si on peut trouver des restes du double archaïque dans les civilisations historiques, l'âme correspond en général à une étape nouvelle de l'individualité qui, progressant dans la conscience d'elle-même, intériorise sa propre dualité, selon le mouvement anthropologique que nous avons défini, et met de plus en plus l'accent sur sa propre intimité subjective[3].

Effectivement, c'est au cœur et à partir de l'élan subjectif absolu, l'*extase,* que l'âme se reconnaîtra. Extase collective : les danses frénétiques et échevelées des cultes barbares, introduits au sein des sociétés évoluées, comme le culte de Dionysos en Grèce, vont permettre à l'âme de se découvrir dans l'exaltation lyrique. Extase individuelle : les sages, par la voie de l'extase intellectuelle, appréhenderont l'âme au plus profond d'eux-mêmes au cours de leurs méditations solitaires. Et ce sont à ces deux sources extatiques que les premiers philosophes, qui

3. Et corrélativement, le « sur-moi » s'intériorise, devient « la voix de la conscience », avec les progrès de la morale qui remplace le tabou. Le « soi », du coup, s'intériorise également. Sur tous les plans donc, le dialogue entre l' « ego alter » et l'ego devient plus intime, l'individu se sent de plus en plus *sujet.* Et tandis que le dieu est un double extériorisé, objectivé, qui finalement se détache de l'homme, l'âme est le double intériorisé, subjectivisé, qui s'y réintègre. Nous retrouvons notre dialectique fondamentale de l'objectif et du subjectif.

sont encore à demi chamans, à demi prêtres (présocratisme en Grèce, taoïsme en Chine, brahmanisme aux Indes), prendront conscience de l'intimité, de la réalité, de l'universalité de l'âme.

Ainsi, l'âme se développe au moment où le double s'anémie ; elle se précise alors que le double se brouille : ce dernier n'est plus « qu'un mortel fané et desséché par la mort », un lambeau fantomatique, et il a désormais une signification contraire à sa signification première. Au lieu de chasser la crainte de la mort, il y ramène. L'homme a créé le double pour se défendre contre la mort, mais vient le temps où, dans le double, « il est contraint de reconnaître la mort qu'il a primitivement niée[4] ».

Dans les civilisations individualisées de la Méditerranée, de l'Inde, de la Chine, de tous les horizons de la religion et de la réflexion humaine, la notion d'âme deviendra le centre de convergence de ce qui est universel et immortel dans l'homme.

La dévalorisation du double, l'apparition de l'âme vont poser le problème de l'immortalité en termes nouveaux. D'une part l'âme sera le noyau immortel de l'individu qui aspire au salut ; elle se revêtira d'un corps incorruptible après la mort. D'autre part l'âme de l'homme se découvrira analogue à l'âme du monde, c'est-à-dire à la divinité cosmique absolue, et aspirera à une immortalité qui sera fusion dans cette divinité cosmique. Autrement dit l'âme sera tantôt le support d'un salut personnel, tantôt le support d'un salut cosmique.

Vers le salut.

L'âme et le salut surgissent d'un même mouvement à partir du culte thrace de Dionysos, importé en Grèce. Dans le piloupilou dionysiaque, l'âme ravie, défaillante, ivre de plénitude dans son identification au dieu taureau, s'exaltant dans la communication extatique, se révèle de nature divine, et assure à l'homme non pas une survie de double, mais une résurrection, vie nouvelle, rayonnante, dotée d'un corps nouveau impérissable.

La revendication du salut va s'affirmer progressivement à tra-

4. Rank, *Don Juan.* Nous utilisons cette phrase dans une perspective différente de celle de son contexte.

vers des mythes qui exprimeront le désir de gagner l'immortalité des dieux. Parmi ces mythes, celui du héros-dieu exprime d'une façon particulièrement nette ce désir, tandis que celui du dieu-héros va effectuer la réalisation de ce désir.

Le héros-dieu.

Les héros sont, à l'origine, des « esprits d'hommes défunts qui séjournent à l'intérieur de la terre, y vivent éternellement comme les dieux, et se rapprochent de ceux-ci par leur puissance[5] ». Les héros sont donc issus des « doubles », comme les dieux ; ils sont, au départ, des morts-ancêtres (souvent par la suite fondateurs de cités), dieux arrêtés à mi-chemin ; mais leur caractère propre de héros va leur conférer une grandeur et une fatalité particulières ; ancêtre prestigieux, doué de vertus surhumaines, *le héros choisit le parti des hommes*. Même bâtard de dieu, comme Hercule, et même lorsqu'il finit par gagner à la force du poignet son permis de séjour olympien, il reste l'ami des mortels[6], il participe à leur révolte contre la mort.

Freud et Rank ont découvert la structure œdipienne des héros, mais s'y sont hypnotisés. Effectivement, le héros, né de parents de haut rang ou divins, est abandonné tout enfant par ceux-ci, et ne survit que grâce à la pitié d'humbles gens ou d'un animal. Certes ses travaux fabuleux peuvent être interprétés comme une révolte contre la malédiction paternelle qui a failli lui coûter la vie. Est-ce dire que le trait essentiel de l'héroïsme soit l'opposition courageuse au père, comme le veut Rank ? Nous ne chercherons pas à déterminer dans quelle mesure la révolte contre le père peut s'intégrer dans la révolte fondamentale du héros contre le privilège d'immortalité des dieux. Toute révolte prend figure de révolte contre le père, mais la dépasse.

De toute façon, le héros est ennemi de la mort, et en même temps de la *nature* massacreuse, de ses dragons et de ses monstres qui crachent la destruction, il est frère de l'homme, qui hait la mort.

5. E. Röhde, *Psyché.*
6. Id., *ibid.*

Sa vie est une lutte perpétuelle contre la mort. La mort le cherche et il la cherche. Dès sa naissance, Hercule est contraint de prendre garde à deux serpents envoyés pour le tuer. Toute sa vie il devra combattre hydres, dragons, titans, géants. Mais il ne combat pas seulement la mort-agression, la mort ennemie, il n'est pas seulement « héroïque ». Le héros, dédaignant la survie du double, veut survivre, ressusciter lui-même en son entier, posséder l'immortalité « en une âme et un corps ». Et souvent les restes de la mythologie du double s'entrecroisent avec la mythologie naissante de l'âme. Le héros refuse de se séparer de son double parce que la vie du double seule est un simulacre de vie. C'est pourquoi son double est parfois concrétisé auprès de lui par un frère jumeau [7].

Le héros tient toujours à visiter les enfers afin de revoir les *ghosts* de ceux qui lui sont chers ; et rien ne l'attriste plus que le spectacle des misérables ombres. Le pauvre double de la mère d'Ulysse s'échappe, impalpable, des bras de son fils. « Ne cherche pas à me consoler de la mort », dit Achille à son tour, et il exhale la plainte inoubliable : « Plutôt louer mes bras à un charpentier, plutôt servir un maître misérable, que de régner sur tout ce peuple de trépassés. » Gilgamesh, évoquant l'ombre rencontrée aux enfers de son compagnon défunt Engidou, gémit : « Je ne te dirai pas, ami, je ne te le dirai pas. Car si je te dépeignais la situation des régions inférieures, telles que je les ai vues, tu passerais tes journées assis à pleurer. »

Le héros a pris conscience de l'horreur de la mort. Ur-Napisti, mortel d'origine qui par des voies secrètes a obtenu l'immortalité, dit à Gilgamesh : « Sur terre rien ne demeure, tout est transitoire, la vie n'a qu'un temps. La mort seule est éternelle. » Le héros civilisateur Mawi (Maoris) exprime clairement la mis-

7. C'est encore Rank qui, à la suite des travaux de Harris, a remarqué que les héros fondateurs de ville étaient souvent des jumeaux. Le héros jumeau est celui qui a rendu visible son double sur terre. D'où le mythe des pouvoirs surnaturels des jumeaux. Dans l'humanité archaïque, les jumeaux sont soit adorés, soit mis à mort. La violence de ces deux réactions extrêmes nous montre la violence de l'émotion provoquée par les jumeaux, dont *la présence manifeste soit l'immortalité, soit la mort.*

sion universelle du héros lorsqu'il se refuse à accepter que les humains meurent sans retour, car la mort « est une chose dégradante, une insulte à l'homme ».

Cependant, le héros qui a su, vivant, pénétrer chez les ombres, et même terrasser le dragon, c'est-à-dire la mort, est traîtreusement assassiné. La victoire de la mort sur Achille, Hercule, Siegfried, Jésus, n'est jamais loyale. Le triomphe ignoble du mal remplit le monde d'une immense tristesse.

Mais la victoire de la mort est niée à son tour. Les dieux eux-mêmes se sont émus. Peut-être ne pouvaient-ils faire autrement que d'ouvrir les portes de l'immortalité au mérite indomptable [8] ? Voici le héros, non pas qui survit en son double, mais *ressuscite en son entier, en sa chair.* Il est transporté (parfois même de son vivant) dans les îles des Bienheureux, aux Champs-Elysées, ou encore il va s'asseoir auprès des dieux ou du Dieu. Il connaît l'apothéose. La *Symphonie héroïque* de Beethoven reproduit fidèlement les phases de cette vie exemplaire ; premier mouvement : courage ardent, inépuisable, épreuves, combats ; deuxième mouvement : mort, marche funèbre interminable d'angoisse ; troisième mouvement : danses et jeux dans les champs élyséens ; quatrième mouvement : exaltation, victoire sur la mort.

Promu immortel, le héros se pose en médiateur entre les humains qu'il aime et les dieux qu'il égale. Les mortels l'aimeront en retour d'un amour confiant ; c'est pour eux que Prométhée a dérobé le feu. C'est pour eux qu'Hercule, libérateur de Prométhée, a tué l'Hydre de Lerne. C'est à eux que s'adresse son exemple : conquérir l'immortalité !

Mais le héros demeure vainqueur solitaire. Il ne peut conquérir l'immortalité que pour lui tout seul. Il lui est tout au plus possible de civiliser la vie des mortels et d'inciter quelques rares élus à l'imiter. Aussi le héros [9] laisse entiers les problèmes posés par la dévalorisation du double, mais il les pose,

8. Encore aujourd'hui, on ne peut se faire à l'idée que le héros puisse réellement mourir. La légende le dit endormi, dissimulé, comme Frédéric Barberousse, Napoléon, et le sinistre héros du nazisme, Hitler.

9. Par la suite, le héros se laïcisera, et son immortalité se transformera en immortalité laïque ; il vivra éternellement dans l'esprit

et esquisse la voie du salut, sacrifice héroïque du dieu-héros et résurrection glorieuse, mais qui, elle, va rejaillir *sur les mortels initiés à son culte.*

C'est donc le dieu lui-même qui se faisant héros, va prendre en charge le salut des humains ; dieu qui meurt et ressuscite, il ouvrira la voie à leur résurrection. Ou bien, ce sera la grande déesse-mère des cultes agraires, qui, répondant à l'appel nouveau d'immortalité qui monte des villes, ouvrira ses flancs qui font renaître. La divinité de salut consacre un retour à la magie de mort-renaissance. Non plus, certes, de renaissance *stricto sensu,* mais de résurrection. Non pas nouveau-né, mais tel qu'en lui-même le salut le change, le mort ressuscitera.

Vers le salut cosmique.

La dévalorisation du double, la promotion de l'âme, ouvrent la voie au salut personnel. Ils ouvrent aussi la voie au salut cosmique. En effet, tandis que l'angoisse de la mort récupère dans le panthéon divin une ou plusieurs divinités pour le salut (Osiris, Dionysos, Vichnou), la cosmologie religieuse par contre tend à élever toujours plus haut le dieu-roi, le Râ, le Zeus, le Brahma, à le dégager de ses caractères anthropomorphiques finis et magiques pour en faire le Souverain de la Nature, l'Essence du Monde, l'Universel, l'Ame cosmique, l'Esprit Suprême... Dans une telle perspective, mourir, c'est rejoindre Dieu pour se fondre en lui.

Ainsi, dans les sociétés où l'individualisation a fait des progrès décisifs — et nous donnerons les exemples plus loin — s'expriment, à la fois et contradictoirement, l'affirmation irréductible de l'individu qui veut son immortalité *propre* (salut personnel), et l'affirmation de l'individu qui veut à travers sa participation cosmique se retrouver dans le monde. Nous retrouvons le double thème anthropologique, mais transformé, élaboré, enveloppé d'angoisses modernes dans le salut personnel, de

---

de ses concitoyens. Toujours le terme de héros sera appliqué à celui-qui-recherche-la-mort-volontairement-et-gagne-ainsi-une-immortalité (religieuse ou civique).

philosophie dans le salut cosmique. Et la religion va sans cesse osciller entre ces deux pôles : le dieu charnel qui meurt et renaît d'une part, et de l'autre le dieu-univers, le Grand Etre naturel.

Mais en même temps se dessine un troisième mouvement, qui tend à dissoudre l'immortalité religieuse, sous l'érosion de la critique et du doute rationnel.

Vers la mort laïque.

Le même mouvement de l'esprit humain qui a intériorisé le « double » intégrera à ce point l'âme dans le corps, que viendra le moment où il apparaîtra impossible qu'elle puisse survivre à la mort de celui-ci. Consacrant une étape philosophique capitale, Aristote boucle l'âme dans le corps ; l'âme est la forme du corps, sa matière : leur union est totale et indissoluble.

A ce point, deux philosophies se sont déjà différenciées, du moins en Grèce : l'une qui identifie l'univers à l'Esprit, et l'autre à la Matière. Dans la première perspective, c'est l'Esprit qui va à sa façon assumer l'immortalité de l'âme.

L'Esprit (*le Noûs*) ne nie pas immédiatement l'âme, mais de même que l'âme avait relégué le « double » au rang de pâle figurant, il va la surclasser. Il tend à dévaloriser l'âme et réduire son domaine à « l'animalité », c'est-à-dire la vie qui meurt ; c'est le *Noûs* qui gouverne l'âme (Anaxagore). De même Platon, Aristote, vont continuer à admettre l'âme, mais au-dessus vont poser le *Noûs. La royauté de l'esprit conscient a pris la succession de l'âme.* Dès lors, la philosophie hypostasie sa propre vertu, sa propre force, l'intelligence, et en fait la réalité suprême.

Nous retrouvons, dans un certain sens, la parenté micro-macrocosmique, mais reposant sur l'intelligence. Effectivement, l'esprit humain chez Aristote est de même essence que l'Esprit universel, Dieu. Mais plus rien d'affectif, de *personnel,* ne subsiste dans cette identité, ni chez l'homme, ni chez Dieu. En l'homme, la pensée, l'esprit, la raison, c'est précisément ce qui échappe aux déterminations, aux particularités, et qui, les dominant, exprime le Logos universel.

La philosophie de l'Esprit tend logiquement à rejeter l'homme, limité et fini, vers sa petite mort sans issue, tandis qu'à la rigueur peut survivre en lui l'étincelle sublime, le don de Dieu : la Raison, l'Intelligence. Elle s'oriente vers l'abandon de l'immortalité personnelle, mais vers la promotion d'une immortalité spirituelle où rayonne, inaccessible et éternel, l'Esprit qui meut toutes choses.

En même temps que la philosophie de l'Esprit et lui faisant réponse, se développe avec Démocrite, puis Epicure, la philosophie de la matière ; elle aussi ouvre la voie à une conception universelle de la mort, qui apparaît comme dépassement de la finitude humaine dans la totalité cosmique ; elle aussi ferme la voie à l'immortalité personnelle. A la limite, il y a peu de différence entre spiritualisme rationaliste et matérialisme rationaliste, mais ce dernier, plus rapidement, plus catégoriquement, aboutit à une vision « laïque » de la mort.

Les trois voies. Contradictions.

La critique rationnelle tend donc, à partir du « dieu des philosophes » ou du matérialisme universel, à mettre en question l'immortalité de l'âme, à la dissoudre, jusqu'à placer enfin l'homme devant la mort nue. Ainsi, dans les civilisations évoluées, urbanisées, caractérisées par une économie complexe à tendances capitalistes, les progrès de l'individualité ouvrent trois perspectives nouvelles à la mort. D'une part le salut personnel, le dieu qui sauve concrètement de la mort et donne à l'individu l'immortalité de son être total ; d'autre part le salut cosmique où soit l'âme, soit l'esprit humain peuvent espérer trouver une sorte d'immortalité dans la fusion avec la divinité cosmique, et enfin le scepticisme, l'athéisme.

Au cours de l'évolution historique, la lutte pourra faire rage entre les deux pôles de la religion — entre l'Osiris des résurrections et l'Aton solaire en Egypte, entre les dieux de salut et le message bouddhiste aux Indes, entre Jésus fils sauveur et le Dieu père.

A la limite, la religion universaliste est trop abstraite pour être vécue religieusement, et encore trop liée au culte pour être une philosophie. Et tandis que les formes élémentaires de la mystique, avec le salut, reviennent donner du sang et de la chair sacrificielle à cette religion trop intellectualisée et placer un fils charnel et saignant bien-aimé qui meurt et ressuscite à la droite du Père Logos, le Logos lui-même tend à se détacher du Père-Dieu-Roi, à devenir fondement de la « religion naturelle », comme on disait au XVIIIe siècle, puis à se laïciser complètement.

La lutte fera également rage entre la religion et l'athéisme. La religion va le combattre par la terreur, le bûcher, le supplice, et rarement il aura droit de cité. D'autre part au sein de la spéculation théologico-rationnelle, le vouloir d'immortalité se défend pas à pas ; le corps mourra, mais non l'âme ; l'âme mourra, mais non l'esprit. Il se défend encore pas à pas quand il concède à la raison que si l'âme ou l'esprit survivent, ce ne peut être que par un engloutissement dans l'âme cosmique ou dans l'esprit universel. Mais alors il fait de ce renoncement un accomplissement, un élargissement à l'échelle cosmique, le triomphe de ce qui est universel dans l'individualité sur la contingence périssable ; oui, l'âme et l'esprit se perdent, mais pour se gagner en Dieu, Nature, Cosmos, Nirvana.

Inversement le vouloir d'immortalité peut prendre des revanches éclatantes. Le scepticisme qui aboutit à la négation de l'immortalité peut conduire au désespoir devant la mort irréparable, et, par là même, ramener l'espoir magique, mythique. Il y a souvent ambivalence répulsive-attractive entre le scepticisme et le mystique et, comme nous le verrons plus loin, les grands croyants fanatiques se recrutent souvent chez d'anciens sceptiques repentis.

Sans cesse donc, à l'intérieur de la religion, à l'extérieur de la religion, entre la religion et le secteur laïque de l'esprit, vont jouer les conflits qui opposent les deux faces de l'aspiration humaine à l'immortalité, strictement individuelle d'une part, participative-cosmique de l'autre, et qui les opposent toutes deux à la démarche de la raison, laquelle interdit tout espoir d'immortalité. Et nulle part la contradiction n'est plus nette, évidente, pure, qu'à l'intérieur de la philosophie. Contradiction d'autant plus aiguë que la philosophie, par sa nature et son contenu même, exprime le refus anthropologique de la mort, en même temps qu'elle exprime, par sa nature et son contenu également, la synthèse des connaissances rationnelles qui l'ont dégagée du chamanisme, c'est-à-dire qui l'ont faite philosophie et qui, par là même, rejettent les immortalités imaginaires.

C'est pourquoi la philosophie, en même temps qu'elle les détruit dans leur forme naïve, ressuscite les immortalités dans leurs vérités humaines profondes, tirant le suc des anciens mythes pour nourrir ses propres mythes qu'elle appelle « systèmes ».

Les systèmes philosophiques.

Platon est le « miracle » le plus achevé de la philosophie progressive-régressive, où s'enchevêtrent les mythes du contenu préhistorique, transmis par l'orphisme et le pythagorisme, où non seulement la mort-renaissance (métempsychose) et le double (récit d'Er, mythe de la caverne) mais encore le raisonnement analogique jouent un grand rôle, où le monde des idées (des essences) est une sorte de monde spirituel des « doubles », doubles des êtres et des choses, qui échappent au dépérissement. (Avec Platon et les philosophes idéalistes, qui dédoublent la réalité en « phénomènes » empiriques et en « essences », ou « noumènes » éternels, nous saisissons sur le vif l'activité dédoublante de l'esprit.)

Même désir de syncrétisme chez Plotin, Leibniz, qui l'un et l'autre font appel à la fois à la spéculation ésotérique, occultiste, et à la spéculation du salut. Comme le dit Leibniz de sa propre philosophie : « J'ai été frappé d'un nouveau système. Ce système paraît allier Platon avec Démocrite, Aristote avec Descartes, les Scolastiques avec les modernes, la théologie et la morale avec la raison. Il semble qu'il prend le meilleur de tous côtés, et après il va plus loin qu'on n'est allé encore. »

Ce « système », en fait, intègre le « double » et la « mort-renaissance » d'une façon évidente, ce qui s'éclaire par l'influence Rose-Croix. Cette intégration lui permet d'être « total », de répondre à l'individuel et à l'universel : dans l'au-delà leibnizien, les morts toujours vivants cheminent vers le royaume des individualités libres et sereines, sous la douce autorité du suprême monarque [10].

On peut remarquer par ailleurs que, depuis le thomisme jusqu'à « l'existentialisme chrétien », l'intégration de l'immortalité du salut dans les philosophies de l'Esprit les plus diverses établit par elle-même ce compromis régressif entre la rationalité (ou l'irrationalité) de l'univers et le refus de la mort.

Enfin, les philosophes de l'Esprit tendront souvent à se laisser ressaisir par l'immortalité cosmique, et faire de la mort une sorte de vie essentielle au sein de l'Etre spirituel (Spinoza). Il est difficile de tracer une frontière entre la philosophie du « brahman » et la philosophie de l'Esprit, entre le « nirvana » lui-même et le Noûs. Bouddha disait du Nirvana que « notre faculté de penser y disparaît, mais non nos pensées ; le raisonnement finit, mais la connaissance reste ».

Sans cesse donc, la philosophie qui veut tout embrasser, qui veut répondre à la double exigence de l'homme par rapport à son individualité et par rapport à l'universel, est soumise aux régressions et tend à réintroduire par la bande, ou ouvertement, les vieilles immortalités.

Ce n'est que très tard (et dans certaines civilisations, jamais) que la philosophie se détachera de tout espoir, repoussera comme impossible l'immortalité soit de l'âme, soit de l'esprit, et s'ouvrira enfin sur le néant, le « rien » de la mort.

Mais, chose tout à fait remarquable, jamais, dans les civilisations évoluées, l'une des trois conceptions de la mort n'a triomphé absolument. Nulle part encore la persécution n'a

10. Maeterlinck, qui, toute sa vie, a été hanté par la mort et lui a consacré de nombreux ouvrages, peut nous intéresser ici dans la mesure où il traduit, au terme de ses réflexions, la revendication leibnizienne, qui est la revendication idéale qu'on puisse présenter à l'au-delà, s'il consent à être le meilleur des mondes possibles.

Il repousse d'abord la religion révélée, le spiritisme, l'idée d'anéantissement total, et de toute façon de « douleurs éternelles ».

Il hésite alors entre deux infinis, l'infini éternel, immuable, etc., et l'infini en mouvement, en progrès. Il n'ose pas trop choisir ; ce qu'il aimerait c'est que notre conscience individuelle ne se perde pas, mais qu'elle demeure à la fois elle-même et noyée (choyée) dans l'infini de la conscience universelle.

détruit à jamais les germes de la religion philosophique et de l'athéisme, et nulle part, l'athéisme n'a encore détruit la religion de salut. C'est que chacune de ces conceptions répond à un besoin fondamental de l'individu humain, c'est que la contradiction fondamentale de l'individu, entre la mort que son « âme » et son être refusent, et l'immortalité que son intelligence récuse, n'est pas résolue. Nous verrons plus loin s'il est *possible* d'envisager de la résoudre.

La mort en marche.

L'exemple des grandes civilisations historiques va nous montrer que le développement de l'individu appelle les développements contradictoires du salut, de la religion monothéiste philosophique, de philosophies religieuses pancosmiques, et, lorsqu'il n'est pas rendu clandestin par la persécution, de l'athéisme.

En Egypte, la transformation du dieu de la végétation Osiris en dieu des morts commence avec la fondation de la monarchie urbaine de Busiris et de Bouto (quatrième millénaire). Réservée d'abord aux grands, l'immortalité osirienne va, après la révolution de la sixième dynastie, se généraliser aux hommes libres, c'est-à-dire consacrer leur individualité.

De dieu des morts, Osiris va se transformer lentement en dieu de salut, dont la mort et la résurrection ouvrent aux humains non plus la pâle survie du double, mais l'immortalité glorieuse :

Tu passes le fleuve en barque, tu n'es pas repoussé
Ton cœur est à toi en vérité
Ton cœur est à toi comme autrefois...

(XVe siècle av. J.-C., inscription tombale à El Kab).

En même temps s'élargit et s'amplifie la royauté du dieu solaire, universel, Ptah-Ammon-Râ ; ce dieu syncrétiste tend à devenir Etre Suprême, principe spirituel de toute vie.

Entre le XVe et le XIIIe siècle se manifeste une véritable lutte pour l'hégémonie entre la conception osirienne du salut et la conception universaliste solaire. Le salut s'infiltre dans la conception solaire : « L'idée osirienne, selon laquelle le dieu sauveur meurt et ressuscite, s'étendra à Râ lui-même, conçu et détruit tous les jours par Apophis, pour ressusciter ensuite par sa seule puissance » (J. Pirenne). Osiris va même jusqu'à s'identifier à Ptah-Ammon-Râ. Deux siècles plus tard, c'est la revanche, momentanée, du dieu rationnel. Amenophis IV (1370-1352), le Julien l'Apostat de l'Empire égyptien, supprime tous les cultes et instaure celui d'Aton, dieu universel, véritable esprit pur, principe de bonté et d'amour régissant le monde, symbolisé par le cercle solaire. Mais la théologie du salut prendra sa revanche. Amenophis IV est renversé. Les anciens dieux reviennent avec Ramsès II, le salut réintègre la religion égyptienne.

Par la suite, les deux conceptions coexisteront jusqu'à l'effondrement de l'Egypte, puis se répandront dans le monde méditerranéen. Elles sont si pures, si classiques chacune dans leur domaine, que l'occultisme maçonnique les a intégrées et conservées.

Enfin, dans l'Alexandrie hellénistique et romaine, s'épanouira une spéculation philosophico-religieuse qui s'efforcera de découvrir les profondes identités de l'homme au monde, de l'âme à Dieu, pour ouvrir les portes de la mort sur l'Unité cosmique. Mais déjà le courant égyptien s'est fondu dans la spéculation gréco-orientale.

L'exemple de l'Inde, non moins clair, est encore plus riche. Il ne faut pas oublier que l'Inde s'est trouvée au sommet de la civilisation universelle à trois grandes époques de l'histoire (quatrième millénaire ; VIe siècle avant J.-C. ; Ier siècle après J.-C.). S'il ne reste que des ruines gigantesques de l'ère dravidienne, antérieure à l'Egypte et à Sumer, nous pouvons suivre dans l'Inde aryenne l'évolution des idées de mort à travers la mort-renaissance, les *ghosts,* les dieux et les héros. Les Vedas (3 000 ans av. J.-C.) célèbrent les « doubles » avec les joies, les concerts de la survie au séjour du dieu Yama. Mais mille ans plus tard, les épopées (Mahâbharata, Ramayana) exaltent une rédemption hors des renaissances, grâce à des dieux de salut (Vichnou, Krischna, Siva, etc.). Parallèlement la notion de dieu suprême se forme et s'intellectualise avec le super-théisme brahmanique. Comme en Egypte, avec le progrès de la civilisation, les deux aspirations se développent, l'une qui tend à reconnaître un grand dieu spirituel, universel (Brahma), l'autre qui cherche l'immortalité, hors du cycle des renaissances, grâce au salut.

La lutte et la tendance à l'absorption mutuelle entre la conception de salut vichnouiste et la conception spiritualiste brahmanique évoque le rapport Osiris-Râ. (Notons en passant que comme Osiris Vichnou a été originairement symbolisé par le phallus.)

La méditation philosophico-scolastique sur la base des Vedas, des Brahmanas, des Upanishads, des Puranas, aboutit à partir du VIIIe siècle av. J.-C. à des spéculations que rappelleront celles de l'école d'Alexandrie. Ces analogies idéologiques vont de pair avec les analogies économiques fondamentales. Le haut degré de développement d'Alexandrie, cité la plus évoluée de toute la Méditerranée aux IIe et IIIe siècles après J.-C., n'a eu d'analogue que le haut degré de développement des Indes dans les siècles antérieurs et postérieurs au christianisme. Ici comme là, même littérature raffinée et sensuelle, même cosmologie syncrétiste qui cherche les rapports et l'identité de l'homme et du divin et y mêle le salut, même désir de participer à l'immortalité suprême d'essence cosmique. La philosophie hindouiste, en marge des mythes de la religion vulgaire, mais les utilisant comme métaphores et symboles pour ses recherches, va essayer de connaître les rapports et la vraie nature de l'atman (l'âme) et du brahman (le verbe divin, l'essence créatrice du monde), afin que la mort soit l'accomplissement de l'atman au sein du brahman.

Au VIe siècle av. J.-C., un homme se dégage de la mythologie, du salut, des cultes, et en même temps de la spéculation intellectuelle raffinée sur l'atman et le brahman ; il réalise un miracle de religion qui n'est que pure philosophie, de philosophie qui n'est que pure religion, d'athéisme qui n'est que pur mysticisme, de mysticisme qui n'est que pur athéisme : c'est le Bouddha Çakya-Mouni. Mais, trop nu pour être philosophique, trop laïque pour être religieux, l'évangile du Bouddha se disloquera au profit de grandes tendances préexistantes ; aux Indes, il est récupéré et dissous par la scolastique brahmaniste, tandis que les dieux de salut lui font barrage ; et là où le bouddhisme s'épanouira, c'est-à-dire en Chine et au Japon, il s'entourera de dieux et de génies, de paradis et de rédemption, de cultes et de mythes, et il coexistera avec le « Tao », qui correspond au Brahman et au Logos. Le concile bouddhique, réuni par Açoka pour évangéliser le monde, n'a pu aboutir : ni le salut, qui s'accroche à l'immortalité du corps, ni la philosophie religieuse, qui s'accroche à l'immortalité de l'âme ou de l'esprit, ne se sont laissé vaincre.

L'apogée de toutes ces tendances se situera à l'apogée de la civilisation indienne, à l'apogée de l'économie internationale qui, à travers l'Inde, relie la Méditerranée à la Chine. L'Inde est alors le vrai centre intellectuel du monde. Sa science est aussi avancée que la science grecque. Sa philosophie tend à unir en un grand syncrétisme religieux les éléments du brahmanisme, du djaïnisme, du bouddhisme.

Mais la sauvage invasion des Huns ruine l'empire Goupta (IVe siècle). Libérée au VIe siècle, l'Inde se retrouve en économie fermée. L'Occident est entré dans la barbarie, l'économie internationale est brisée ; une sorte d'Inde féodalisée correspond à l'Occident encore plus asphyxié des Carolingiens. Comme en Occident, le trésor culturel se recroqueville à l'intérieur des monastères, chrysalides des siècles barbares. Au XIXe siècle, le grand mouvement syncrétiste se réveillera avec Rama-Krishna et Vivekananda. Il s'efforcera de concilier toutes les croyances, y compris les croyances occidentales de salut, dans une grandiose gerbe d'amour offerte au monde et à l'homme.

Le caractère remarquable de la pensée hindoue est qu'elle tend toujours au syncrétisme, qu'elle ne se résigne pas à laisser séparées les tendances qui se disputent l'individu, s'affrontent et se mêlent en lui. Elle veut intégrer le maximum de *richesses dans la mort.* Peut-être est-ce cette richesse, cette ferveur syncrétiste, qui émeut tant ceux qui se tournent vers l'Orient [11] pour y faire le pèlerinage aux sources.

11. On voit bien entre parenthèses que la culture hindoue n'est pas hétérogène à celles du monde antique et moderne. On y retrouve les mêmes problèmes de la religion, de la philosophie et de la mort, et les mêmes tentatives pour les résoudre.

L'Occident a également connu la métempsychose, avec l'orphisme et

La Grèce antique est peut-être le plus bel exemple concernant notre propos : c'est la seule civilisation, avec la Chine, où la philosophie arrive à se dégager très tôt de la religion et pousse jusqu'au bout ses conséquences. Aussi le développement des conceptions de la mort suit une marche assez *libre.* Deux causes essentielles : la Grèce a évité la monarchie, en repoussant l'invasion perse, et Athènes a su à la fois se dégager de l'oligarchie et de la tyrannie du VIIe au Ve siècle.

Au Ve siècle, toute la conscience démocratique diffuse se polarise à Athènes comme toute la conscience oligarchique diffuse se polarise à Sparte. Peut-être, sans la pression ennemie de Sparte, Athènes n'aurait-elle pas été Athènes. Athènes réussit une démocratie qui élargit les privilèges de l'oligarchie aux citoyens libres, et évite la *tyrannie.* Au sein de cette démocratie ploutocratique, où la dialectique motrice de la lutte de classes ne se laissera pas stopper ni figer pendant un siècle et demi, où tous les hommes libres participent à la vie publique tandis que convergent vers le Pirée les navires de la Méditerranée avec leurs cargaisons de richesses et de croyances multiples, prendra son essor l'individualité la plus haute, la plus sensible, la plus ouverte à tout ce qui concerne son être propre.

Dans toute sa civilisation, l'Athénien se montrera disponible à la fois aux jeux et à la réflexion, à la pratique et au connais-toi toi-même, au physique et au métaphysique, à l'universel et au particulier, à l'extase et à la raison, au « dionysiaque » et à

---

le pythagorisme. Sa recherche de la purification de l'âme existe également dans les mystères, les religions de salut, et aussi dans les philosophies ascétiques. Son yogisme est en germe dans le stoïcisme et le monachisme. Sa philosophie de l'être et de l'unité de Dieu, on la retrouve plus ou moins pure dans toute la philosophie d'Occident. Et réciproquement il existe même un atomisme matérialiste hindou (le Kâyata), un évolutionnisme matérialiste chinois (Tchou-Hi). Si les conceptions magiques primitives (micro-macrocosme, analogie), communes à l'Occident et à l'Orient, sont plus proches de la conscience orientale que de la conscience occidentale, elles ne se sont pas moins manifestées en Occident par toute une tradition ésotérique, occultiste, et par le romantisme européen. Seul le bouddhisme est unique, non par son contenu, mais par sa forme si simple et si émouvante, comme le christianisme est unique non par son contenu de salut, mais par la forme de ce salut. L'Orient mystérieux est à la fois autre et nôtre.

l' « apollinien ». Jamais encore l'homme n'avait aussi totalement recouvré et assumé, sur un plan supérieur, sa double exigence anthropologique, le double mouvement de ses participations et de son auto-détermination. C'est pourquoi toutes les idéologies de la mort sont présentes dans l'Athènes du ve siècle.

Le salut va se dégager du culte à la déesse mère, Demeter, qui deviendra en quelque sorte culte officiel avec le rattachement d'Eleusis à la cité, et également du culte de Dionysos encore barbouillé de barbarie totémique, importé de la Thrace sauvage. Dans la foulée des grands mages présocratiques, c'est à Athènes, comme nulle part ailleurs, que la philosophie va se décanter de la religion : toutes les possibilités spéculatives seront, dès lors, tentées, et une conception de la mort athée, absolument dépouillée de toute immortalité, affirmant que l'homme seul est la mesure en toute chose, apparaît au grand jour à partir du ve siècle.

Et, comme nous le verrons, notre civilisation offre le même éventail de tendances. Avec certains aspects du protestantisme, la religion est devenue plus universelle, le Père a repris du poil de la bête sur le Fils. La philosophie, se détachant lentement de la religion, a tenté de prouver l'unité de l'âme ou de l'esprit avec le divin. Enfin, après des siècles de persécution, l'athéisme a pu s'affirmer plus ou moins librement.

Ainsi, on retrouve toujours les trois grandes directions, les trois grandes sollicitations. Il s'agit maintenant d'examiner leurs significations sociologiques et anthropologiques, leur vérité.

5
Le salut

1. L'immortalité du salut.

Le salut, avons-nous vu, implique la dévalorisation du « double » et la promotion de l'âme qui veut survivre à la ruine du corps, voire s'assurer un corps immortel. Il implique également l'intervention *salvatrice* d'un dieu qui arrache les hommes à la mort.

Le dieu du salut est celui dont l'homme utilise la force de résurrection afin de ressusciter lui-même et *de même.*

Les divinités qui vont le plus facilement se transformer en divinités de salut sont celles des cultes agraires. A l'origine du salut, on trouve le plus souvent, soit la déesse terre-mère qui porte en son sein la force de résurrection, soit le dieu de la végétation, qui meurt et renaît. Ce sont eux qui, déjà, prennent en charge le renouvellement printanier de la nature. Souvent la déesse de salut est accompagnée de son parèdre mâle qui la féconde (Cybèle et Attis) ou le dieu de salut de son épouse qui le fait renaître (Osiris et Isis). D'autres dieux cosmiques, dans la mesure où ils peuvent impliquer une mort-renaissance, comme le Râ solaire égyptien, pourront à leur tour devenir dieux de salut.

Les divinités de salut s'éloigneront de plus en plus de leurs racines agraires et se rapprocheront de l'homme urbain. Ce n'est plus seulement la végétation, la terre féconde, la vie animale qu'elles feront renaître ; l'homme lui-même dans sa mort bénéficiera de ce mystère sacré. Ces divinités s'humaniseront de plus en plus pour tendre à un type de dieu-héros dont la ressemblance avec l'homme sera pour celui-ci le gage absolu d'une identité dans la résurrection. Le dieu à l'image des mortels ouvrira la voie la plus certaine à la résurrection des mortels. Les cultes vont se transformer : à côté et à l'intérieur de la religion ancienne apparaîtront les mystères et les rites de l'acquisition de l'immortalité. Les pratiques et croyances concernant l'entretien et la survie du double cesseront d'avoir la prédominance au profit de ceux concernant l'acquisition de l'immortalité.

Le thème du salut, latent déjà dans de nombreuses invocations aux morts, s'exalte dans les *mystères* qui, en se diffusant, rongent l'ancienne religion et la renouvellent. Ainsi les mystères d'Eleusis, issus du culte à la déesse-terre-mère, Demeter : le rite est une pantomime de la mort et de la renaissance de Perséphone, fille de Demeter, qui, comme la graine, ressuscite du retour au sein maternel. Le mystère consistera à faire de la mort humaine, non plus la survie morne des ombres, mais une vie totale, une résurrection analogue à celle de Perséphone. « Celui qui n'est pas initié et n'a pas participé à ces saintes cérémonies *n'aura pas un sort égal* après sa mort, dans les mornes ténèbres de l'Hadès. » A Eleusis, la mort devient un bienfait. Erwin Röhde, dans *Psyché,* a admirablement saisi le caractère neuf du culte éleusinien (p. 230). « Là devait se désaltérer la soif d'une espérance, au-delà... de l'existence inconsistante des ancêtres qu'on honorait dans le culte de la famille... Pareils désirs s'éveillaient chez beaucoup d'hommes. Les impulsions qui les firent naître, les mouvements intimes qui leur donnèrent essor nous sont cachés par l'obscurité qui recouvre la période la plus importante de l'évolution du peuple grec, le VIIIe et VIIe siècle... Un fait nous montre que ces désirs se firent jour et gagnèrent en puissance : les mystères d'Eleusis. »

De même, les mystères « orphiques » se dégagent du culte barbare thrace de Dionysos, dieu phallique de la végétation. De même les mystères osiriens, d'abord simples cultes de la végétation, deviennent cultes d'immortalité. De même le salut dans l'Inde se développe à partir du culte au dieu phallique (Vichnou) ou à la déesse mère (Kali).

Les dieux de salut vont dès lors se concentrer sur la mort

humaine. Comme le dit Briem[1] : « Si différentes qu'aient été les religions de mystères aux diverses époques et parmi les divers peuples, on y trouve cependant une préoccupation fondamentale commune : le problème de la mort... Tous ont apporté aux hommes un message : celui de la victoire de la vie sur la mort. » Que le dieu de salut soit mâle ou femelle, animal ou humain, extra-terrestre ou terrestre, le thème fondamental, le drame même du mystère reste identique : c'est la lutte contre la mort.

Lutte terrible : les forces de mort remportent toujours un premier succès (mort d'Osiris, de Perséphone, de Sérapis, d'Orphée, de Jésus), mais la victoire se renverse et devient victoire sur la mort. Quoique dépecé par les bacchantes, dévoré par les Titans (Orphée), quoique coupé en morceaux et dispersé aux quatre coins de l'univers (Osiris), le dieu de salut renaîtra et *prouvera* que la mort la plus horrible, la plus désintégrante, peut être vaincue. Victoire inoubliable qui ruisselle sur les humains. Que les hommes miment le dieu qui meurt, qu'ils participent à sa passion, qu'ils se remettent à lui, au cours des cérémonies de mystère où le drame divin est *représenté* et *vécu :* alors ils connaîtront, par-delà la mort, la jeunesse éternelle, le corps glorieux et impérissable, la véritable immortalité.

Régressivité et progressivité fondamentales du salut.

Le salut brise l'évolution de la divinité qui tendait à s'éloigner de l'homme, s'universaliser, se « philosophiser ». Il fait revenir avec violence l'immortel sur le mortel, pour qu'il l'immortalise. Il rompt entre l'homme et le dieu universalisé les rapports intellectuels et introduit, ou plutôt réintroduit, l'*extase*. L'extase, c'est la communication immédiate avec le dieu ; la *participation mimétique* primitive est ici recherchée délibérément, selon des techniques et un rituel appropriés.

Toute religion de salut entretient et s'entretient par l'extase, et l'extase entretient à son tour la replongée dans la conception analogique (anthropo-cosmomorphique), favorisant le retour à la magie.

1. Briem, *op. cit.*

Mais l'extase n'est qu'un élément : en fait, c'est l'élan même du salut qui, sur tous les plans, appelle la régression magique, et la grande magie qui fait l'efficacité du salut est évidemment celle de mort-renaissance.

Comme dans l'intchyuma, le fidèle mange la chair ou boit le sang du dieu pour participer à son essence glorieuse. Les eaux de mort-naissance retrouvent leurs vertus infinies. Jean-Baptiste, salutiste à l'état sauvage, baigne ses disciples dans le Jourdain ; le baptême, l'immersion, l'aspersion, etc., prennent une importance renouvelée.

Et surtout, au cœur du salut, il y a l'*initiation* et le *sacrifice*. Toute initiation, comme nous l'avons vu (p. 132-134), est en elle-même une mort suivie de renaissance, et le salut surimprime la mort-renaissance de l'initié à la mort-renaissance du dieu qui lui donne son sens et son efficacité. Ainsi, l'initiation du salut est encore plus clairement et concrètement chargée de mort et de renaissance que l'initiation préhistorique. Aux mystères d'Osiris, le néophyte se faisait entourer de bandelettes, puis enfermer dans un cercueil : les chants mortuaires s'élevaient, accompagnés des rites de résurrection : alors, initié, il se relevait, mûr pour la grande résurrection de la mort.

Enfin, le fondement magique essentiel du salut est le sacrifice de « mort-renaissance », le sacrifice-du-dieu-qui-meurt-pour-ressusciter. Les symboles du dieu de salut sont, à eux seuls, suffisamment éloquents : ce sont des symboles sacrificiels, Dionysos ou Mithra sont des dieux-*taureaux,* Jésus est aussi *l'Agneau pascal,* dont le sacrifice, selon la loi mosaïque, consacre le « passage ». Le passage pascal est le grand passage cosmique à la résurrection, au printemps...

Que seul le sacrifice le plus horrible et le plus sacré soit de taille à surmonter la mort montre à quel point, dans les civilisations évoluées où apparaît le salut, le soleil noir de la mort a rongé la conscience. Il suffit de songer à l'horreur du meurtre d'Osiris, de Dionysos, à l'effroyable crucifixion de Jésus !...

La régressivité du salut explique également qu'à son premier stade il ait été un « mystère », c'est-à-dire secret. Le salut, de même qu'il revigore l'initiation, ressuscite la « société secrète ». Le secret, c'est originairement le sacré. Les cultes du salut ont donc ici encore un caractère archaïque, par rapport aux cultes des dieux « normaux ». Peut-être le secret des mystères va-t-il être renforcé par un désir frénétiquement jaloux de garder occulte une immortalité infiniment précaire et précieuse : c'est pour moi, ce n'est pas pour toi. Les premiers bénéficiaires du salut ont été les chefs et les chamans, puis les initiés de la classe dominante, tandis que les croyances concernant la survie du double se perpétuaient dans les classes folkloriques (populaires). (Ce qui nous confirme que le salut, si régressif soit-il, correspond à un stade de l'individualité ultérieur à celui de « double ».)

Tout ceci illustre le caractère névrotique (car toute névrose est régressive) du salut. Dans la mesure où le désir d'immortalité qu'elle traduit est incapable de se satisfaire des données contemporaines de la conscience religieuse ou laïque, dans la mesure où elle fait appel régressivement aux ressources les plus archaïques de l'esprit humain, la religion de salut mérite la définition freudienne de « névrose obsessionnelle de l'humanité ».

Mais d'autre part, cette névrose et cette régressivité sont déterminées par une exigence d'immortalité nette, claire, détachée du double ; elles traduisent donc aussi la *progression* de l'individu dans la conscience de lui-même. C'est une revendication *vraie* qu'exprime le salut. Cette revendication, le salut va l'appeler *foi*. Par la suite, dans la polémique ininterrompue qui opposera la « raison » à la « foi », la foi désignera sans cesse à la raison le gouffre de la mort. Le refus de la mort, c'est la foi elle-même, son noyau irréductible. La foi, c'est le « il ne faut pas que je meure ». Le salut répond à une exigence anthropologique essentielle de l'individu, qui craint la mort, et veut en être *sauvé*[2].

La diffusion du salut.

Le développement du salut coïncide avec celui des sociétés

2. Le salut est de ces névroses collectives qui permettent la santé individuelle : si sa foi est assurée, le croyant retrouve un équilibre de pierre, et toute la richesse humaine.

historiques, et de ce qu'on a pu appeler le capitalisme antique [3]. Rien, dans les civilisations évoluées, à déterminations urbaines, ne pourra faire barrage au salut, même au sein des sociétés les moins « mystiques ».

La philosophie religieuse brahmanique n'empêchera pas aux Indes l'essor du salut chez les nobles, puis les commerçants, et enfin les parias, de même que la mystique dépouillée du Nivarna n'empêchera pas le bouddhisme vulgarisé d'apparaître comme un salut conduisant au paradis doré, où pousse le lotus géant, où dansent les belles Apsaras au son d'une divine musique.

Dans le monde méditerranéen, l'évolution conquérante du salut sera remarquable ; d'une part, il va se démocratiser avec les progrès de l'économie urbaine et s'ouvrir aux esclaves et aux femmes, parallèlement à leur émancipation, ou précédant et annonçant cette émancipation ; d'autre part, il va submerger les anciennes divinités. Enfin, il tend à *s'unifier,* au sein de l'empire romain unique.

A l'époque hellénistique, les mystères grecs et les mystères orientaux pullulent, se mêlent, et syncrétisent plusieurs de leurs éléments. Les cultes d'Osiris, Mithra, Adonis, Dionysos, Attis, Tammouz, etc., tendent à devenir interchangeables. Ambivalents par surcroît, ils tendent à intégrer en eux le besoin intellectualiste d'une religion cosmologique rationnelle et les besoins passionnels de salut, car, avons-nous vu, la religion est bicéphale, tiraillée entre les deux tendances qui, tantôt se séparent, tantôt coexistent autour du même culte.

Les siècles de la grande communication méditerranéenne (ère hellénistique, puis ère romaine) vont être les grands siècles des cultes à mystères. Ceux-ci, lorsque l'empire romain aura intégré la civilisation hellénistique, se répandant au cœur de la cité conquérante, y désagrégeront les dieux latins. Alors la concurrence est ouverte pour un grand culte syncrétiste universel.

3. Certains historiens répudient ce terme de « capitalisme » appliqué à l'Antiquité. Mais il s'agit pour nous, ici, d'envisager non la rigueur d'une définition économique, mais la tendance d'une évolution historique.

Le culte de Sérapis, nouvelle incarnation syncrétiste d'Amon-Râ et d'Osiris, va prendre une extension inouïe. Il réussira à devenir culte officiel de l'empire romain. Victoire dérisoire. Ce sera un outsider, le culte de Jésus, qui obtiendra la catholicité.

2. Le Christ et la mort.

Jahvé : La digue.

Le dieu juif Jahvé, dès ses origines mosaïques (VIIIe siècle avant J.-C. environ), dans la mesure où il proscrit toutes les formes élémentaires de la mystique, dans la mesure où il tend à être dieu de l'univers, est très proche du type divin le plus évolué, de l'Aton égyptien. Mais en même temps, son universalité est la plus particulière — elle ne vaut que pour le peuple élu, possesseur de l'Arche d'alliance — la plus primitive, la plus anthropomorphique : Jahvé a les colères, les pardons, les brutalités, non pas d'un dieu intellectuel, mais d'un père patriarche, tyrannique et farouche.

Il semble bien que Jahvé ait été fréquemment refoulé durant la période agraire de Chanaan par des divinités locales de la fécondité et de la terre, comme le laisse entendre la Bible qui dénonce sans relâche les retours d'idolâtrie au sein des tribus d'Israël. Mais toujours est-il que triomphe à nouveau Jahvé, le dieu unique, universel, jamais représenté, vide de toutes préoccupations de salut, mais protecteur terrestre des enfants d'Israël.

Avant Jahvé, les Juifs ont connu l'archaïque conception des Esprits (Doubles). N'oublions pas que le premier nom du Dieu de la Genèse est *Elohim,* c'est-à-dire les Esprits-Dieux dont le pluriel, enfermé dans un singulier-sujet unificateur (au commencement Elohim *a* séparé le ciel et la terre), constitue la substance originaire de la divinité.

D'autre part, on voit subsister après Moïse les traces du culte familial des ancêtres et la présence des doubles archaïques, avec leurs pouvoirs surnaturels (lorsque, par exemple, Saül fait invoquer par la pythonisse l'ombre de Samuel).

Mais, lorsque la civilisation d'Israël s'urbanise, avec David et Salomon, l'antique conception de la survie des doubles paraît atrophiée ; les *ghosts* primitifs semblent bien racornis, dans la vie larvaire du Chéol, où se confondent les ombres. Toutefois, les aspirations de salut ne trouvent pas de cadre où s'exprimer : en effet, la paternité jalouse de Jahvé a réussi à mater les divinités de salut concurrentes d'Asie mineure, à leur interdire l'accès d'Israël, de même qu'elle ne veut pas connaître les cultes agraires de fécondité et de résurrection à travers lesquels pourrait se développer le salut. Jahvé frappe et maudit tout culte autre que le sien, et les Juifs sont sommés de choisir entre leur père protecteur qui sauve la race de la mort, mais ignore l'individu après la mort, et les dieux étrangers, ennemis d'Israël, mais qui promettent une individualité victorieuse de la mort. Jahvé est le frein terrible qui s'oppose à la transformation religieuse, à l'expulsion des angoisses de mort qu'appelle la transformation sociale. Cependant, dès cette transformation, c'est-à-dire dès le VIe siècle avant J.-C., s'esquisse, avec les prophètes, l'idée de salut individuel, réservé aux justes et aux bons. « L'âme qui pèche, c'est celle-là qui mourra... la méchanceté du méchant sera sur lui », dit Ezechiel. Au IIe siècle apparaît la croyance en la résurrection des morts. Isaïe s'écrie : « Que tes morts ressuscitent, que les cadavres se relèvent. Réveillez-vous et chantez de joie, habitants de la poussière » (XXVI, 19). Les Esséniens forment déjà une présociété de salut [4]. Mais il n'y a toujours pas de mystères, au sein de la religion d'Israël, qui puissent servir de cadre à la mort-résurrection du Dieu-héros. Aussi le Héros vint de lui-même, simple fils d'un charpentier de Nazareth, sur la terre réelle et dans la vie réelle. L'ultime fleur de salut méditerranéenne s'épanouit sur la souche de David. Le grand mystère chrétien naît de la personne de Jésus.

Et ceci explique déjà trois caractères fondamentaux du salut chrétien : 1. ce n'est pas un culte quelconque qui va se transformer en mystère, mais une aspiration longtemps refoulée par la religion officielle, et dont la puissance exaltée se révèle capa-

4. La découverte des manuscrits de la mer Morte nous montre que s'élaborent les éléments du mystère, avec déjà un héros-dieu (Maître de Justice).

ble d'en rompre les digues ; 2. c'est une religion de salut à l'état *naissant* qui exprime en elle avec une pureté et une profondeur sans mélange le désir de résurrection ; 3. c'est une religion *vécue, actualisée.* Même si Jésus n'a pas existé, il est considéré comme un presque contemporain par ses fidèles [5]. Ils connaissent les lieux de sa vie, de sa passion, de sa mort. Jésus a ressuscité, non pas dans l'éternité, mais hier ; sa gloire approche, non pas pour l'éternité, mais pour demain. C'est parce qu'il apporte une telle *actualisation* que la force de conviction du christianisme est si violente. Les autres mystères apparaissent comme des jeux, comme du théâtre, face au salut concret qui vient de s'incarner.

Cette force contenue dans le salut chrétien, cette pureté naissante, cette actualisation charnelle, elle devait s'universaliser sous la pire des contraintes, et grâce à la pire des contraintes : la persécution. Et tout d'abord la persécution des premiers chrétiens par l'Eglise juive : celle-ci, rejetant le christianisme de son sein, l'oblige déjà à se dégager du particularisme juif et à se retourner vers les « gentils ». Et presque en même temps, la répression romaine, à la suite des révoltes de 70 et 136, extermine, déporte, liquide les Juifs de Palestine. Le christianisme, après avoir perdu son substrat religieux national, perd son substrat ethnique national. « Il n'y a plus de Juifs, ni de gentils » (Paul). Et pas seulement dans le sens où l'entendait Paul. Le voilà plus pur que jamais, dépouillé de toute particularisation, dépouillé de toute armature religieuse préexistante au salut, dépouillé de tout ce qui n'est pas promesse, de tout ce qui n'est pas son évangile, sa *bonne nouvelle.* Et il apparaît tel au moment où du monde romain fusent de toutes parts les appels à l'immortalité, où les mystères qui pullulent sont en train de détrôner les anciens panthéons, d'assassiner lentement « le grand Pan ».

5. Ceci est la raison pour laquelle nous croyons en l'existence de Jésus, contrairement (mais non en contradiction) à l'explication mythique de Jensen (transposition du mythe de Gilgamesh), de Robertson et Couchoud (Jésus, héros d'un drame sacré représenté dans les cercles d'initiés juifs ou enjuivés, parti des basses couches du peuple nazaréen), de B. Smith (mythe du jeune dieu qui meurt et ressuscite pour l'exemple).

Le moment où la religion juive éclate en religion de salut à la périphérie du monde romain et débouche sur le salut païen, est le moment effectivement universel du judaïsme et du paganisme : c'est le christianisme.

Le christianisme est l'ultime religion de salut, la dernière qui sera la première, celle qui exprimera avec le plus de violence, le plus de simplicité, le plus d'universalité *l'appel de l'immortalité* individuelle, la haine de la mort. Elle sera uniquement déterminée *par la mort ;* le Christ rayonne autour de la mort, n'existe que pour et par la mort, porte la mort, vit de la mort. Le christianisme, face à la mort, est par rapport aux autres religions de salut dans la même situation que l'homme par rapport aux anthropoïdes. Né d'une branche latérale progressive-régressive de la religiosité antique (le mosaïsme), il est un type indéterminé, quasi fœtal, indifférencié, naissant, de salut ; il est ouvert à toutes les aspirations, à tous les complexes humains face à la mort, et de ce fait, il va se révéler général, progressif, conquérant, toujours en mouvement et en mutation, toujours riche. Il va conquérir l'Empire, lui survivre, et se répandre dans le monde.

Le salut à l'état naissant.

En tant que mystère naissant, naïf dans sa fraîcheur nazaréenne, charpenté dans sa simplicité paulinienne, le salut chrétien a un rituel élémentaire, qui lui ouvre l'universalité. Il n'a pas besoin de temples ; il se pratique au sein de la nature-mère, puis, durant la persécution, dans les cavernes et les catacombes imprégnées de mort-renaissance. Saint Paul rejette la circoncision et les tabous alimentaires juifs. L'initiation est réduite à son élément même, au baptême , c'est-à-dire à la plongée dans les eaux-mères (qui fut aux premiers temps de l'Eglise une immersion totale), ce qui nous ramène encore au cœur même de la magie primitive de mort-renaissance. La communion mystique de résurrection est réduite également à l'absorption du pain et du vin d'immortalité qui sont le sang et le corps du Christ. Certes, dans toute l'Asie occidentale, les croyances en une nourriture d'immortalité et une boisson d'immortalité (eau ou eau-de-vie, ce nom donné à la liqueur d'extase, est d'ailleurs éloquent) s'étaient perpétuées. Mais elles n'avaient jamais été aussi fortement et simplement intégrées dans *l'acte mystique de dévoration* du Dieu lui-même. Les caractères de la communion chrétienne évoquent si évidemment le repas totémique qu'il est inutile d'y insister. Par la suite, la messe reconstruira un rituel assez compliqué, mais comme l'a dit Jung après tant d'autres, « les symboles de la messe sont si transparents qu'à travers chacun d'eux on distingue la mythologie de cet acte sacré : c'est de la magie de réenfantement[6] ».

Ainsi donc, tout le rituel chrétien primitif baigne dans les analogies les plus élémentaires et les plus profondes de mort-renaissance, dans la magie la plus émouvante. Et c'est sur cette base que s'édifieront les superstructures ultérieures, catholiques et orthodoxes.

De même, le mythe chrétien est un mythe naissant à l'état nu, indéterminé et mystérieux. Tous ceux qui essaieront de déterminer les rapports internes de la Sainte Trinité, d'y établir une hiérarchie rationnelle ou logique, s'y casseront la tête ou se la feront casser. La victoire de l'Eglise sur les hérésies des IIIe et IVe siècles, c'est la victoire de l'indétermination mystique de la Trinité ; d'une part sur les tentatives de hiérarchisation barbares qui (subordonnant le fils au père) risquent d'engloutir le mystère du salut ; d'autre part sur les tentatives de déterminations plus ou moins logiques des « intellectuels » qui, pour vouloir « clarifier » le problème, se feront condamner ou châtier, sort ordinaire des intellectuels qui cherchent des explications quand il s'agit de croire.

Le Dieu-créateur-père, le Dieu-rédempteur-fils, le Saint-Esprit-mana restent dans une indétermination bienheureuse, qui coupe court à toute cérébralisation desséchante. C'est vrai parce que c'est absurde, justement parce qu'on n'y comprend goutte. Cela dépasse l'entendement humain. Inutile de se demander si le fils est un homme devenu Dieu, ou un dieu devenu homme ; la logique « mystique » commande : il est Dieu et il est homme.

6. Jung, *Métamorphoses et Symboles de la libido.*

La culpabilité et la mort.

Mais au cœur du salut naissant, neuf, spontané, au sein de cette fraîcheur rédemptrice nouvelle, est tapie l'antique malédiction juive : *la culpabilité.*

La culpabilité est une des données premières de la conscience individuelle : elle est le sentiment même du Moi, angoissé par la différence qui sépare le Soi du Sur-moi. A ce titre, on ne peut séparer la culpabilité du complexe d'Œdipe, c'est-à-dire des drames originaires de la conscience infantile, qui sont déterminés par les rapports avec les parents. Mais la culpabilité œdipienne évolue avec l'évolution de la famille. Et d'autre part, la culpabilité n'a pas pour fondement unique la culpabilité œdipienne. Au sein de la société, dès l'âge adolescent, les drames où s'affrontent les puissances du Sur-moi, du Soi, et du Moi sont à leur tour générateurs de culpabilité. Plus le Sur-Moi sera intériorisé, c'est-à-dire plus l'éthique sera l'affaire de la conscience individuelle, plus la crainte de la répression objective se transformera en angoisse de culpabilité, en remords, en mauvaise conscience. La culpabilité diffuse, s'accroissant sans cesse, accompagne le progrès de la civilisation. La conscience de la mort entretient de son côté cette culpabilité diffuse : dans la conscience archaïque, avons-nous vu, la mort est ressentie comme un maléfice, voire même une vengeance ou un châtiment. La mort des parents (voir p. 169-170) est obscurément ressentie comme l'aboutissement des souhaits de mort du fils survivant...

C'est parce que les sources de la culpabilité sont multiples, diffuses, que celle-ci rôde, indéterminée, insaisissable, dans le monde méditerranéen antique. Et il semble bien que les progrès de l'angoisse de culpabilité, ceux du salut et ceux du capitalisme soient liés. Non pas mécaniquement certes, parce que sur un autre plan le capitalisme apporte aussi l'échange, l'entreprise libre, l'aventure, le mépris socratique de la mort, comme nous le verrons plus loin. L'irruption du christianisme va « précipiter », fixer cette culpabilité latente et en faire le noyau de la mort, en intégrant et universalisant la culpabilité juive.

Celle-ci s'est enracinée en Israël à travers le rapport fils-père que le peuple élu entretient avec son dieu. Ce rapport s'est peut-être définitivement arrêté dans le désert, à la suite, pensons-nous, de la grande régression juive qui aurait suivi le départ d'Egypte. Ce peuple, qui participa sûrement à la grande civilisation du Nouvel Empire (XVe et XIIIe siècle), s'est trouvé brusquement réduit à la vie pastorale nomade, appauvrie. C'est alors que la culpabilité œdipienne, renforcée sans doute par le resserrement de la structure patriarcale consécutif au nouveau genre de vie, s'est fixée dans le rapport peuple élu-Dieu paternel. Et ce rapport a été sans cesse ranimé et amplifié par les tribulations et les malheurs d'Israël. Toute captivité et toute servitude juives, fortifiant d'autant Jahve, contribuent à liquider les « idoles ». « Au secours, Père », tel est l'éternel cri du peuple juif, de l'éternel peuple enfant parce qu'il est l'éternel peuple abandonné, de l'éternel peuple abandonné parce qu'il est l'éternel peuple enfant. Ce cri d'enfance abandonnée sera encore plus ardent avec la captivité de Babylone, et les servitudes ultérieures.

Les prophètes juifs (IIIe et Ier siècles av. J.-C.) apporteront l'abandon et la culpabilité à ce qui sera le christianisme ; mais celui-ci les universalisera. Il suffira que soit levée *l'hypothèque ethnique et nationale* pour que cette universalité éclate au grand jour, et pour que l'humanité méditerranéenne reconnaisse son propre malheur infantile — malheur de vivre des misérables, malheur de mourir des riches et des puissants.

Le judaïsme, à travers le Christ, apporte donc un « archétype » du rapport homme-Dieu où se cristallise la culpabilité, elle-même stade fondamental du progrès de la conscience individuelle. Le christianisme centrera toute cette culpabilité sur le problème de la mort et du coup il la rachètera avec son salut. *La mort n'est autre chose que le châtiment du péché,* c'est-à-dire de l'acte sexuel.

Cette idée était contenue dans la Genèse, avec la fable du péché originel, mais elle était toujours restée en marge, inexploitée, en friche, refoulée. Le christianisme, et surtout le christianisme de Paul (L'aiguillon de la mort, c'est le péché, *I Cor.*, XV, 56) approfondit incontestablement la culpabilité œdipienne en y mettant à nu la racine sexuelle. Et du coup il apporte en même temps l'explication la plus profonde de la mort puisque la nécessité interne de la mort, dans l'histoire des espèces vivantes, apparaît avec la sexualité. Une fois de plus une idéologie régressive permet, par-delà le contenu préhistorique des croyances, par-delà même le contenu animal, de retrouver un secret biologique enfoui sous l'épaisseur de l'espèce ! Et là réside une des grandes vérités anthropologiques du christianisme : sa haine confondue du péché et de la sexualité, c'est la haine de la mort !

Nous pouvons maintenant comprendre pourquoi l'idée du péché originel, apparemment la plus grotesque et la plus absurde qui soit, est aussi enracinée dans l'humanité, aussi rayonnante d'évidence dans la théologie chrétienne qui la tient entre ses mains comme un aveugle portant le soleil. Anathème quiconque affirme qu'Adam ait été créé mortel ! C'est la sexualité qui a créé la mort. « La corruption et la mort ont été introduites dans le monde par le péché » (saint Jean Chrysostome). « Par le péché, la mort est entrée dans le monde... la mort comme crise, comme rupture de notre vie, la mort comme principe de connaissance, la mort comme notre désespoir et notre espérance — le revers du péché invisible — et le revers de l'invisible justification [7]. » En fixant la culpabilité sur le péché-qui-cause-la-mort, le christianisme transforme radicalement le salut, qui, jusqu'alors ouvertement tourné vers la sexualité, s'épanouissait dans un coït plus ou moins symbolique. Ce qui ne veut pas dire qu'il chasse la sexualité ; celle-ci se mue en son « négatif ». De même que l'hystérie transforme la fille folle en vierge intouchable et insouillable, de même la culpabilité chrétienne transforme la Déesse-Mère ou la Grande Prostituée en Vierge immaculée, le fils sauveur en dieu asexué, et le pouvoir géniteur du Père en verbe spirituel. La sainte Trinité virginale rachètera toute la sexualité du monde.

Toute une tendance antisexuelle va se dégager du christianisme ; prêchant l'abstinence et le célibat, elle traduira le désir obscur, non seulement de limiter le désastre de la sexualité, non seulement de mériter l'immortalité par l'asexualité, mais peut-être aussi de retourner au stade présexuel de la vie, où la mort n'existe pas. Et si l'antisexualité chrétienne a remplacé la licence sexuelle des autres cultes de salut, cela tient à ce qu'elle

7. Karl Barth, *Römerbrief*.

répondait à une question diffuse, angoissée, latente, contenue à la fois dans le complexe d'Œdipe et dans l'angoisse de la mort.

Mais l'homme, si pur soit-il, ne peut échapper au péché : il en est le fruit. Il ne peut échapper à la mort. Aussi la vraie réponse est divine. C'est la *rédemption* de la chair, c'est le rachat de la mort. Œuvre du dieu de chasteté, né d'une vierge, engendré par l'Esprit de Dieu, Jésus le vierge se charge de toute la sexualité du monde, et la rachète par son sacrifice. Il rouvre les portes de l'immortalité qui s'étaient refermées sur la faute du vieil Adam. Bouc émissaire volontaire de l'humanité, son sacrifice permet la réconciliation entre Dieu et ses enfants : les hommes. Et effectivement, en calmant la fureur du père par le sacrifice du fils, le christianisme calme à jamais la jalousie de Jahvé. Comme le voile du temple, la culpabilité se déchire au moment où le sacrifice est accompli. Dans la figuration chrétienne, Dieu le Père devient alors une sorte de Dieu-Grand-Père, paterne et lointain, qui déborde d'amour pour son fils martyr Jésus dont il a été le bourreau. Jésus le fils a expié pour tous les fils de la terre, et Dieu le Père peut désormais pardonner. Christ-roi est la réponse à Œdipe roi. C'est l'Evangile, la bonne nouvelle...

Du même coup, la souffrance humaine va prendre toute sa signification *de culpabilité, et en même temps de rédemption.*

Jamais avec une telle violence la souffrance n'avait été associée à la joie du salut. Déjà il était dit dans le Testament des douze patriarches que « ceux qui moururent dans la douleur se relèveront dans la joie » (apocryphe du Iᵉʳ siècle av. J.-C.). Jésus dit plus fortement : « Heureux les malheureux, heureux ceux qui ont faim et soif de justice. » La souffrance s'identifie mystiquement à la récompense, comme une sorte de sacrifice permanent, analogue à celui de Jésus, une espèce de mort-malheur qui fait fructifier par lui-même de la vie-bonheur, c'est-à-dire l'immortalité. L'idée de la rédemption par la souffrance est et demeure la plus grande idée magique du monde moderne.

La mort.

Nous arrivons à l' « os » même du christianisme, à ce délire de mort. Jamais l'obsession et l'horreur de la mort n'avaient encore pénétré si avant au cœur même de la vie, au cœur de l'Eros, au cœur de la conscience. « L'homme meurt dès sa naissance » (Augustin). Il meurt à chaque instant, non seulement parce qu'il se rapproche de la mort, mais parce que chaque instant porte en lui la corruption et la pourriture. L'apologétique chrétienne est une obsession nécrophage. Ne croyez jamais pouvoir oublier la mort, s'écrie-t-elle. Et elle la décèle, cachée comme le ver dans le fruit, au cœur de l'homme. « L'homme n'ayant pu supprimer la maladie ni la mort, s'est avisé que le mieux pour être heureux était de n'y point songer » (Pascal). « La mort est en vous », clame Bossuet à une tribune de rois et de princes, et avec une complaisance douloureuse, il décrit le cadavre abandonné, ce « je ne sais quoi qui n'a point de nom en aucune langue ».

Mais « Jésus-Christ... vient voir le Lazare décédé, il vient voir la nature humaine qui gémit sous l'empire de la mort » (Bossuet). « Qui croit en lui ne meurt pas » (saint Jean). Et alors s'élance, porté par les gémissements éperdus de la chair qui ne veut pas mourir, de l'esprit qui embrasse ses fantasmes, le grand cri de victoire.

Victoire totale : c'est la glorieuse résurrection des chairs, déjà annoncée par les prophètes juifs du IIe siècle, c'est-à-dire la réconciliation du « double » et du « cadavre », de l'âme et du corps, la vie immortelle de l'individu en son entier, qui veut non seulement conserver son âme et son double, mais aussi retrouver sa peau. « Le corps est semé corruptible, et il renaît incorruptible » (Paul). C'est la grande résurrection des corps chantée par d'Aubigné et Péguy, et qui n'a jamais été mise en question par vingt siècles d'hérésies.

Avec quel orgueil, jamais encore connu, saint Paul jette son défi à la mort : « Quand ce corps corruptible aura revêtu son incorruptibilité, quand ce corps mortel aura revêtu son immortalité... alors sera accomplie la parole de l'Ecriture : la mort a été engloutie dans la victoire... Où est, ô Mort, ta victoire ? O Mort où est ton aiguillon ? » (*I Cor.*, XV, 54-57.)

Avec quelle assurance ce même Paul ose affirmer : « ce m'est un gain de mourir ». Et la grande promesse s'élève à chaque page des textes sacrés ou apologétiques. « Ceux-là ne meurent pas qui paraissent morts » (Origène). « Il n'y aura plus de mort, il n'y aura plus de peine » (*Apocalypse*).

La force mystique.

Ainsi, le christianisme, en posant la culpabilité et le péché de la chair, la souffrance et la rédemption au centre de son évangile, a apporté un mythe anthropologique grandiose au moment où l'homme des civilisations urbaines se transforme. Il a apporté les « vérités du cœur », les « vérités de l'âme » aptes à victorieusement brider les vérités de la raison. Elles se sont imprimées avec une telle profondeur parce qu'elles contenaient en elles l'explication de la victoire de la mort (le « je meurs, donc je suis coupable ») et la clef de la victoire sur la mort (le « je participe au sacrifice, donc je suis sauvé »).

Aussi se dégage du christianisme une force de possession totale, une *foi* dont la violence exaltée se mesure à son pouvoir de faire des martyrs, puis des bourreaux. Pendant les cinq siècles cruciaux, il ne perdra rien de son ivresse mystique. Tout se ramène à l'impératif de la foi : croire d'abord, croire avant tout : « sans la foi, je ne suis qu'une cymbale retentissante ». La tendance intellectuelle à la vertu, qui caractérise les grandes religions où rayonne l'Etre suprême, où l'éthique se confond avec le savoir, le bien suprême avec l'intelligence, est rejetée au profit de la vertu vécue, primitive : l'enthousiasme de la foi, l'obéissance mimétique au Sauveur, l' « Imitation de Jésus-Christ ».

La foi mystique prendra le nom d'amour : amour de Jésus venu subir le supplice uniquement pour les hommes, amour mystique porté en retour à Jésus, amour communautaire des fidèles qui forment le corps vivant du Christ. Le salut devient synonyme d'amour. Le dieu de la mort est le dieu de l'amour. Dans cette identification, l'extase, anéantissement sublime d'amour qui ressemble à la mort, annonce la vie de béatitude promise pour le royaume des cieux.

Cet amour extatique déborde le monde des croyants, et va, entre autres mobiles, pousser à l'évangélisation des infidèles... Mais il ne faut pas se faire d'illusions : l'amour chrétien, dans sa réalité pratique, a de singulières limites : il est fermé, comme l'amour de la patrie. Il est amour de la patrie mystique, c'est-à-dire haine pour l'athéisme et l'idolâtrie. Le revers de l'amour chrétien, c'est l'agressivité haineuse pour tout ce qui est infidèle. L'amour chrétien n'a jamais pu se passer d'enfers. L'idée de salut universel, la seule vraiment morale, promue par Origène et Grégoire de Nysse, a toujours été condamnée par les Eglises qui, sur ce point, ne contredisent pas l'Evangile. Aux méchants la géhenne, annonce Jésus. Là ira souffrir éternellement le traître Judas, sans qui pourtant... L'enfer chrétien, avec ses affreux supplices et l'infatigable haine de Satan, sera le miroir de l'infatigable haine pour ce qui n'est pas chrétien. Le Jugement Dernier, en même temps qu'il est espérance de résurrection, traduit aussi l'éternelle aigreur des vertueux qui veulent que les autres soient maudits. Comme le dira saint Thomas d'Aquin : « Pour que le bonheur des saints puisse leur paraître délectable... il leur est permis de voir parfaitement les souffrances des damnés. » Fanatisme, intransigeance, méchanceté, sont les contreparties de cet amour violent, dont se délectent les bienheureux.

Et, ainsi, dans le christianisme primitif, tout parle le langage des sentiments, du désir anthropologique. Le mythe se défend à mort contre le symbolisme intellectualiste (Tertullien, Origène). Il demande à être vécu et cru à la lettre, par l'abandon total, la foi sans réticences. Il demeurera tel durant les siècles où se jouera son destin.

Cette régression antirationnelle exprime la revendication d'une individualité évoluée, parvenue à un point où elle est de toutes parts assaillie par l'angoisse de mort. L'essor du christianisme correspond en un sens à l'épanouissement de l'individualité antique, à la floraison de la civilisation méditerranéenne. C'est ensuite qu'il s'adaptera à la décadence et à la mort de l'Empire.

Le triomphe du christianisme : progrès, capitalisme, paix.

Le christianisme se développe pendant la paix romaine et la prospérité de l'Empire. Il se répand d'abord dans les villes d'affaires cosmopolites de l'Orient, Antioche, Chypre, Salonique,

Corinthe, Ephèse, déjà profondément pénétrées par les mystères de salut hellénistiques. Dans ces cités prospères, nulle situation apocalyptique, nulle crise fondamentale de la civilisation.

Pour la première fois, la *Méditerranée va connaître deux à trois siècles de paix,* et ce sont les siècles capitaux de l'essor du christianisme. Comme nous l'avons vu dans notre chapitre II, la paix distend les fils de la participation sociale. La société, lorsqu'elle n'est pas assiégée, n'assiège plus l'individu ; lorsqu'elle n'est pas menacée, elle ne menace plus l'individu qui se trouve alors face à lui-même et à sa mort. La paix romaine a calmé son obsession de mort dans le salut chrétien.

Durant la paix romaine, le capitalisme va se développer d'une façon remarquable. Avec l'Empire, le monde vit désormais en régime d'économie internationale ; celle-ci s'étend jusqu'en Chine, en passant par les Indes. Les populations urbaines s'accroissent, de grands centres industriels se forment, avec une considérable main-d'œuvre servile, puis semi-servile ; les classes rurales entrent dans le circuit des échanges.

Dans cette vaste circulation des biens et des idéologies, le développement du capitalisme antique tend à l'individualisation des rapports sociaux, et entraîne avec lui les progrès du christianisme.

Mais ce développement est inégal, incoordonné. Il n'arrive pas encore à renverser la tyrannie anachronique de la cité privilégiée, Rome, et son pouvoir militariste prétorien. L'Orient est en avance sur l'Occident et s'efforce de renverser la domination politique de celui-ci ; dans cet affrontement Orient-Occident, qui se terminera, mais plus tard, par la rupture que l'on sait, c'est en premier lieu l'Orient capitaliste qui se reconnaît dans le christianisme. Constantin déploiera l'étendard du Christ pour regagner la moitié de son empire. L'Orient vaut bien un signe de croix. Douze siècles plus tard, le protestantisme, qui renouera avec les origines évangéliques du christianisme, deviendra en gros [8], face au catholicisme adultéré, la religion des classes et des nations transformées par le capitalisme.

8. Bien entendu, à la révolte « capitaliste » contre le catholicisme au XVIe siècle s'ajouteront, ou même joueront de façon autonome, des révoltes nationales contre Rome ou les occupants papistes.

Le christianisme et la lutte des classes dans l'Empire.

En même temps qu'il crée une nouvelle inégalité sociale entre bourgeois et prolétaires, le capitalisme tend à former des individus « citoyens » en supprimant le privilège juridique de l'aristocratie et en reconnaissant la personnalité juridique de l'esclave. La paix romaine accélère à la fois l'accession des ethnies dominées à la citoyenneté et l'émancipation des esclaves. Mais on ne voit pas se créer deux univers idéologiques, celui des riches et des puissants d'une part, celui des misérables et des opprimés de l'autre. Les différences ethniques sont très fortes, le développement capitaliste trop faible, les classes moyennes restent d'un particularisme à l'échelle des cités, le prolétariat libre est encore mêlé à la main-d'œuvre servile et déjà il se crée un nouveau type de main-d'œuvre, ni esclave, ni libre, avec le colonat et les corporations.

Dans ces conditions, où de plus les idéologies de la terre et du ciel ne se sont pas encore décantées, et où partout les problèmes personnels émergent, le christianisme a pu progresser et triompher sur tous les fronts de la société avec son secret de rédemption indifférencié, ouvert à tous, secret démocratique, universel, bienheureux secret de Polichinelle. Peut-être même a-t-il contribué à engluer les possibilités nouvelles de lutte des classes. Aux opprimés, il demande de rendre à César ce qui est à César. Il détourne vers l'espérance surnaturelle de l'imminent jugement dernier les aspirations des malheureux. Partout où il passe, partout s'affaiblit la tendance à la transformation sociale. Mais celle-ci, répétons-le, n'a pas pris forme : l'Empire est un creuset, où le passé aristocratique et esclavagiste n'est pas liquidé, où les problèmes sociaux sont pulvérisés à l'échelle des cités, où enfin la question de main-d'œuvre posée par la paix ainsi que la rupture de l'économie internationale, avec le réveil parthe, vont jouer de tous leurs poids régressifs.

Le même salut chrétien, qui est la revendication à l'individualité des misérables esclaves humiliés, mendiants de l'au-delà, qui est en quelque sorte le salut du pauvre, est aussi le salut du riche, pauvre devant l'éternité. Les riches et les puissants se sentent aussi nus et misérables devant la mort que les misérables eux-mêmes devant la richesse et la puissance.

Le christianisme, dans ces conditions, a apporté d'une part aux classes pauvres la consécration de leur aspiration à l'individualité avec une immortalité qui établit la véritable démocratie aux cieux, et d'autre part aux riches l'apaisement à leur crainte de la mort. Sa simplicité rituelle et mystique s'adapte mieux que toute autre au besoin élémentaire des masses et à la religiosité fatiguée des « élites ». Elle va même, chez les « intellectuels », triompher de sept siècles d'argumentations rationnelles, d'une pensée édifiée et consolidée pierre par pierre avec tout ce qui avait pu être arraché à la religion, à la passion, à la superstition. Tout le dépôt de la sagesse antique et de l'entendement hellénique sauteront en miettes devant l'exaltante bonne nouvelle. Certes, ce fut chez les esprits cultivés de l'Empire que la résistance fut la plus forte... Nous aimerions imaginer Julien l'Apostat, ses pensées, ses discussions, ses désespoirs, et cette énergie à restaurer ce qui allait mourir, nous aimerions imaginer la fermeture de l'Académie, la mort des derniers philosophes solitaires... Et leur haine contre cette frénésie mystique, cette folie qu'ils ne pouvaient comprendre...

En même temps qu'il y trouve ses derniers ennemis, le christianisme trouve ses fanatiques chez ces mêmes intellectuels. Il fera irruption dans les intelligences fatiguées, usées par l'impitoyable sagesse stoïcienne ou le scepticisme désabusé, qui tous deux s'ouvrent sur le néant de la mort. Les grands fanatiques seront précisément ces sceptiques et ces jouisseurs convertis, ces « intellectuels » repentis, qui auront trouvé leur chemin de Damas, et brûleront, en brûlant leur intellectualité, ce qui justement leur faisait craindre la mort. Comme dit Jung du Paul d'avant le chemin de Damas — et, ajouterons-nous, d'après — « le fanatisme ne se rencontre jamais que chez ceux qui ont à étouffer des doutes secrets ».

Comme Augustin, ces « intellectuels » seront les enragés, ceux qui « en rajouteront », ils piétineront avec horreur ce qui faisait autrefois leur raison de vivre. Tant il est vrai que la raison est fragile par rapport à la mort !...

Les métamorphoses du christianisme.

Nous avons vu pourquoi il serait faux d'envisager le progrès du christianisme comme le produit d'une situation chaotique ou révolutionnaire. Le christianisme accomplit l'idéologie antique : il est la fleur suprême du salut méditerranéen. Il correspond à la démocratisation de l'individualité et du salut.

Toutefois, son triomphe total coïncide avec la décadence (en 313, Constantin lui accorde la liberté du culte ; en 392, le paganisme est interdit, et, en 529, un édit de Justinien punit de mort tout ce qui n'est pas chrétien). Ceci explique que l'on ait toujours considéré le christianisme comme *avant tout un phénomène de décadence,* la planche de salut à laquelle s'est raccroché le monde antique dans son agonie, etc.

Mais ici encore, il faut se départir des vues classiques concernant la décadence romaine, et qui la considèrent comme la conséquence brutale des invasions barbares. Illusion qui tient au fait que pendant très longtemps les historiens se sont hypnotisés sur Rome et l'Italie. En réalité, la première rupture se situe au moment où l'Empire parthe rompt le courant d'échanges avec l'Extrême-Orient, et porte ainsi la première brèche à l'économie internationale. Mais il n'y aura pas de rupture décisive jusqu'au VIIIe siècle. C'est alors, consécutives à la conquête musulmane, la grande tragédie, la grande asphyxie, la coupure de la Méditerranée en deux. L'Occident embouteillé se recroquevillera dans la féodalité. L'Orient se byzantinisera.

Mais, entre ces deux ruptures (la première à peine ressentie, mais aux effets durables, la seconde définitive), les invasions, qui provoquent des secousses et des effondrements politiques, et qui sont surtout des infiltrations, ne détruisent nullement le système économique méditerranéen. Cette économie impériale tend au déséquilibre certes à partir du moment où l'Empire parthe a rompu le courant d'échanges avec l'Extrême-Orient ; elle tend également au déséquilibre du fait que l'Italie, avec cette énorme bouche engloutisseuse qu'est Rome, devient de plus en plus parasitaire dans le circuit économique impérial. Dans un sens, le IIIe siècle, c'est-à-dire celui de la grande diffusion du christianisme, est un siècle de crises économiques et sociales ; non pas crises fondamentales qui renversent les anciennes structures, mais crises d'une société qui tâtonne et cherche à s'adapter à des conditions nouvelles. Parmi celles-ci, un phénomène d'importance majeure, la diminution de la main-d'œuvre servile. La guerre était la grande productrice d'esclaves : les esclaves, ce sont les vaincus déportés. La paix romaine tend à asphyxier l'économie esclavagiste. La source de la main-d'œuvre servile se tarit. L'agriculture et les industries manquent de bras ; le capitalisme antique n'arrive pas à se dépasser lui-même en produisant des inventions techniques qui remplaceraient la main-d'œuvre défaillante. C'est pourquoi surgissent des institutions nouvelles qui tendent à fixer l'homme à son travail : le colonat dans les campagnes, les corporations dans les villes. Une société corporatiste tend à remplacer la société esclavagiste. Une telle ossification inhibe à son tour la possibilité de nouveaux développements.

Mais la crise latente est loin d'être une crise mortelle : les progrès de l'urbanisation et du confort continuent. La Gaule, l'Espagne entrent dans le circuit. Le monde antique s'essouffle, mais peut à tout moment prendre un nouveau départ. Les invasions elles-mêmes, qui provoquent des secousses et des effondrements politiques, ne détruiront pas le système économique méditerranéen, fondement de l'Empire et de l'activité romaine.

Le christianisme est donc bien l'enfant d'un épanouissement et non d'une décadence. Mais dans cet épanouissement, il y avait déjà des facteurs de crise et l'émergence d'une crise anthropologique. Par la suite, le christianisme s'est adapté à la décadence, puis à la féodalité, puis à nouveau au capitalisme du XVIe siècle, puis au monde contemporain, comme il est en train de s'adapter au socialisme en U.R.S.S., grâce à son indétermination affective et à la pureté anthropologique de son contenu, qui lui avaient déjà permis de s'adapter aux différentes classes de la société durant la paix romaine.

Le nombre incalculable de religions et celui encore plus incalculable d'hérésies issues de son sein prouve son caractère *général,* naïf, élémentaire, régressif-progressif, ses possibilités réactionnaires ou révolutionnaires qui lui permettent de s'adapter aux vœux les plus frustres comme les plus évolués, à n'importe quel type de société ; il est devenu le commun dénominateur mystique du désir de salut charnel. Ceci explique qu'il se soit perpétué deux mille ans et qu'il reste toujours évangélisant.

A partir de l'évangélisme indéterminé et général, le christianisme se déterminera en tant que catholique en fonction du monde féodal. Alors l'Eglise d'Occident se séparera de l'Eglise d'Orient. Alors le catholicisme agraire fera épanouir le culte de Marie la grande Déesse-mère et il rétablira les divinités secondaires sous formes de saints et démons ainsi que les fêtes agraires, les anciens enfers, etc. Il réintroduira en son sein de nombreux éléments folkloriques et primitifs, renouvelant entièrement son symbolisme.

Le christianisme se déterminera en tant qu'orthodoxe en fonction de la société byzantine. Là sera conservée et entretenue le plus vivacement la philosophie du salut, par la voie d'un mysticisme raffiné.

Il se déterminera en tant que protestant en fonction de la société capitaliste moderne, et pour cela, il retournera aux sources *évangéliques* dénaturées par la tradition catholique ; ce qui prouve d'une façon extraordinaire à quel point la nudité du christianisme primitif correspond à l'individualisme des sociétés capitalistes évoluées [9]. Et le catholicisme lui-même se transformera, se modernisant en même temps que luttant contre ce modernisme ennemi...

Il peut se déterminer à nouveau enfin en fonction d'une société socialiste. Il a des chances de demeurer immortel tant que l'homme restera mortel...

9. Bien entendu, la religion du salut, devenue *officielle,* devient un instrument de l'Etat, de la société, de la classe dominante. Elle se retourne contre l'individu qu'elle a consacré : celui-ci devient un fidèle, terrorisé par son mystère, prêt à toutes les morts à nouveau pour cette *société* qui, sous le masque divin, lui a fait la promesse de l'immortalité, et agite avec cette promesse la menace de la damnation éternelle. Finalement la religion de salut officielle assoupit l'individu que tenait éveillé la crainte de la mort : elle devient une ruse de l'Etat qui le tient à son point le plus faible, le désir d'immortalité, pour le faire marcher droit.

6

La mort cosmique Brahman et Nirvana

Par-delà le salut, ou en dehors du salut, la réflexion philosophique va se saisir de l'extase pour découvrir la vérité fondamentale de l'âme : dans l'exaltation collective du culte en effet, l'âme, source intime, indéterminée, toujours naissante, confondue, perdue, noyée, et pourtant souveraine, heureuse comme jamais dans cette sorte d'orgasme mystique qui s'accompagne d'ailleurs souvent d'orgasmes très concrets, se sent à la fois elle-même et divine : elle se sent *le tout.* Dans l'extase « l'on ne sait plus si l'on est mort ou vivant », « il n'y a plus ni présent, ni passé, ni mort, ni vie [1] ». L'extase est donc expérience vécue du dépassement de toutes les déterminations qui limitent l'homme. Et de même qu'en Grèce où la philosophie de l'âme aura comme origine expérimentale l'orgie dionysiaque, de même en Chine le taoïsme se dégagera de danses frénétiques et barbares, afin de devenir recherche philosophique de l'extase permanente, où l'âme gicle de toutes parts dans la splendeur cosmique.

Cette vérité, la philosophie rationnelle, qui réfléchit sur la nature cosmique du « Dieu des philosophes » et sur ses rapports avec l'humain, y aboutit non moins nécessairement par sa voie propre. La philosophie dans son premier stade métaphysique (cosmogonique) est l'héritière du contenu magique archaïque transmis par les chamans.

Les premiers philosophes — Pythagore, Héraclite, Empédocle — sont encore eux-mêmes de véritables chamans : la philoso-

1. *Livre de Tchouang Tseu.*

phie grecque débute en magie grandiose. Cette magie devient philosophique lorsqu'elle se laïcise, s'intellectualise, s'ordonne, non plus seulement en symboles mais en idées. La philosophie se construit en devenant expression *idéologique* d'un contenu jusqu'alors ressenti analogiquement et exprimé symboliquement. Ce contenu anthropologique restera vivace dans toute l'histoire de la philosophie, parce que le philosophe est l'homme non spécialisé, c'est-à-dire spécialisé dans ce qu'il y a de général dans l'homme.

L'un des aspects essentiels de ce contenu anthropologique, c'est, avons-nous vu, l'analogie de l'homme et du monde, du microcosme et du macrocosme.

La philosophie va donc, dans ses démarches premières, rechercher la nature de ce lien micro-macrocosmique et la découvrir dans la notion d'âme, force de vie présente chez tous les êtres vivants (Thalès). Les débuts du « connais le monde » et du « connais-toi toi-même » convergent sur un « connais l'âme du monde et tu connaîtras ton âme, connais ton âme et tu connaîtras l'âme du monde ». Pour les présocratiques, pour les taoïstes, comme pour les brahmanistes, le moteur du monde est de même nature que le moteur de l'homme. Il est de la même matière, c'est l'air pour Anaximène de Milet, le feu pour Héraclite. Cette matière va soit se dégager de la matière pour devenir esprit, en passant par l' « indéterminé » d'Anaximandre, soit (Démocrite) s'enfoncer dans l'universalité de l'atome (ici se dessinent des directions que nous avons déjà esquissées : d'une part l'esprit, d'autre part l'atome tendront à dissoudre l'âme, ce qui amènera des conséquences nouvelles en ce qui concerne la mort). Ainsi le micro-macrocosme primitif, devenu élaboré, conscient, dégagé des apparences, devient identité de l'âme de l'homme et de l'âme du monde.

Le grand souci de la philosophie présocratique comme de la philosophie hindoue et taoïste, sera de lever les objections qui contredisent cette identité. Pourquoi la diversité, pourquoi le mouvement si l'Univers est identique à lui-même et à l'homme ? Et tandis qu'Héraclite fera du mouvement lui-même l'Etre du monde (Logos), les Eléates le dénonceront comme apparence, illusion, qui camoufle la sublime identité de l'Etre.

Une fois levée l'hypothèque de la diversité et de la multiplicité, l'âme, dans l'extase philosophique, se retrouvera devant son miroir macroscopique.

Extase philosophique terminale qui couronne les grands systèmes fondés sur l'universelle unité et extase première issue des rites mystiques, pourront alors coïncider dans une grande philosophie pratique qui fera de l'extase sa méthode et son accomplissement, afin que le sage vive de la vraie vie qui est la vie divine et cosmique, afin que sa mort soit la réalisation de l'extase, c'est-à-dire l'universalité absolue, la fusion dans le divin. Et la mort, dans une telle perspective, devient le triomphe de l'extase, l'extase du triomphe.

L'âme devra donc utiliser toutes les techniques de réalisation de l'extase, et les techniques de réalisation de l'extase seront celles qui arrachent l'âme à la particularité du corps, des désirs, des passions, et la délivreront de tout ce qui l'empêche de se confondre avec l'âme du monde.

Les voies de l'extase.

Voies multiples : la frénésie extatique du culte dionysiaque ouvre la même porte que la méditation yogiste des « ashrams » sylvestres et les exercices de sagesse dans les cours princières chinoises. Danse, contemplation, méditation aboutissent à la même révélation absolue. Effectivement, il est deux grandes voies pour arriver à l'extase, soit celle d'exaspération de la vie, danse folle, activité acharnée pure, sans désir des profits du travail, ce que Patanjali définira comme le Karma-Yoga — soit celle de raréfaction de la vie : mortification, ascèse, activité purement intellectuelle, contemplation immobile, hypnotique, muette. Toutes deux amènent à la même participation cosmique essentielle, au même oubli de sa particularité et de sa contingence, à la même exaltation où se mêlent le moi et le monde. Que ce soit par l'ascèse ou l'ivresse, on arrive à l'état de départicularisation, c'est-à-dire de béatitude. Mais c'est l'ascèse qui donne la libre communication permanente à l'extase ; elle est extase à volonté, extase auto-guidée.

L'ascèse implique la lutte contre le corps. Car l'âme apporte avec elle la dualité âme-corps, nécessairement péjorative pour le corps périssable et pourrissable. Sise à l'intérieur du corps, l'âme veut le dédaigner ou le dompter. Elle semble s'épanouir en dépréciant le corps, en le considérant comme l'impureté qui entrave sa libre immortalité. De plus en plus, dans cette perspective, la vie réelle, matérielle, mortelle, apparaît comme une vie fausse, une vie de « ghost ». Dans la religion de salut, la culpabilité, l'angoisse rôdent autour de la rédemption de l'âme jusqu'à ce que le christianisme fixe avec une violence inouïe cette culpabilité de la « chair ». A la limite « le corps est un tombeau », la vie est une sorte de mort, et la mort une vraie vie. C'est pourquoi l'âme doit chercher à « fuir d'ici-bas le plus vite possible » (Phédon), et, avant même la mort, s'épurer complètement du corps, éviter sa souillure. Elle ira jusqu'à se réjouir de la perte du sac de peau mortel.

Et surtout, elle s'efforcera de vivre la mort, de « vivre comme si on ne vivait pas[2] ». C'est cela qui caractérise la vie de moine, d'ermite, de solitaire ; dans les religions de salut, le monachisme sera déterminé avant tout par le mépris de la chair porteuse du péché, ou le désir de vivre exclusivement en tête à tête avec l'Amant divin. Mais le monachisme n'est pas seulement lié au salut ; sous-jacente à tout *isolement,* à toute *retraite,* il y a l'aspiration à vivre une vie à la fois passive, mécanique et cosmique pour que l'âme libre participe extatiquement à la vie divine du monde.

C'est pourquoi la vie mendiante, solitaire, dépouillée des passions et des biens terrestres, n'est pas seulement l'idéal du croyant, elle est l'idéal éternel du « sage » qui, abandonnant son corps à la misère, connaît la joie pleine de la départicularisation. « Quand est-ce que sage, en haillons, ne nommant rien ma propriété, sans désirs, anéantissant l'amour et la haine, j'habiterai joyeux sur la montagne ? » (*Tegarathâ.*) Le sage s'isole dans la forêt ou sur les hautes altitudes ; le comble de la vie érémitique est sans doute celle des lamas solitaires du Tibet, qui se fixent dans des sortes de nids au creux des montagnes, ne communiquant avec le siècle que par des cordes.

2. Deffontaine, *op. cit.*

D'autres s'emmurent dans des cavernes et reçoivent la nourriture par des guichets. Ils veulent vivre une vie de mort. Mort vécue, permanente : vie absolue, cosmique. La passivité totale, c'est la participation à l'activité cosmique totale. Toute philosophie de la passivité (contemplation) est une philosophie de l'identité universelle. « De même que celui qui est enlacé par une femme aimée n'a aucune conscience de ce qui se passe au-dehors et au-dedans, de même l'esprit absorbé par le moi primordial n'a aucune conscience de ce qui est en dehors et en dedans » (*Upanishads*).

Par l'ascèse et vers l'extase, s'effectue donc la domination de plus en plus souveraine de l'esprit[3] sur le corps, devenu un objet et un outil : à travers cette domination, s'effectue alors la *connaissance,* que ne viennent plus troubler les désirs et les humeurs. La connaissance *réalise* l'extase et l'extase réalise la connaissance. Dans le *Raja-Yoga,* ou Yoga de la méditation, qui consiste à se libérer par la volonté et la discipline de l'intellect, il ne s'agit pas seulement d'accomplir des miracles, de commander à son cœur comme à ses poumons, d'être capable d'arrêter toute vie en soi ; le Raja-Yoga est possible sans pousser jusqu'au bout ces exercices ; l'essentiel est d'atteindre la connaissance par la contemplation jusqu'à l'extase (Samâdhi). La science totale, c'est l'extase totale ; celui qui sait est délivré de la mort et de la vie.

« Celui seul qui connaît Brahma... franchit l'abîme de la mort » (*Upanishads*) et « quiconque sait le découvrir... obtiendra l'immortalité ». Celui qui n'a pas compris l'universelle identité errera de renaissance en renaissance, c'est-à-dire de mort en mort :

De mort en mort celui-là va
Qui voit les choses comme séparées
En unité il faut le percevoir
Cela l'immense, cela le stable
L'atman (*le soi*) *sans naissance, le grand, le stable.*

(*Brihadaranyaka Upanishad,* IV, traduction René Daumal.)

3. Esprit ici signifie aussi âme : la notion d'« atman » comprend les deux significations d'*animus* et d'*anima.*

Mais celui qui connaît arrive à l'ineffable océanique, à l'ivresse stupéfiante de la conscience, à l'absolu, à la Seule Vie. Il aura échappé au cycle infernal de mort et de renaissance. Il sera lui-même Brahman.

L'hindouisme a su utiliser toutes les techniques de l'extase, depuis l'extase du « travailleur » qui participe à l'activité cosmique (Karma-Yoga) et l'extase de l'amour mystique, c'est-à-dire de la dévotion à une divinité particulière (Bhakti-Yoga) jusqu'au Raja-Yoga ; et il a su les faire communiquer entre elles : tous les chemins de l'extase mènent à la connaissance, c'est-à-dire à l'identité de l'Atman (l'âme) et du Brahman (l'Etre). Connaître, selon la pensée hindoue, c'est être. Etre, c'est participer absolument à l'Etre.

L'anéantissement du « moi ».

L'extase du salut est une extase à mi-chemin : le moi ne s'y brûle que les doigts, et encore pour en retirer les marrons de l'immortalité personnelle : l'individu veut être réchauffé et animé par le soleil divin, mais non s'y consumer. L'extase du salut est l'extase amoureuse où l'on reste soi-même en devenant l'Autre, le Dieu-Amant de sainte Thérèse ; mais l'extase accomplie[4] va plus loin et exige fusion totale de l'âme individuelle dans l'âme universelle.

Nous verrons plus loin combien renâclent certaines philosophies devant cette conséquence ultime : la perte de l'individualité. Mais il nous faut remarquer combien d'autres ont pu l'accepter et l'assumer à partir de l'identité qui va le plus profond dans l'unité de l'âme et du divin : celle de l' « atman » et du « brahman ».

L' « atman » c'est l'âme mais à un tel point d'intériorité que c'est en fait non pas le « Moi » mais le « Soi ». Et le « Soi » que nous avons défini précédemment comme la force animale, l'instinct, doit être compris ici, dans la perspective brahmanique, comme également la force animante, le moteur, l'es-

4. Qu'atteignent presque sainte Thérèse et saint Jean de la Croix.

sence de l'être humain, qui détient en lui tous les secrets et les puissances de la vie. L'atman, c'est pour ainsi dire l'âme biologique, l'esprit vital, créateur et organisateur en chaque être, antérieur donc à la conscience, au « Moi ».

Le brahman (Verbe créateur à l'origine), c'est l'intelligence divine, suprême, totale, mais cette intelligence ne gouverne pas le cosmos de l'extérieur, comme chez Aristote ou dans le monothéisme d'Aton : elle est l'Etre cosmique lui-même dans sa réalité essentielle, en deçà des apparences (Maya). « En vérité tout est brahman. »

Ainsi, et c'est là la grande évidence brahmanique, le « Soi » (atman) est d'étoffe cosmique. La force du soi c'est la force cosmique ; l'être du soi, c'est l'être cosmique. Ce « Soi » qui, comme l'a montré Freud, se sent « amortel », l'est effectivement du point de vue hindouiste. Le brahmanisme a pris conscience de cette « amortalité » d'une façon expérimentale, par le moyen d'une introspection forcenée. Il n'est pas étonnant qu'il découvre dans le « Soi » l'aventure des métamorphoses infinies, tous les avatars de la vie et des espèces animales : le « Soi » a été singe, lézard, plante ; il l'a été, ou il aurait pu l'être. A l'intérieur du « Soi », le logos universel est retrouvé, dans son principe et ses manifestations. « L'atman, c'est mon âme au fond de mon cœur, plus menue qu'un grain d'orge, plus menue que la semence de moutarde, plus petite qu'un grain de riz. Et l'atman, c'est mon âme au fond de mon cœur, plus vaste que la terre, plus vaste que l'atmosphère, plus vaste que les cieux et ce monde infini. »

Ainsi nous pouvons poser Atman = Soi = Ame = Noûs = Brahman = Cosmos. « De même qu'une peau de serpent mort, jetée de côté, gît sur une fourmilière, de même après la mort restera le corps. Mais l'atman sans os ni chair, l'atman soutien de l'intelligence, c'est Brahman lui-même, c'est le monde lui-même » (Aurobindo).

Dans cette harmonie merveilleuse du Soi individuel et du Soi cosmique, le moi apparaît comme l'encombrant, le trouble-fête, l'intrus. Le moi, c'est *la conscience séparée, c'est la mort ;* et ceci n'est pas simplement une vue de l'esprit. Aussi, quand le désir d'immortalité emprunte la voie de participation cosmique et du désir d'universalité immédiate, il décide de liquider *la mort en liquidant le moi,* c'est-à-dire d'escamoter la mort en escamotant la vie humaine particulière. C'est pourquoi toutes les méthodes d'ascèse, tous les yogismes, sont très clairement des moyens de lutte contre le « moi ». Il faut engloutir l'individualité dans le cosmos, c'est-à-dire l'engloutir dans la mort pour ainsi même y engloutir la mort.

La mort cosmique (*universelle et maternelle*).

Si étrange que cela paraisse, le thème de l'engloutissement nécessaire de l'individualité dans l'Etre cosmique va surgir un peu partout, au sein des civilisations évoluées où par ailleurs l'individu revendique l'immortalité personnelle du salut. Paradoxe apparent que nous examinerons plus loin. Ce thème, donc, n'est pas le privilège de la philosophie hindouiste, ou du bouddhisme. Il apparaît, larvaire il est vrai, dans le gémissement de l'Ecclésiaste : « Le jour de la mort est meilleur que celui de la naissance. » On retrouve une tendance au bouddhisme, larvaire également, au sein du mouvement dionysiaque en Grèce ; Nietzsche a génialement dégagé l'importance et la signification de la célèbre parole de Silène à Midas : « Le mieux pour l'homme est de ne pas naître, mais s'il est né, il doit souhaiter de rentrer aussitôt dans le royaume de la nuit... »

Dans la Hollande urbaine, commerçante et navigante, Athènes du XVIIe siècle, où se mêlent et fermentent tous les courants de pensée, le panthéisme de Spinoza, quoique dans le cadre d'une logique différente, va retrouver en un certain sens le rapport atman-brahman. Il y a en effet, entre ce « quelque chose qui est de l'essence de l'âme » selon Spinoza et l'atman, entre le Dieu panthéiste et le Brahman, entre la « Béatitude » spinoziste ou « Connaissance parfaite » et la connaissance extatique du brahmanisme ou du Raja-Yoga, des analogies assez remarquables. De même, la mort spinoziste est libération de l'essence de l'âme qui, dégagée de la mémoire, de la sensibilité, des affections, des passions, c'est-à-dire de l'individualité, va se confondre dans la substance divine.

Mais c'est surtout dans l'Allemagne romantique, cette Inde

d'Occident, comme on l'a pu dire, qu'apparaissent avec le plus de netteté le mépris du « moi » et le désir d'anéantissement cosmique. Ni la simple diffusion des doctrines orientales au XIXe siècle, ni l'influence de Bœhme n'expliquent l'extraordinaire fascination de ces thèmes sur la pensée allemande [5].

Déjà, plus d'un siècle avant, Jacob Bœhme avait dénoncé la moi-ité (*Icheit*) comme le malheur et le tourment de l'homme, mais dans le cadre de l'extase du salut. La lame de fond du romantisme allemand, poétique, philosophique, occultiste, ou plutôt poético-philosophico-occultiste, portera en elle le grand thème de l'atman-brahman [6] : « Le non-moi est le symbole du moi, mais inversement le non-moi est représenté par le moi et le moi en est le symbole » (Novalis). La conscience non séparée (c'est-à-dire l'Atman) est la conscience du monde (Carus). Le moi doit renoncer à son individualité qui est anormale pour s'identifier, par-dessus la conscience, à l'Absolu (Spir) [7].

5. Nous ne pouvons, dans le cadre de cet ouvrage, examiner quelles sont les déterminations qui ont à ce point « romantisé » l'Allemagne. (Le romantisme, ne l'oublions pas, est un retour à la Nature maternelle, aux analogies du micro-macrocosme). Notons parmi celles-ci : 1. La coïncidence d'une philosophie très évoluée et de l'inadaptation profonde de « l'intelligentsia » à la fois aux structures encore à demi féodales du monde germanique et à celles du monde bourgeois ; 2. Le philistinisme de la bourgeoisie qui s'allie à l'aristocratie prussienne, ce qui décourage l' « *Aufklärung* » ; alors que, pendant plus d'un demi-siècle, le mouvement des lumières fut en France heureux et conquérant, appuyé sur l'essor de la bourgeoisie ; en Allemagne l'intellectuel s'insurgera toujours contre le bourgeois philistin ;

Ces éléments, parmi d'autres, vont déterminer une inadaptation, une nostalgie, un malheur qu'amplifiera d'autant la grande inadaptation européenne du romantisme, provoquée par les progrès rapides et brutaux du capitalisme.

C'est dans ce déséquilibre que la philosophie allemande aura la gloire de redécouvrir et d'approfondir les deux thèmes anthropologiques fondamentaux : celui de l'individualité irréductible et celui de la participation cosmique : engloutissant le cosmos dans l'individualité, avec Kant, engloutissant l'individualité dans le cosmos avec Schopenhauer.

6. Qui recouvre celui du microcosme-macrocosme.

7. Ces thèmes ont été suffisamment dégagés par Albert Béguin pour que nous n'insistions pas là-dessus et renvoyions le lecteur à ses travaux, notamment *l'Ame romantique et le Rêve.*

Feuerbach, où l'on trouve pêle-mêle toutes les conceptions de la mort, exalte aussi la mort de l' « égoïsme », c'est-à-dire de l'ego tout court. « Egoïstes, allez vous défaire de votre maladie. » La mort c'est l'amour obligatoire, le don de sa particularité à l'universel. (En fait, cette exaltation de la mort se fait non tant au profit du cosmos que du genre humain. Mais ceci ouvre une nouvelle philosophie de la mort.) Et déjà Schopenhauer avait élaboré, sur la négation du vouloir vivre, la plus prodigieuse des philosophies. La douleur et l'illusion sont les grandes catégories de la vie individualisée ; il faut donc chercher le néant engloutisseur, la mort de l'individualité.

Mais c'est aux Indes, comme on sait, que cette philosophie a été le plus systématiquement poussée, non seulement en théorie, mais en pratique. La plus importante civilisation de l'antiquité a connu dans sa philosophie l'effort le plus étendu et le plus insistant pour atteindre l'universalité cosmique : « L'Inde a représenté l'effort le plus héroïque que l'homme ait fait pour détacher la pensée de tout ce qui n'était pas purement elle », dit Jean Grenier. Nous dirons plutôt : pour tout subordonner à la souveraineté de la pensée pure (c'est-à-dire de l'Etre pur), que ce soit la matière de l'homme ou la matière du monde. Et subordonner pas seulement « en pensée » mais par l'action de cette pensée sur la matière humaine. Au terme de cet effort, la pensée, détachée de tout, embrasse le tout, ne pouvant que se trouver devant le Tout ou le Rien, le Brahman ou le Nirvana, c'est-à-dire l'identité du Tout et du Rien.

En même temps qu'elle a été le produit d'une civilisation très évoluée, la pensée hindouiste s'est développée et épanouie dans la communauté ascétique et érémitique des « ashrams ».

L' « ashram », retraite sylvestre où les sages entourés de leurs disciples enseignent ou méditent, est, on le sait, l'Université de l'Inde ancienne et l'est demeurée jusqu'à Gandhi. Là, au sein des forêts géantes, hermétiques, bruissantes d'une vie infinie, ces sages ont profondément ressenti les analogies anthropo-cosmomorphiques. Comme l'a souligné Tagore : « Hommes, femmes, enfants, y parviennent tout naturellement à se considérer de la même famille que les oiseaux, les animaux, les arbres, les lianes [8]. »

Et c'est pourquoi peut-être la pensée hindoue, en plongée continue au sein de la grande matrice sylvestre, a pu, à la différence de la pensée grecque ou romaine par exemple, conserver ou retrouver les conceptions premières du micro-macrocosme, de l'analogie universelle, de la mort-renaissance.

Et ces conceptions magiques s'imbriquent d'une façon à peu près parfaite dans les conceptions philosophiques de l'identité de l'atman et du brahman ! Ainsi, aux pratiques ascétiques du yogisme se superposent naturellement les pratiques de la magie, et, du reste, tout un aspect du yogisme est de nature « fakirique », c'est-à-dire magique. D'autre part, il y a correspondance et harmonie entre la théorie selon laquelle « la connaissance du moi c'est la connaissance du monde » et la grande loi d'analogie micro-macrocosmique. De même, la mort-renaissance intègre en elle et s'intègre dans la philosophie des tribulations du Karma. Et enfin, les grands thèmes de la mort-maternelle alourdissent de tout leur contenu émouvant ceux de l'accomplissement de l'atman au sein du brahman. D'où la fascination de cette philosophie ambivalente, qui allie sans cesse la rigueur de l'abstraction à la fluidité cosmique des rêves anthropologiques.

Peut-être cette ambivalence explique-t-elle la double et contradictoire tendance de la sagesse hindoue qui s'exprime soit par une confiance absolue dans la vie, marée incessante de métamorphoses, soit par une confiance absolue dans la mort, extase cosmique où l'atman se retrouve en brahman.

D'une part, donc, c'est la sagesse naturaliste — la nature sait ce qu'elle fait, notre mère sait ce qu'elle fait — admirablement exprimée dans le poème de Tagore :

« Quelle pensée m'a fait m'éveiller dans ce vaste mystère comme un bouton dans la forêt à minuit ? Quand au matin je regardai la lumière, je sentis tout de suite que dans ce monde je n'étais pas un étranger, que l'insondable qui n'a de nom ni de forme m'avait pris dans ses bras sous la forme de ma propre mère.

« Maintenant aussi dans la mort, l'inconnu, le même, va

8. Tagore, *l'Education religieuse.*

m'apparaître, comme s'il était toujours connu de moi. Et parce que j'aime cette vie, je sais que j'aimerai aussi bien la mort.

« L'enfant crie quand la mère le tire de sa mamelle droite, mais l'instant d'après il trouve à la mamelle gauche sa consolation [9]. »

Et d'autre part, c'est l'aspiration à la délivrance, hors du cycle infernal des métamorphoses :

« O mère, combien de fois m'obligerez-vous à tourner et tourner encore cette roue de l'être, tel un bœuf aux yeux bandés qui fait mouvoir le pressoir à huile... Après huit milliers de renaissances... c'est meurtri que je franchis une fois de plus la porte de l'inépuisable matrice (*Hymne bengali à la déesse Dourta*).

Mais il s'agit de la même mère, il s'agit de la même Matrice. Dans un sens, la confiance naturaliste en la vie débouche sur la confiance en la mort : « parce que j'aime cette vie, je sais que j'aimerai aussi bien la mort ». Dans un autre sens, toutefois, la sagesse philosophique brahmaniste et yogiste ne tend qu'à la vie intra-utérine au sein du brahman, la vraie vie, la mort.

Le Nirvana.

Effectivement, le brahmanisme, issu des Védas, des Brahmanas, des Upanishads, des Puranas, devient, à partir du VIIIe siècle avant J.-C., souhait de fusion en « Brahman », l'Un qui n'a pas de second. C'est la période hindouiste philosophique et scolastique. Vers 750 avant J.-C. la tendance à mépriser la vie terrestre et l'aspiration au Nirvana se manifeste dans le djaïnisme, qui prêche une mortification allant jusqu'à la mort par consomption. Le bouddhisme est une réaction à la fois contre le brahmanisme qui réserve aux seuls savants l'immortalité cosmique et contre l'ascèse djaïniste qui s'épuise dans sa haine sauvage contre le corps.

C'est le bouddha Çakyamuni qui rendra pleinement sensible au cœur le thème philosophique de la mort-accomplissement

9. Gandhi a traduit également ce sentiment d'amour cosmique dans une page célèbre sur la Vache traduite par Jean Herbert dans « Message actuel de l'Inde », *Cahiers du Sud*, p. 91-93.

dans l'Etre et élèvera à la hauteur philosophique le désir de mort-maternelle. Fondateur de religion sans religion, maître de philosophie sans philosophie, il apparaît (560-483 av. J.-C.) comme un Christ et un Socrate de l'Orient, prêchant une bonne nouvelle toute nue ; son message est syncrétiste, simple, indéterminé, universel, dédaignant les pratiques, les cultes, les mortifications, les ascèses et les arguties scolastiques ; comme le Christ, il est contemporain d'un grand empire et d'une haute civilisation ; comme le Christ, il a quitté sa famille pour se vouer à la recherche ; comme le Christ, il est parti accomplir un périple régional, éduquant et prêchant ; comme le Christ, il connaît l'illumination et enseigne la vérité des vérités en un sermon évangélique, non sur la montagne mais à Bénarès, nombril du monde ; comme le Christ, il est entouré de disciples, parmi lesquels se trouve un traître qui le reniera à sa mort ; comme le Christ, il enseigne par paraboles, laisse venir à lui les prostituées et les misérables ; il fait des miracles, comme le Christ ; il annonce l'amour et la victoire sur la mort comme le Christ ; comme le Christ, il a finalement été renié dans son pays et sa promesse a fleuri sur un monde ; comme le Christ, son évangile se mêlera à des croyances plus anciennes, s'abâtardira et s'adultérera mais restera toujours vivace...

Et comme un Socrate, il a dit que le véritable pouvoir divin est par-delà le monde des dieux « au-dessus (même) de la demeure de Brahma ». Comme un Socrate, il a dit que le véritable pouvoir était à l'intérieur de l'homme : « N'interrogez pas le silence, car il est muet ; n'espérez rien des dieux en leur adressant des prières, ne prétendez pas les suborner avec des offrandes, c'est en nous-mêmes que nous devons chercher la délivrance. » Comme un Socrate, il a nié le mal, qui est ignorance — et comme un Socrate, il a fait du bien la simple connaissance de la vérité, la pratique de la vertu, mais prêchant en outre *l'amour,* c'est-à-dire élevant à la ferveur évangélique d'un Jésus la sagesse presque laïque d'un Socrate.

Mais sa grande illumination, qui le sépare radicalement de Socrate et de Jésus, qui fait de lui le prophète du Nirvana, le fondateur de la religion de la mort, est la découverte que la souffrance et le mal viennent du « vouloir vivre » :

« Voici, ô moines, la vérité sainte sur la douleur ; la naissance est douleur, la vieillesse est douleur, la maladie est douleur, la séparation de ce qu'on aime est douleur, ne pas obtenir ce qu'on aime est douleur... L'origine de la douleur, c'est la soif d'existence, qui conduit de naissance en renaissance... » Toute naissance est un mal de mort. Toute naissance est mort. « Naître, c'est souffrir, c'est mourir. »

La mort-renaissance de la métempsychose, c'est donc la mort mauvaise, la mort qui ne met pas fin à la mort, la mort qui renaît sans cesse et sans cesse fait renaître la séparation, la rupture, le malheur de vivre pour mourir.

La signification du désir de Nirvana bouddhiste, intimement liée au désir de participation cosmique, c'est la révolte contre cette mort. Le destin du Bouddha a été déterminé par le triple et identique scandale de la maladie, de la vieillesse et de la mort. D'après la légende, le jeune prince Siddhârta était soucieux et triste dans son palais (nous retrouvons ici le mythe du roi et de la mort). A son père qui s'enquérait de ses désirs, il réclama trois choses : que la vieillesse ne réussisse jamais à s'emparer de lui, que la maladie n'ait aucun pouvoir sur son corps et qu'enfin il puisse échapper à la mort. Son père ne pouvant le satisfaire, il partit, abandonnant royaume, richesses, femme et enfant.

Le scandale, l'horreur initiale qui déterminera la recherche de toute sa vie, c'est bien la « mort odieuse ».

Il rappellera sans cesse la mort à ceux qui veulent l'ignorer ou la nier. A un vieillard heureux qui se refuse à croire que la vie soit un enfer, Bouddha demande : « Tu serais heureux de mourir ? » A une malheureuse mère qui le supplie de ressusciter son fils, il demande de chercher au préalable un grain de moutarde dans une maison où il n'y a jamais eu de mort.

Et ceci nous montre que la haine du « vouloir vivre », et le vouloir de Nirvana qui lui est lié, sont en réalité l'expression du vouloir vivre suprême, affranchi de la mort. Ce n'est pas l'horreur de la vie qui détermine le vouloir mourir, mais l'horreur de la mort. Le Nirvana c'est la vie indéterminée mais totale ; il est extase, c'est-à-dire amour et plénitude, en même temps que néant et vide. Il porte confondues la vraie mort qui apparaît comme vraie vie, la vie absolue qui apparaît comme mort permanente, la perte de l'individualité qui apparaît comme gain de la totalité. Il échappe au concept, à la définition, à la philosophie. Bouddha dédaigne toujours de répondre aux questions sur l'essence et la nature du Nirvana, ou il ne répond que par métaphores. La grande identité bouddhique c'est : Extase-Amour-Mort-Nirvana-Etre.

Le secret du Nirvana.

Ainsi donc, le désir de Nirvana n'exprime nullement un « instinct de mort », à moins de concevoir l'instinct de mort comme un instinct de vie totale. Ce n'est pas non plus l'appel fatigué de l' « à quoi bon », qui n'aurait cessé de sourdre avec une sereine insistance à travers la méditation des sages, dans un continent immobile où l'être humain est enfermé dans les eaux stagnantes de la vie collective, abruti sous le ciel des moussons, abandonné dans un grouillement que dévastent les fléaux endémiques.

La recherche brahmaniste et bouddhiste a découvert ou redécouvert la grande mort cosmique, c'est-à-dire la grande vie cosmique. Celle-ci enveloppe le « Combien de fois, ô Criton, avons-nous désiré dormir... », le désir de retour à la vie intra-utérine qui effectivement « persiste à travers toute l'histoire de l'humanité » (Rank)... Et, inconsciemment, l'aspiration bouddhiste cherche l'engloutissement dans le chaud placenta de la mort-maternelle, s'élargissant comme une nébuleuse spirale à l'univers entier.

Le « néant » du Nirvana, c'est donc le gouffre d'en deçà et d'au-delà les métamorphoses et les manifestations, le gouffre de l'unité et de l'indétermination : c'est le gouffre de la réalité première, antérieure à Brahman lui-même : autrement dit, ce néant est l'être pur absolu.

Il faut nous référer ici aux analyses de Hegel [10]. « Celui-ci (l'être), dans son état d'être pur, est le néant, une chose qu'on ne peut nommer, et sa distinction d'avec l'être n'est qu'une *simple*

10. *Logique I, Science de l'être,* trad. Véra.

opinion. L'être pur n'est que l'abstraction pure, et par conséquence la négation absolue, qui, considérée dans son état immanent, est le non-être »... Cela veut dire que « la chose en soi est indéterminée, Dieu est la plus haute essence et n'est que cela. Le néant des bouddhistes, qui est le commencement et la fin des choses, n'est que cela. »

Effectivement, « l'indéterminé, l'immobile, l'informe, l'inconscient », l'inétendu, l'insensible, l'impensable, etc., ne sont autres que l'Etre pur des philosophes. Le Nirvana, Etre de l'extase, est donc en même temps Etre de l'intellect. Au Concret absolu correspond l'Abstrait absolu. On ne peut ainsi parler de nihilisme à propos de la pensée hindoue. Le bouddhisme lui-même n'est nullement une bataille de « néants », où le « rien » de la vie, Maya, s'opposerait au « rien » du Nirvana, où tout serait rien et rien également rien, où la pensée et l'action ne seraient qu'une nuit où toutes les vaches — même la sacrée — sont noires. Ses déterminations sont au contraire celles de la recherche d'une positivité absolue.

La preuve de cette positivité irréductible du Nirvana, c'est qu'en lui repose la connaissance, l'omniscience : « Notre faculté de la pensée disparaît, mais non nos pensées ; le raisonnement fuit, mais la connaissance reste » (Bouddha).

Si le bouddhisme insiste alors tellement sur le caractère anéantissant du Nirvana, c'est qu'il veut le saisir dans sa pureté et aussi dans sa liberté absolue d'Etre ; comme l'a si bien remarqué Hegel : « La plus haute forme du néant pour soi serait la liberté, mais celle-ci est la négation qui a atteint son plus haut degré d'intensité et qui est en même temps une affirmation absolue [11]. »

Derrière donc la Mort absolue, la Vie absolue. Derrière le Néant absolu, l'Etre absolu. Le miracle bouddhiste tient dans cette coïncidence parfaite de la notion d'Etre pur des philosophes, et du sentiment cosmomorphique à l'état pur, où la mort devient intégration heureuse dans l'intimité maternelle de l'Etre. Et ainsi il traduit comme nul ne l'a su traduire ce que l'on peut appeler tantôt l'aspiration à l'infini, tantôt l'aspiration

11. Hegel, *op. cit.*

à la totalité, et qui est de toute façon l'aspiration à dissoudre la singularité (humaine) dans l'universalité. Il exprime l'une des deux aspirations, l'une des deux affirmations, l'une des deux revendications anthropologiques essentielles. S'il existe un « complexe de Nirvana », ce n'est sans doute pas qu'un « complexe » clinique. Il est le porte-parole de cette tendance fondamentale qui, à travers les participations affectives et intellectuelles, se fait jour et s'oppose à l'immortalité strictement individuelle, de même que la mort-renaissance ou la mort-maternelle s'oppose au double. Ce « complexe de Nirvana » s'affirme dans toute sa plénitude, précisément au sein des civilisations où s'affirme le salut personnel... Et c'est *la mort,* toujours la mort qui est magiquement chargée de réaliser l'un comme l'autre...

Mais le Nirvana est-il plus vrai que le « salut », pour qui la mort, sans la conservation de l'individualité, est irréparable, horrible, menteuse ?

Les secrets de la maturité.

L'aspiration au Brahman, au Nirvana, est « vraie », et du moins en tant que vérité « vécue » pour l'ermite, le sage de l'ashram ou du monastère, le reclus volontaire et l'errant solitaire qui, comme Rousseau, se roule à terre en criant « O Etre, grand Etre ! ». Elle est vraie pour celui qui se donne ou s'abandonne à la participation extatique.

La vieillesse porte en elle cette sagesse contemplative. Les vieillards, qui « vivent par la mémoire plus que par l'espérance » (Aristote), sont « sereins ». Il est bien connu que l'adolescence s'effraie le plus de la mort. Qu'on se souvienne des lignes de Paul Nizan dans *la Conspiration.* Nietzsche, parlant de l'homme (entendons l'homme mûr), disait : « Il y a de l'enfant dans l'homme plus que dans le jeune homme et moins de tristesse ; l'homme comprend mieux la mort et la vie. » Quelques jours avant de mourir, Gide, qui fut si longtemps tourmenté par la mort, disait : « J'ai été anxieux, mais maintenant c'est bien fini. Je n'ai aucune appréhension devant la mort. Je ne la crains pas. Je la trouve toute *naturelle.* » V. Egger, dans son étude sur « Le moi des mourants [12] », avance que le moi des vieillards est... comme l'ébauche diffuse du « moi des mourants » qui est caractérisée par la « béatitude ».

Ainsi, ce n'est pas un hasard si, à l'époque classique du brahmanisme, le chef de famille, devenu vieux, devait se retirer dans la forêt et y mener l'existence de l'ermite. Ce n'est pas non plus un hasard si les œuvres de vieillesse des grands écrivains (*La Tempête* de Shakespeare, *Le Deuxième Faust* de Gœthe, *Dieu et la Fin de Satan* d'Hugo, etc.) traduisent une sorte de vision nirvanienne. « La mort qui n'est pour toi qu'un spectre monstrueux... La mort c'est l'unité qui reprend toutes choses » (Hugo, *Toute la lyre*). « Dominer la mort par le mépris de la vie, libérer totalement son âme, être sans destin, avec la clarté de l'eau, c'est la sérénité », écrit Hans Carossa dans ce beau livre qui s'appelle précisément les *Secrets de la maturité* [13]. D'Aristote à Max Scheler, la « phénoménologie » de la maturité converge vers les mêmes évidences.

Les secrets de la maturité, dans ce sens, sont l'acceptation confiante d'un repos cosmique, d'un anéantissement *positif* dans l'Etre.

Mais ces secrets ne sont-ils autre chose que superstructures idéologiques d'une vie devenant végétative ? Cette question n'apporte pas immédiatement de réponse : le sage contemplatif, le vieillard-chargé-d'expérience pourraient rétorquer que la vie végétative, passive, est effectivement la vraie vie, authentique, pleine, en harmonie avec le monde...

Il faut aborder par ailleurs le problème, c'est-à-dire, à partir de la contradiction interne de la philosophie de l'extase, qui veut nier l'individualité et la conscience, alors qu'elle n'est possible que par l'individualité et la conscience... En consacrant la souveraineté de l' « esprit » qui retrouve Brahman, l'ascèse brahmaniste ou yogiste consacre la souveraineté du « moi » qu'elle croit avoir anéanti. Toute victoire délibérée sur le moi est une victoire, non pas du soi, mais du moi ; une victoire de l'individualité la plus haute, qui se détermine uniquement en

12. V. Egger, article cité.
13. Hans Carossa, *Secrets de la maturité*, Stock, p. 101.

fonction de l'idée, c'est-à-dire l'universel. Echapper à l'égoïsme n'est pas échapper au moi, mais l'affirmer, en détruisant les déterminations particulières de ce moi. L'on pourrait toutefois encore lever cette objection et prétendre que la négation du moi est son accomplissement dialectique dans le brahman, que la souveraineté de ce moi est la médiation nécessaire pour aboutir à la souveraineté de l'Etre... Mais alors, pourrait-on finalement répliquer, il n'y a aucune preuve vivante de ce dépassement dialectique ; l'extase ne peut nullement être un terme de comparaison avec la mort, parce qu'on ne sait pas ce que serait une extase sans individu, sans un homme.

Les philosophes de l'extase ont toujours oublié que ce qui subsiste dans la négation extatique de l'individualité, c'est la conscience de cette négation. Au comble de l'inconscience extatique, subsiste quand même le dernier fil, fil souverain de la conscience qui maintient l'individu suspendu dans le néant comme Achille par le talon hors des eaux du Styx. Les sereins secrets de la maturité ne s'éclairent à eux-mêmes que par la conscience. Le rêve de Nirvana n'a sa volupté que par la conscience de cette inconscience tant désirée. Le moi reste toujours tapi dans l'obscur.

Aussi la mort-accomplissement (Nirvana) est un véritable « pari », le pari de Bouddha, analogue et contraire au pari de Pascal... Il suppose que l'universel ne puisse être atteint que par le sacrifice de l'individualité. Il postule que seule la mort du moi peut *réaliser* l'unité du soi et du sur-moi. Certes, l'unité absolue de l'homme et du monde est incompatible avec la conscience, avec l'individualité. Mais la perte de cette conscience, de cette individualité est-elle la réalisation de cette unité ?... La véritable mort nirvanienne ne serait possible que si l'homme s'appropriait totalement le cosmos, c'est-à-dire que si le processus anthropologique de conquête du monde par l'homme était poussé à son terme. C'est bien ce que la mythologie bouddhiste et brahmaniste a senti : celui qui a le droit et la possibilité de se fondre dans l'Etre suprême est celui qui, après des milliers de vies successives, est devenu Dieu, maître de lui et de l'univers, magicien absolu...

Solution mythique donc, de même que le salut, avec qui elle

forme, dans les civilisations évoluées, le grand diptyque de l'immortalité humaine succédant au diptyque archaïque : double et mort-renaissance. D'un côté l'appel de l'universel cosmique qui fait éclater l'individualité, d'autre part l'appel de l'individualité, qui essaie de se réchauffer au contact de l'universalité divine ; appels disjoints, projetés, séparés l'un de l'autre, mais l'un et l'autre aussi profonds, aussi *vrais,* aussi humains. Et l'un et l'autre fondés sur un *mythe,* appropriation illusoire de l'immortalité, l'un et l'autre portés par la force du désir qui submerge la réalité immédiate de la mort qui est décomposition, pourriture, désastre.

Les secrets de l'adolescence.

C'est pourquoi il serait vain de nier la force et la réalité du désir du Nirvana, à la fois pesanteur régressive de l' « Anteros » qui nous attire vers les profondeurs maternelles maritimes, et désir progressif de conquérir la plénitude, la totalité de l'Etre...

Mais, comme nous l'avons vu au terme de notre chapitre consacré à la mort-maternelle, il serait vain également de nier la tendance fondamentale de l' « Eros », qui n'est pas le *retour,* mais la *sortie,* la sortie de l'utérus, la sortie des eaux : le devenir.

Dans *Saint-Glinglin* de Raymond Queneau on trouve sur le mode burlesque la démolition du mythe de la vie fœtale (« poissonneuse » dit-il). Les hommes qui « descendent » du poisson, qui sont « de pauvres poissons sortis de leur espace humide » ne peuvent y retourner. On ne peut retrouver le paradis perdu.

On ne peut d'autre part éluder, sinon par un « pari » non moins insensé que le pari du salut, le fait que l'homme est impuissant — du moins dans les conditions pratiques qui le déterminent — à s'approprier l'Etre...

C'est pourquoi les « secrets de l'adolescence » prennent le pas sur les « secrets de la maturité ». Entre l'universel mythique (Nirvana) et l'individuel mythique (Salut), l'humanité choisit en masse le salut. La philosophie de l'atman et du brahman n'est qu'un secteur de l'hindouisme, l'épanouissement réservé aux sages ; il est de toutes parts pressé par le salut personnel. Le bouddhisme, refoulé aux Indes, triomphant en Chine et au

Japon, mais s'entourant de conceptions religieuses régressives, de « doubles », de divinités, de paradis, est devenu un véritable salut.

C'est pourquoi cette sagesse d'extase, de contemplation, de mort épanouie, qui pourtant depuis le XIXe siècle fait entendre avec de plus en plus d'insistance son appel aux oreilles de l'homme « cultivé » d'Europe, a si peu de prise sur lui. Elle ne peut pénétrer dans les mobiles et entreprenantes sociétés d'Occident, non parce que les énergies occidentales sont « matérialistes », mais parce qu'elles sont simplement conquérantes. Bien plus, cette sagesse déserte les sociétés d'Asie depuis qu'elles se sont mises en mouvement. Avec l'introduction du capitalisme et du socialisme, que va-t-il rester de la « sagesse » orientale ?

Bien plus encore : la jeunesse et la vigueur de l'esprit humain contredisent, au sein même de la vieillesse, le vieillissement physiologique et les « secrets de la maturité ».

L'homme est le seul animal capable de transformer le sursis de la vieillesse en progrès. La vieillesse d'un Voltaire, par exemple, n'est pas la vieillesse, ou si elle l'est, elle est refus de la vieillesse et des secrets de la maturité. Théophraste mourant à soixante-quinze ans se plaignait « que la nature ait accordé aux corneilles une vie si longue et si inutile, et aux hommes une vie souvent très courte ». Mais le plus beau mot dans ce sens est peut-être de Renouvier, âgé de quatre-vingt-huit ans, sentant la mort venir : « Et j'ai tant de choses à dire au sujet de notre doctrine. » Quatre jours avant sa mort il disait : « Et je m'en vais avant d'avoir dit mon dernier mot. On s'en va toujours avant d'avoir terminé sa tâche. C'est la plus triste des tristesses de la vie. »

Il existe donc, même au sein de la « maturité », une négation de la maturité, une jeunesse de l'esprit et du cœur capable de faire taire les apaisants secrets de l'harmonie. Même aux abords de la mort, la révolte et les secrets de l'adolescence se font entendre.

Cette adolescence, c'est le mouvement, l'activité conquérante de l'individualité : « Notre nature est dans le mouvement », disait à sa manière Pascal. Et ce mouvement ne nie pas les secrets de la maturité ; c'est au contraire lui qui les révèle ; c'est parce que l'homme vit éveillé qu'il connaît le sommeil. C'est parce qu'il est sorti de la grande matrice qu'il connaît le rapport d'amour avec le monde. « Le séjour maternel n'est pas un séjour définitif pour l'enfant... *Mais l'amour maternel devrait devenir plus vrai, plus fort après que l'enfant a fait son entrée dans le monde* », disait Tagore. Et l'amour filial est né à partir du moment où l'enfant a fait son entrée dans le monde...

C'est dans le mouvement de l'individualité que l'homme se réapproprie, intimise à nouveau le monde et le fait évoluer. La praxis humaine, mue par les « secrets de l'adolescence », élabore sans cesse dans son mouvement les secrets de la maturité.

Et ceux-ci, sécrétés par l'évolution de l'individualité, sont peut-être des secrets de « mission terminée ». Mais le terme d'une vie humaine n'épuise pas cette mission. Les secrets de l'adolescence résident justement dans le refus de la mort comme remède au mal de mourir.

Le refus de l'individualité, refus impossible dans la vie même et qui n'a plus de sens dans la mort, est à proprement parler l'escamotage du problème de la mort. S'il y avait transformation possible de la vie et de la mort, elle ne pourrait se situer au-delà de la mort, mais au sein de la praxis vivante.

Le Nirvana vient trop tard : l'homme est sorti du monde. Il vient trop tôt : l'homme ne s'est pas encore approprié le monde. L'homme est effectivement dans son adolescence. Il est en pleine aventure. Sa vérité est « faustienne ».

Je ne cherche pas
Dans l'engourdissement le salut de mon âme. Le frisson est le meilleur
De ce que l'on trouve dans l'homme.

Faust, 2e partie.

7

La mort est moins que rien

(la sagesse antique)

En dépit des régressions qui marqueront toute son histoire, la philosophie, très tôt en Grèce, réussit à affronter et braver la mort béante, à accepter l'idée que l'homme est véritablement mortel. Avec Socrate, elle regardera cette mort, sans angoisse, avec une sorte de dédain, uniquement satisfaite de vivre dans *la participation à l'Universel, dans l'exercice de l'esprit.*

Socrate.

Les religions de Salut continuent de se former et de s'étendre dans le monde hellénique tandis que se détermine, à Athènes, la négation de l'immortalité. Nous avons vu que le salut comme la philosophie rationnelle correspondent *tous deux* à un stade évolué de l'individualité (chap. IV et V). Dans les conditions favorables de la richesse maritime athénienne et de la démocratie des citoyens, victorieusement fondée par Solon, Clisthène, puis Périclès, dans les échanges matériels et les confrontations d'opinions, dans le développement des techniques et des abstractions de la pensée, la philosophie put se sentir assez d'assurance et de lucidité pour mettre entre parenthèses les dieux et les promesses, assez d'énergie pour regarder la mort en face.

La *circulation,* qui brise les cadres figés des sociétés, a cosmopolitisé l'Athènes du Ve siècle, où convergent les navires de la Méditerranée avec leurs cargaisons de richesses et de croyances. Les déterminations individualistes de l'entreprise et de l'aventure maritime, commerciale, artisanale, suscitent le courage de la réflexion individuelle. Le commerce des marchandises entraîne le commerce des idées. Quand l'homme circule, déraciné de sa terre et de ses mœurs particulières, les idées générales, cosmopolites, pénètrent dans la cité.

La démocratie athénienne, où tous les citoyens interviennent sur la place publique, va sans cesse transférer, « sublimer » les heurts de la lutte des classes en combats d'idées, d'éloquence, de paroles. De Périclès à Démosthène, il n'y aura qu'une seule mutation politique violente, et d'origine externe (défaite militaire). La parole et l'idée, et non le coup d'Etat, seront les véhicules de l'évolution politique. Toutes les contradictions d'Athènes viendront s'exprimer à travers la parole et arriveront au jour de la conscience. Et du fait de cette liberté de parole, elles resteront vivantes ; dans cette confrontation générale des opinions, sans cesse agitées et réagitées à l'Agora, dans les conflits politiques et religieux, l'esprit humain pour la première fois se dressera, riant et méprisant, au-dessus des particularités idéologiques, prendra conscience de sa force, s'en enivrera et niera tout ce qui n'est pas lui-même ; alors les sophistes découvriront que toutes les opinions sont relatives, qu'aucune n'est certaine ou absolue. Toutes peuvent *également se prouver :* c'est ce que reconnaîtront le rhéteur, le bavard de l'Agora, l'avocat habile, le politicien professionnel, le philosophe discutailleur. L'ivresse sophistique s'élance ; Hegel y a reconnu un des plus hauts moments de l'esprit, où toutes les croyances sont retournées au vent irrésistible de la négation. Alcibiade renverse les statues. L'athéisme balaie le monde des dieux, des fantômes et des âmes, pour affirmer sarcastiquement que l'homme est la mesure de toutes choses.

La pensée libre, dans les cadres détendus de la cité cosmopolite, risque son chemin alors parmi les tabous amollis. Ceux-ci, dans un dernier sursaut, tuent Socrate, mais trop tard. Il a parlé.

Les anciennes croyances n'en sont pas pour autant abandonnées. La survie, la divinité de l'âme, l'ombre des dieux, l'immortalité civique, enrobent la pensée d'un Socrate. Mais ces mythes ne vont pas déterminer la pensée nouvelle, qui, avec le même Socrate, va affronter la mort, nue, dépouillée de l'espérance surnaturelle.

Socrate est à la naissance de toute détermination philosophique, mais il reste en deçà : il n'a pas écrit, d'autres ont relaté ses propos ; il est, à travers les dialogues de Platon ou de Xénophon, aussi présent-absent que le Christ à travers les Evangiles. Toutes les interprétations du socratisme restent possibles et toujours, comme le Christ, Socrate leur échappe. Il est le philosophe *général* à l'état naissant, naïf et neuf devant la vie et la mort.

Ce n'est pas qu'il ait nié l'immortalité, ce n'est pas qu'il ait rejeté la possibilité de mort-maternelle, de mort-sommeil ; la mort est peut-être le passage de l'âme dans une autre vie ; elle est peut-être un sommeil sans rêves (*Apologie. Critias*). Mais l'incertitude socratique n'est pas le doute hamlétien. Socrate est *indifférent* à la mort. Si notre âme est immortelle, tant mieux : c'est un beau risque à courir. Sinon, « combien de fois, ô Criton, avons-nous désiré dormir ». Ne sachant si la mort est un bien ou un mal, un rien ou un tout, nous ne devons nous attacher qu'au bien de la vie qui, lui, est certain.

L'indifférence de Socrate a ceci de grandiose, de probant, qu'elle n'a pas été seulement proposée comme thème d'exercice moral, comme règle de sagesse, mais qu'elle a été vécue, face à une mort évitable. Nul philosophe rationaliste n'aura à ce point vécu sa sagesse. A ce titre, Socrate est le véritable Christ ou plutôt le Kirilov tranquille de toute sagesse laïque. Il a bu la ciguë « aussi naturellement que le vin du banquet » (Jankélevitch). Il a *voulu* mourir, dit Nietzsche. Mais il faut s'entendre, Socrate a voulu la mort parce qu'on ne *peut* vouloir contre la mort ; nul désir schopenhauerien de mort dans cette *volonté* devant la mort ; nul désir de sacrifice, nul héroïsme ; ou du moins le désir de mort, la confiance dans le cosmos qui sait ce qu'il fait, l'immortalité civique du héros sont à l'arrière-fond, comme un halo, indifférenciés, derrière la sagesse du philosophe. Au premier plan, il y a dédain, sérénité, même pas mépris : le problème n'a pas d'importance. Plus extraordinaire qu'un athéisme assuré est cette indifférence devant l'innommable, qu'il soit néant ou immortalité. Le doute de Socrate est insensible au « pari » qui fera frissonner Pascal. La mort de Socrate est le blason placé au-dessus de toute sagesse rationnelle.

La mort selon l'esprit.

Quel est le « substrat » de l'indifférence socratique à la mort ? Est-ce la vie heureuse d'Athènes, la vie sociale progressiste de la cité équilibrée et en expansion, qui détermine la philosophie optimiste de Socrate ? Mais ce développement sociologique est aussi développement de l'individualité, qui développe l'horreur de la mort, et nous avons vu que l'appel du salut s'exprime justement dans les civilisations heureuses et prospères de l'Antiquité, notamment dans cette Athènes qui s'ouvre aux mystères d'Eleusis et à l'initiation orphique.

Il nous faut donc, pour comprendre l'indifférence philosophique à la mort, insister une fois de plus sur la dialectique anthropologique fondamentale. La double progression de la crainte de la mort et de l'individualité ne se fait pas selon un rapport fixe. Nul « individuomètre », comme nul « mortomètre », ne peut la mesurer. A chaque étape nouvelle de l'individualité se manifeste un refus plus violent de la mort en tant que destruction de l'individu, mais aussi, parallèlement, un enrichissement et un progrès des participations. Cet enrichissement peut se traduire, sur le plan intellectuel, par une adhésion et un dévouement plus grands à l'Universel, qu'il soit philosophique, idéologique ou social.

Toute affirmation et toute conscience de soi entraînent une affirmation et une conscience plus vives, à la fois de sa particularité et de son universalité. L'effort culturel va tendre dès lors à cultiver l'universalité au détriment de la particularité. *C'est cette vie de l'esprit qui méprise la mort.*

Car, dit Spinoza, la philosophie n'est pas une méditation sur la mort, mais sur la vie, en qui se trouvent la révélation, la plénitude, la vérité de l'Esprit qui ordonne le monde. L'intelligence rationnelle est si confiante et si enthousiaste de sa propre force, qu'elle dédaigne cette mort qui échappe à tout savoir possible.

Il existe donc une participation intellectuelle capable, en elle-même, de refouler ou supprimer la crainte de la mort. La philosophie est à ce point possédée par le démon de la connaissance, la *libido sciendi* (que le théologien dénonce avec un flair sûr, non seulement parce qu'elle détruit la magie et le mythe religieux, mais parce qu'elle est le grand obstacle à la pénétration de l'angoisse), qu'elle lève à peine un regard myope sur la mort. Comme dit Descartes : « En ce qui concerne le salut de mon âme, je m'en rapporte à Mr. Digby. » Feuerbach rapporte que Kant, dans son ultime vieillesse, répondait à des amis qui lui demandaient son avis sur la vie future : « Je ne sais rien de précis. » Et le pétulant Feuerbach ajoute, en vrai sage laïque : « En effet, pour vivre et mourir en homme probe et héroïque, on n'a pas besoin d'en savoir plus que Kant[1]. »

Le « penseur » qui contemple l'universel, le moraliste qui s'efforce d'agir selon l'universel, le savant qui s'efforce de soulever le rideau des apparences pour déceler la loi universelle, sont tendus dans une activité qui refoule doublement la mort : toute activité (participation) refoule par elle-même l'idée de mort ; et de plus l'activité de connaissance atteint ou croit atteindre ce qui échappe de toute façon à la mort, ce qui est plus fort et plus vrai que la mort, l'essence du réel, l'universel. Elle méprise la contingence, la particularité, c'est-à-dire ce qui meurt. Se considérant comme une participation à l'universel, qui est Esprit, elle se réjouit à ce point de participer à cette vie suprême, éternelle, immortelle, qu'elle peut alors accepter une mort qui ne lèse en rien l'universel. L'esprit ne meurt pas, le monde vit. A la limite de la participation philosophique, la mort peut même apparaître comme un « gain de la pensée » (*Théétète*). Ce qui meurt, c'est précisément ce qui n'est pas de l'essence de l'esprit. Toute mort est ainsi la victoire de l'universel sur le particulier. Elle est le triomphe de la liberté sur la détermination.

Ainsi, la plénitude de la vie intellectuelle, la participation fondamentale à l'universel qu'elle retrouve, entretiennent, raniment, sont les points d'appui, le substrat d'une attitude qui

1. Feuerbach, *Mort et Immortalité.*

se révélera capable de se désintéresser de la mort, de l'oublier, de la dévaloriser par rapport à la vie de l'esprit.

Socrate, s'il est porté par cet amour de la connaissance pour l'universel, ne va pas se borner à ignorer ou dédaigner la mort. Les ondes idéologiques qui se dégagent du grand effort humain de rationalisation du monde affleurent enfin, avec Socrate. en Grèce, comme avec Confucius en Chine (VIe siècle av. J.-C.), au domaine de la mort. Socrate veut mesurer la mort à l'aune de l'esprit humain, de la raison humaine qui, comme l'avait dit son contemporain Protagoras, est la mesure de toutes choses.

Et c'est alors la révélation tranquille : à mesurer la mort, on ne mesure que l'ignorance humaine : « Tu ne sais rien de la vie ; que peux-tu savoir de la mort ? » diront Confucius et Socrate. Il faut réserver son jugement : la mort est peut-être immortalité, peut-être sommeil, peut-être néant. Mais la seule chose que l'esprit puisse mesurer, juger, corriger, c'est l'attitude insensée de l'homme devant la mort, devant cette incertitude. Ce qu'il peut déterminer, c'est *une conduite rationnelle* qui surmonte la folie, la crainte et l'angoisse. Socrate s'en prend au traumatisme de la mort : il lui oppose une sagesse, une philosophie vécue, totale, totalement a-traumatique, totalement froide. Pour la première fois dans l'histoire, l'intelligence humaine s'avance comme force capable de dominer la mort, quand celle-ci apparaît dans son mystère et son horreur nue. Pour la première fois, le *moi conscient regarde* la mort et s'autodétermine devant elle.

Cette sagesse s'intègre dans le cadre général de la sagesse socratique. « Socrate a cru que la pensée est de force non seulement à connaître l'être, mais à le corriger » (Nietzsche). Il n'y a pas de mal, c'est-à-dire de péché indélébile, irrémédiable ; il n'y a que des ignorances, des préjugés, qu'il suffit de réfuter pour corriger. Il n'y a pas de méchants, il n'y a que des ignorants. La conscience, l'intelligence de l'homme peuvent tout surmonter et dominer. Cette grande idée, méconnue depuis le christianisme, n'est pas seulement le plus bel acte de confiance dans l'esprit humain, mais sans doute le vrai apport de la Grèce antique.

C'est pourquoi l'intelligence peut corriger l'être animal,

ignare et stupide, qui tremble devant la mort, le tenir comme un cocher tient son coursier par les rênes. Certes, il y a erreur lorsque Socrate impute au corps animal la crainte et le tremblement devant la mort. Mais le socratisme va au plus profond quand il affirme que la sagesse rationnelle peut seule réprimer, sans régression, les angoisses de la mort. C'est cette conduite de l'intelligence par rapport à la mort que s'efforcera de préciser avec une application de plus en plus tendue le stoïcisme, tandis que l'épicurisme, lui, portera le principal de son effort sur le concept de mort, dont il s'efforcera, par la force de l'entendement, de dissoudre le maléfice.

Stoïcisme.

Le stoïcisme, au cours de son évolution, va de plus en plus remiser à l'arrière-plan sa cosmogonie, son panthéisme — avec ou sans dieux, qui, de toute façon, restent extérieurs au monde — pour s'affirmer, dans la Rome impériale, avant tout comme une morale, une attitude pratique, une *propédeutique à la mort.*

Il est des choses qui dépendent et d'autres qui ne dépendent pas de nous. Il faut vivre sans désirs qui nous asservissent à ces dernières. La mort n'est pas à notre disposition. Mettons-nous à sa disposition. « Il faut se faire disponible à la mort, parce qu'il n'y a que la disponibilité à la mort qui puisse mettre en déroute la mort » (Guéhenno). Ainsi la mort ne nous privera de rien.

La sagesse stoïcienne est donc précisément exercice permanent de préparation à la mort. Elle se rapproche, par bien des traits, de l'ascétisme brahmaniste et yogiste. Comme lui, la sagesse stoïcienne méprise la mort en méprisant la vie, et se forge une méthode d'indifférence à l'événement et à la fortune. Indifférence qui s'étend jusqu'à notre propre corps considéré comme un objet parmi les autres. « Attention, tu vas le casser », dit Epictète à son maître qui lui tord le bras... « Tu vois bien, il est cassé », ajoute-t-il comme si le lésé était le maître. Le stoïcisme vise à séparer systématiquement, totalement, l'esprit du corps, afin que la misère du corps, et sa plus grande misère, la pourriture, n'affectent pas l'esprit. La réflexion d'Epictète traduit une volonté d'*extérioriser absolument la douleur :* celle-ci est le cri d'une carcasse étrangère à l'esprit.

Le stoïcisme est dans un sens donc une sorte de yogisme occidental, mais laïque, cérébral, raide ; l'effusion, l'unité de l'atman-brahman y sont atrophiées ; la mort n'est pas tant ce néant de plénitude auquel il faut tendre, qu'un petit « rien » mesquin, accessoire, un des mille accomplissements de la grande mécanique cosmique. Au lieu de « remplir » la mort, le stoïcisme la vide. Dans cette désolation immense, où vides également sont la mort et la vie, seul règne, immense pompe aspirante, l'Esprit.

En demandant à l'individu de se détacher de tout ce qui ne dépend pas de sa conscience, le stoïcisme affirme en fait cette conscience individuelle comme réalité suprême. Il est donc un moment culminant d'affirmation de l'individu. Affirmation absolue qui est une négation absolue : l'individu stoïcien qui apprend la modestie, le mépris de sa condition particulière, se prépare tout au long de sa vie à laisser la voie libre à la destruction. Mais négation qui renvoie à nouveau à l'affirmation : l'individu s'affirme doublement, d'une part en tant que conscience souveraine, maîtresse totale du corps et de la fortune, d'autre part en tant que conscience lucide qui connaît sa limite et sa faiblesse. Il utilise cette auto-affirmation et tout son potentiel d'énergie à faire de son propre gré ce que la mort fera inévitablement : l'humiliation et la destruction. L'individu assume donc de lui-même la fonction inévitable de la mort ; il déblaie, extirpe les passions et les désirs, apprête avec une froide coquetterie le sépulcre blanchi qu'elle n'aura plus qu'à posséder. Maîtresse de sa vie et de sa mort, la conscience acquiert une puissance cosmique et retrouve la participation cosmique. L'esprit du sage s'identifie à la sérénité royale et glacée de l'univers. Celle-ci le justifie de vivre, comme elle justifie sa mort.

La mort est moins que rien.

Comme le stoïcisme, l'épicurisme s'appuie sur une cosmologie, mais celle-ci, dès son fondement même, ne permet nul espoir de survie, nul *doute* même quant à l'anéantissement de la mort. En dépit de tous les obstacles, en dépit du désir anthropologique d'immortalité, l'atomisme de Démocrite ne se détourne ni vers une extase pancosmique, comme le taoïsme ou la spéculation brahmanique, ni vers un civisme comme le confucianisme ; il nie toute mort-maternelle, toute mort-renaissance, toute mort-survie. Animus, intelligence, volonté, centre ultime de l'individualité, et Anima, énergie vitale brute que Lucrèce comme Epicure reconnaissent en l'homme, ne sont qu'agrégats d'atomes qui se dispersent à la mort « comme une fumée », pour rentrer dans la masse flottante de l'univers. Pour Lucrèce, la façon de se débarrasser du cadavre est indifférente (III, 870 sq.). Tout cesse avec la vie.

L'épicurisme, dans son matérialisme atomiste, apparaît comme un moment capital dans l'histoire de l'esprit humain, et comme le moment le plus remarquable de la sagesse antique, face à la mort. La négation, le scepticisme, comme le dit Hegel, expriment l'énergie même de l'esprit : l'épicurisme a porté cette énergie à son point extrême. Non seulement il atomise le cosmos, mais il va, durant les siècles hellénistiques, gratter et ronger le concept de la mort, avec les mandibules de l'intellect, jusqu'à le dissoudre. Il le désagrège, *l'atomise* également. Pas de Nirvana. Pas de Brahman. Le néant de la mort, que la pensée hindoue remplit d'Etre, est réduit à un simple rien.

La mort n'est rien : ce qui est détruit est insensible, ce qui est insensible n'existe pas. « Après la mort, tout finit, même la mort », dit d'une façon très épicurienne Sénèque le stoïcien. L'épicurisme, et après lui les moralistes classiques de la raison, de Montaigne à Feuerbach, en passant par les encyclopédistes, concluent à l'inexistence de la mort [2]. « La mort est un fan-

2. Kant, l'ultime philosophe de l'entendement, dissout également la mort ; elle n'existe pas, puisque nous ne faisons que la penser, la représenter.

tôme, une chimère, puisqu'elle n'existe que quand elle n'existe pas[3].»

Non seulement ce rien est un rien, mais il ne concerne en rien l'homme. Ici intervient la lutte contre le *traumatisme* de la mort[4] : « Comment ne pas voir que dans la mort véritable il n'y aura pas d'autre soi-même qui, demeuré vivant, puisse déplorer sa propre perte[5] ? »

La mort donc, qui ne nous concerne ni vifs, parce qu'elle n'est pas, ni morts, parce que nous ne sommes plus, « ne nous concerne en rien » (Epicure). Ce n'est tout au plus qu'un banal incident, qui « ne dure qu'un instant », une affaire où l'on a « plus de peur que de mal » (Butler) et même nul mal...

La mort en soi et pour l'homme est ainsi littéralement pulvérisée par l'entendement ; elle n'a pas de déterminations, elle n'a même pas la détermination élémentaire de l'existence, elle n'est même pas cette nuit où toutes les vaches sont noires ; dans la mort, pas de vaches, pas de nuit même. La mort se dissout en elle-même ; en tant que concept, elle se suicide perpétuellement, avant même d'arriver à l'être. « La mort est la mort de la mort », dit encore Feuerbach[6]. Montaigne a raccourci l'attitude épicurienne en ces simples mots : « La mort serait moins à craindre que rien s'il y avait quelque chose de moins que rien ».

Ainsi l'entendement épicurien atomise la mort, comme il atomise le cosmos. Il aurait pu comme le stoïcisme ou le bouddhisme « néantiser » toutes les déterminations de la vie. Mais l'individu vivant, le plaisir de vivre échappent à cette atomisation. L'épicurisme ne s'appuie pas seulement sur l'énergie de la vie de l'esprit, mais sur l'énergie de la vie tout court ; il adhère totalement à la volupté de vivre. C'est également sur cette plénitude réelle qu'il s'arc-boute pour dédaigner la mort.

3. Feuerbach, *Mort et Immortalité.*
4. Il s'agit, bien entendu, comme nous l'avons vu (pages 35 à 42), du traumatisme psychologique que cause chez les vivants l'idée de mort ou la contemplation de la mort d'autrui, et non du choc de la mort chez celui qui meurt.
5. Lucrèce, *De Natura Rerum,* III, 885.
6. Feuerbach, *ibid.*

Alors que le stoïcisme dévalorise la vie, l'épicurisme revalorise l'existence pour dévaloriser la mort.

Le *carpe diem* n'est pas un mot de jouisseur, mais un appel de l'Eros individuel à toutes les forces profondes de l'humain pour qu'il étreigne le jour et s'enivre de la lumière. « Vous appelleriez au moins fou un individu qui après avoir entendu une sonate de Mozart ne sait autre chose à dire que « elle a duré quatorze minutes et demie » tandis que tous les autres assistants cherchent à exprimer leurs émotions... Eh bien, fou est celui pour qui tous les attributs de cette vie terrestre se résument en des phrases mesquines et pâles comme les suivantes : *vanitatum vanitas* » (Feuerbach).

Anéantie donc par l'entendement, méprisée par la vie, la mort épicurienne n'existe pas. L'épicurisme est une sorte d'alliance conclue, pour traquer la mort, entre le moi (l'individu), le soi (l'instinct, le plaisir de vivre) et même le sur-moi (l'ordre cosmique atomique). Cette alliance montre à quel point est équilibrée, riche, la solution épicurienne qui permet et garantit le refoulement de l'idée de mort. Le stoïcisme, lui, ne trouve d'issue que dans le sacrifice du « soi » au « moi » (des désirs à la conscience) et du moi au sur-moi (la conscience à l'ordre implacable de l'univers).

C'est parce qu'il répond de façon si équilibrée à la mort qu'il y a eu rapide et large folklorisation de l'épicurisme, ou plutôt une sorte de vulgate épicuro-stoïcienne, où du stoïcisme ont été surtout retenus les thèmes de disponibilité et de résignation à la mort. Débordant la philosophie, l'attitude épicurienne se vulgarise dès l'ère hellénistique ; des inscriptions tombales commencent par un « si » sceptique. « S'il existe quelque chose dans les lieux d'en bas... » ; d'autres traduisent nettement la résignation à la mort, la négation de l'immortalité : « Console-toi, petit enfant, personne n'est immortel. » D'autres enfin sont typiquement épicuriennes. « Aujourd'hui je n'étais pas encore, puis j'ai été, maintenant j'ai cessé d'être, quoi de plus ? » « Vis, car il ne nous est jamais rien donné de plus doux, à nous mortels, que cette vie à la lumière du soleil [7]. »

7. E. Röhde, *Psyché.*

Dès le XVe siècle l'attitude épicurienne réapparaît ; amalgamée à la sagesse civique elle est aujourd'hui devenue dans nos sociétés laïques, au terme d'un long progrès, sagesse-des-nations.

Mais elle n'a pas refermé la trappe sur la mort. Et peut-être même, au sein de la sagesse épicurienne, le cri de Montaigne « c'est le mourir qui m'épouvante » a-t-il été étouffé à maintes reprises. Combien d'ex-épicuriens, comme Augustin, n'ont-ils pas rejeté cette belle dialectique qui à force de tourner et retourner le concept de mort finissait par l'escamoter. Combien encore d'Augustin de nos jours qui se déchargent de leur raison comme d'un fardeau pour se décharger de leur mort. C'est qu'en fait l'entendement épicurien répond à la crainte de la mort, mais non au problème de la mort. Si la mort n'a pas de prise sur lui, il n'a pas de prise sur elle, dans ce sens qu'il ne peut la comprendre. Il ne peut que dissoudre le concept de mort. Et quand nous disons « entendement », c'est dans le sens où Hegel l'emploie (*Verstandt*), pour l'opposer à la raison dialectique (*Vernunft*).

Les structures de l'entendement sont aveugles à la réalité de la négation : ce qui est, est : ce qui n'est pas, n'est pas. Aveugles de même au devenir, où ce qui est, n'est plus, et ce qui n'est pas, devient. La mort n'est pas, donc elle n'existe pas : la mort n'est pas, donc elle ne devient pas. L'entendement, qui ne connaît que de l'être qui reste être et du non-être qui reste non-être, ne se voit et ne se sent concerné par la mort, qui existe sur une autre échelle. Il y a une sorte de toute-puissance de l'entendement niant la mort qui rappelle à certains égards la toute-puissance magique de l'idée.

L'entendement donc *ignore* la mort, parce qu'il ne connaît pas le devenir. Il retrouve ainsi l'ignorance de la mort qui caractérise le « soi » (Voir p. 72 à 75). Et l'ignorant, il la nie, croyant nier la chose en niant le concept. Peut-être pourrait-on avancer qu'en un sens et à sa façon l'épicurisme se place également dans la ligne des constructions anthropologiques qui veulent réfuter la mort.

Dans la mesure alors où l'individu cristallise ses énergies sur son entendement — c'est-à-dire où il est avant tout savant, philosophe — dans cette mesure, il peut triompher de *l'idée* de la mort. C'est une des raisons pour lesquelles les hommes de science sont parfois plus forts contre la mort que les autres. Les cris d'épouvante, les mouvements de désespoir leur sont plus rares, *toutes choses étant égales par ailleurs.*

On comprend mieux maintenant comment non seulement l'amour philosophique de l'universel, mais encore les structures de l'entendement, aveugles à la mort, s'avèrent capables de refouler, chez des individualités très évoluées, les craintes et tremblements de la mort.

Mais, ceci étant, l'entendement ne peut, ni répondre à l'exigence scientifique de connaître la mort, puisqu'il l'ignore et la nie, ni bien entendu répondre aux exigences anthropologiques fondamentales face à la mort.

Certes, la mort ne pouvait être autre chose que du « rien », durant les siècles balbutiants des sciences de la nature et de l'homme, au regard de l'esprit humain qui bâtissait son appareil rationnel d'appropriation sur des bases nécessairement abstraites.

Mais, même à cette époque, l'énergie de l'entendement négateur ou épicurien face à la mort peut apparaître en un sens comme l'énergie du désespoir. En effet, si la conscience individuelle peut arriver à reconnaître la mort comme *rien,* comment peut-elle accepter qu'elle-même, qui est à ses yeux le tout, qui est l'universalité pensante, soit promise au rien ? Comment peut-elle accepter la victoire dérisoire du rien ? Son seul recours serait alors la modestie stoïcienne, l'auto-mortification laïque, le serein désespoir ? Mais la mort lèse le stoïcien non moins irrémédiablement, car elle le prive, non de satisfactions (richesses, plaisirs, etc.), dont il s'est déjà détourné, mais bien de la chose fondamentale que son stoïcisme a mis au monde, la souveraineté de la conscience.

Et c'est pourquoi la sagesse antique ne peut qu'escamoter le problème de la mort. Elle « s'applique à montrer le néant de notre mal pour n'avoir rien à guérir » (Jankélévitch). Mais du coup elle réprouve les remèdes charlatanesques. Et, en dépit de cette impuissance et de ses contradictions, elle est la seule attitude pratique, le seul recours contre la *crainte* de la mort, la seule arme de lutte contre la mythologie du surnaturel.

C'est d'ailleurs sur le terrain de la *crainte* de la mort que va se jouer principalement la lutte pour et contre le salut. D'un côté ce sera le rappel grandguignolesque : « Vous mourrez », qui vise à réveiller l'épouvante, à ressusciter l'invocation névrotique infantile au « Père tout-puissant » pour qu'il écarte la mort ; de l'autre, ce seront les thèmes virils forgés par Epicure, repris par les libertins de la Renaissance, les encyclopédistes de l'Aufklärung. Et ces libertins, avec leur athéisme joyeux, libéré de la culpabilité, heureux de jouir de la vie, dédaigneront la mort même au supplice (Vanini).

Aujourd'hui, les philosophies révolutionnaires mettent la mort entre parenthèses, et les philosophies réactionnaires se placent sous le signe de la mort [8]. La mort est le champ de bataille, le plateau éternel, dont la possession donne le pouvoir sur les âmes. Qui tient la mort tient l'empire !

8. Ce qui ne veut pas dire que toutes les philosophies mettant la mort entre parenthèses sont révolutionnaires, ni que toute personne obsédée par la mort soit « réactionnaire ».

8

La mort et la « culture »

Au terme du XVIIIe siècle s'affirme une pensée nouvelle, et qui va renouveler le problème de la mort.

Techniques, sciences, philosophies, mort.

Les progrès des techniques sur le monde réel entraînent sur tous les plans les progrès des modes de penser scientifiques, expérimentaux et rationnels. A partir de Bacon et de Descartes, la philosophie redevient parascientifique, comme à l'aurore de la pensée grecque, mais en fonction d'une science désormais débarrassée de magie et d'ésotérisme. Elle s'efforce de concilier sa réflexion avec les données des sciences théoriques et appliquées : géométrie, physique, etc., et les progrès continus de la science mettent en branle cette réflexion et la transforment.

Cette philosophie prend son essor en Angleterre, en France et en Hollande. L'intégration progressive en son sein des méthodes des sciences de la nature, le dégagement progressif hors de son sein des sciences de l'homme vont déterminer un « climat » philosophique où les progrès impitoyables de la rigueur critique, chassant le miracle et le surnaturel, discréditent les attitudes religieuses ; réciproquement, le refoulement des idées de mort (participation à l'universel) permet à la philosophie moderne d'interroger le monde.

Ce refoulement, victorieux au XVIIIe siècle, s'explique non seulement par l'intense activité philosophique et scientifique, la conquête ininterrompue des sciences sur le réel, mais aussi parce que cette activité participe à un combat plus général, à une vie ardente et militante, pour le progrès et les lumières. La classe bourgeoise montante porte et réchauffe en elle l'effort philosophique. La vigueur intellectuelle des philosophes, la joie du savoir, le combat pour la liberté, n'ont pas de soucis nécrophilosophiques. Ecraser les mythes de la mort, c'est en même temps écraser l'infâme, les prêtres et les despotes.

Bien entendu, il se forme en réaction un contre-courant antirationaliste et antiscientifique, dans lequel se concrétise l'idéologie de la réaction, et dans lequel l'horreur de la mort et le désir d'immortalité s'insèrent de façon complexe. Il suffit de songer à Pascal, bourgeois, savant et croyant, pour comprendre que le problème de la mort n'est pas qu'un jouet externe de la lutte des classes, mais un conflit interne au sein de l'individualité nouvelle. Dans cette lutte sourde, la mort suinte tout le long du XVIIe siècle, puis soudain c'est le ricanement d'un Voltaire.

Le monde humain.

Par ailleurs, les développements techniques, économiques, sociaux provoquent au XVIIIe siècle deux prises de conscience fondamentales.

La première est la découverte du fossé qui s'est creusé entre le monde humain et le monde naturel. Dans ce grand tournant, où les techniques capitalistes et les grandes inventions vont produire le machinisme, où la classe bourgeoise individualiste, réclamant la suppression des entraves économiques, voit dans le vouloir de l'individu humain lui-même le fondement de l'Etat et le pose comme universel économique, social et politique, la société apparaît dans sa réalité propre, guidée par ses lois (Montesquieu, Vico), formant un monde à part (Rousseau).

L'homme se sent alors plus ou moins nettement étranger à la nature, et en même temps désireux de la retrouver. D'où les ambivalences concernant cette notion de nature. L'individu sent la vérité naturelle au plus intime de lui-même : il veut alors renverser l'ordre social établi pour le remplacer par un ordre fidèle à la nature. Mais en même temps il se rend compte que le retour à l'état de nature est impossible ; les progrès « des sciences et des arts » détruisent les vérités et les vertus naturelles. D'où le scandale de Rousseau, « philosophe » qui semble contredire la philosophie des lumières. D'où encore les réactions divergentes que sont l'optimisme du progrès « naturel », d'une part, et de l'autre la nostalgie romantique du passé « naturel » (les deux thèmes coïncident parfois chez les mêmes auteurs). Exaspérant la prise de conscience de cette contradiction, le « criticisme » kantien va enregistrer, consacrer, radicaliser la séparation de *l'humain et du naturel.*

Deuxième prise de conscience : le XVIIIe siècle, avec Vico, Condorcet, découvre le mouvement historique ; l'humanité est en marche ; les sociétés se transforment et meurent (Montesquieu). Le monde humain est *en devenir.* La révolution française actualise le mouvement. On avait appris de Galilée que la terre tourne. On apprend de 89 que la terre marche — *Elle marche* en tournant : C'est cela la révolution. Il y a quelque chose de nouveau sous le soleil. Kant détourne sa promenade quotidienne sur la jetée de Kœnigsberg, aussi réglée que la marche des astres. Mais c'est Hegel qui va consacrer la prise de conscience du devenir progressif du monde humain.

Kant. La séparation. Le postulat culturel.

Les philosophies classiques, antérieures à Kant, présupposaient que l'homme, par le mouvement bien conduit de son intelligence — ou par l'évidence émotionnelle de l'intuition — pouvait atteindre la vérité, c'est-à-dire la structure même du réel. Elles présupposaient donc une harmonie, un terrain homogène commun à l'humain et au naturel. C'est cette harmonie et cette homogénéité que brise Kant, dans sa *Critique de la Raison pure.* Il démontre que la pensée humaine ne reflète pas les structures du réel. Notre représentation du monde reflète les structures du Moi, réalité première qui informe l'expérience, mais est elle-même antérieure à toute expérience ; ce Moi la rend intelligible par les catégories de l'entendement, mais il est le créateur de cette intelligibilité. L'univers, tel que l'homme l'appréhende, est discrédité, rabaissé au rang de « phénomène ».

La philosophie de Kant est certes une « révolution copernicienne » puisque tout gravite désormais autour des structures de l'individualité humaine. Le monde tel que nous le sentons, le représentons, le concevons, est un produit humain.

Et d'autre part Kant le premier pose clairement les normes de la morale culturelle, qui veut que chaque conscience soit considérée par autrui comme une fin, et soit effectivement une fin. C'est cette morale qui en fin de compte, selon Kant, reprend contact avec la vérité en soi. Si les « noumènes » sont hors du royaume de la raison pure et du sentiment, ils communiquent avec l'homme par la raison pratique, l'éthique. Traduisons : la valeur absolue, c'est la culture, autrement dit la morale où l'individualité est reconnue comme fin. Il y a donc consécration philosophique radicale de l'individualité, à la fois sur le plan de la raison pure et de la raison pratique. Cette consécration couronne en un sens la philosophie des lumières.

Pour réaliser le règne des fins exigé par l'éthique, Kant pose le « droit et même la nécessité d'admettre une vie future ». L'immortalité, réfutée sur le plan de la raison pure, devient *postulat de la raison pratique.*

Pour la première fois, l'immortalité est non pas affirmée, mais revendiquée, postulée, c'est-à-dire posée clairement comme besoin anthropologique. Dans un sens l'immortalité de l'âme chassée par la critique de la raison pure revient en catimini avec la raison pratique.

Mais il est frappant que l'anthropologie kantienne retrouve, en partant de la nécessité pratique (éthique) et d'une façon certes radicalement transformée, l'exigence d'immortalité qu'exprimait le « double » préhistorique. Dans cette perspective, le double nous apparaît comme l'ancêtre archaïque du « moi pur ». La tradition idéaliste postkantienne, dédaignant l'enseignement profond du maître, essaiera de réchauffer ce « moi pur » ; mais elle n'animera qu'un fantôme conceptuel, inodore, insensible et insipide. Un tel idéalisme ignore ou méprise, non seulement le corps humain, mais l'activité pratique, technique, sociale, civile, sans laquelle il n'eût jamais pu être conçu. Peut-être l'ignore-t-il parce qu'il tend désespérément à expulser la mort et le temps du sujet transcendant. « Le temps et l'espace étant des catégories, ni ma naissance, ni ma mort n'ont de sens[1]. » Plus le monde humain évoluera, plus cette philosophie se figera dans une immobilité fanatique.

La mort hégélienne.

Alors que pour Kant le monde extérieur, tel qu'il est senti et représenté, est un produit de l'homme, il est, dans la perspective hégélienne, *produit pour l'homme.*

La nature va s'intégrer dans *l'histoire.* C'est le progrès humain qui donnera son sens au devenir cosmique. La mort prendra, dans ce progrès, une signification grandiose : elle ne sera plus le « rien » des philosophes antiques, mais une fonction rationnelle, biologique, sociale, spirituelle. A une époque où le développement des sciences biologiques permet de dégager la mort animale comme loi de la vie des espèces, où le développement des sciences humaines permet de considérer la mort des sociétés, des régimes, des institutions, comme des étapes du processus de la civilisation, elle sera intégrée dans une philosophie de la nature et de l'humanité. La mort devient une nécessité du devenir du monde et de l'humanité.

Quoique Hegel ait très rarement utilisé le mot « mort », quoiqu'il n'ait jamais « médité » sur la mort, Alexandre Kojève[2] a dégagé l'importance capitale de la mort dans sa philosophie. Il va jusqu'à dire que « l'acceptation sans réserve du fait de la mort, ou de la finitude humaine consciente d'elle-même, est la source dernière de toute la pensée hégélienne ». « Acceptation sans réserve du fait de la mort » pourrait (à notre sens) aussi bien s'appliquer à l'existentialisme de Heidegger. Disons plutôt « justification dialectique sans réserve de la nécessité de la mort ». La mort a tôt cessé d'être un « fait » dans cette philosophie qui digère, assimile les faits pour les transformer en moments dialectiques.

Cela ne veut pas dire que la mort soit dissoute par la raison

1. G. Siméon, « La naissance et la mort », *Revue de métaphysique et de morale,* 1920, p. 495, 515.
2. *Introduction à la lecture de Hegel,* Gallimard.

hégélienne. Tandis que l'entendement épicurien pulvérise la mort et que la mort des philosophes est peut-être plus émolliente encore, dans son harmonie naturelle, que celle des religions du salut, qui porte en elle le risque de la perdition, il y a chez Hegel reconnaissance de la réalité de la mort. La raison dialectique (*Vernunft* par opposition à *Verstandt*) appréhende la mort comme quelque chose d'effectif, qui arrive, transforme, joue un rôle dans le processus de la vie, quelque chose de « déchirant » et de « terrible ». Comme le dira Feuerbach (et quoique ces phrases, visant la religion, puissent se retourner contre sa propre philosophie, et parfois contre celle de Hegel lui-même), « la mort n'est point une plaisanterie ; la nature ne joue pas une comédie ; elle porte effectivement le drapeau de la mort réelle ». « La nature, la vie n'est pas une comédie, elle est un drame tragique, colossal, et sans intermède[3]. »

Par rapport aux conceptions philosophiques qui fuient la réalité de la mort, soit en la niant purement et simplement, soit en se ménageant une porte de sortie vers quelque petite ou grande immortalité, la philosophie de Hegel introduit un affrontement pathétique.

Mais sans cesse affirmée est la volonté de chevaucher la mort sans jamais se laisser désarçonner. « La vie de l'esprit n'est pas la vie qui s'effraie devant la mort et se garde pure de la dévastation, mais celle qui la supporte et se maintient en elle[4]. » C'est cette volonté de maintenir *la pensée dans les eaux-mères de la mort, mais sans céder un pouce de terrain à l'irrationnel,* qui fait de l'hégélianisme cette prodigieuse synthèse du tragique et du rationnel, de la détermination antique d'affronter la mort et de la conception religieuse où rayonne le soleil noir du mourir. Synthèse dominée par le souci forcené d'intégrer la mort dans la raison, de la comprendre comme fonction, besoin, nécessité.

Hegel assimile la mort à la négation, c'est-à-dire à ce qu'il y a de plus réel peut-être dans sa philosophie. La négation est le moteur même du devenir, en même temps la démarche même de

3. Feuerbach, *Essence de la religion.*
4. Hegel, *Phénoménologie de l'Esprit.*

l'Esprit, l'expression de sa liberté et de sa vérité. L'esprit « qui n'est esprit que quand il regarde face à face le négatif et demeure en lui » tend toujours à nier la particularité, la finitude, dans laquelle il s'aliène nécessairement pour se réaliser et dont, pour se réaliser davantage, il doit se dégager. Toute finitude demande à se nier. Toute particularité demande à s'universaliser. Tel est le mouvement de la dialectique, c'est-à-dire du réel.

La mort est toujours défaite d'un particulier, victoire d'un universel. Hegel a bien saisi la loi des espèces animales où l'universel générique triomphe de l'individu particulier. Mais au lieu d'ironiser amèrement, comme Schopenhauer, sur la dérision dans laquelle l'espèce tient l'individu, il approuve de toute sa dialectique cette mort nécessaire : « la non-conformité de l'animal avec l'universalité est sa maladie fondamentale et le germe de sa mort ». On retrouve la vieille idée, stoïcienne et spinozienne, de la nécessité de la mort de l'être particulier pour la satisfaction de l'universel. « Eh quoi, disait Epictète, je ne serai donc plus ? Si, tu seras encore, mais quelque chose d'autre dont l'univers a besoin. » La sagesse antique n'avait jamais su expliquer ce besoin. Les sagesses hindouistes, spinozistes, en avaient fait le besoin *général* de l'universalité cosmique, le besoin de nier *en général* la particularité des êtres mortels. Mais cette loi sans formes laissait passer entre ses énormes mailles toute l'histoire, la culture, le devenir, l'amour, l'amitié, tout le concret de la réalité vivante, et de plus elle écartait d'une pichenette le problème de l'individualité humaine, sans qui l'universel n'aurait jamais pu être pensé, et désiré, et poursuivi.

Chez Hegel, l'universel, par rapport à l'individu animal, ce n'est pas le cosmos indéterminé, c'est le vivant *supérieur*, c'est-à-dire l'espèce. Marx, dans le Manuscrit économico-philosophique, a clairement exprimé cette idée hégélienne : « La mort apparaît comme une dure victoire de l'espèce sur l'individu et semble contredire à l'unité de l'espèce ; mais l'individu n'est qu'un être générique déterminé, et comme tel il est mortel. » Hegel a saisi le rapport capital qu'entretient le rapport des sexes avec la loi de l'espèce et la mort : après s'être reproduit comme autre que lui-même, l'individu meurt (*Encyclopédie*). Il s'est à la fois « nié » et « dépassé ». Non seulement la mort subie est un dépassement vers l'universel, mais aussi la mort donnée, le *meurtre.* L'animal qui dévore celui d'une autre espèce, ou l'individu qui tue un autre de la même espèce, veulent fonder leur universalité en assumant la fonction du genre. A travers la mort biologique donc, qu'elle soit violente ou naturelle, se manifeste toujours la dialectique du particulier et de l'universel.

Cette dialectique est le moteur même du devenir. Simmel (*Lebensanschauung*) a fort bien remarqué que « la formule hégélienne selon laquelle chaque chose appelle son contraire et, se combinant avec lui, produit une synthèse plus haute, dans laquelle elle est certes supprimée, mais acquiert en même temps son être véritable, ne laisse peut-être nulle part apparaître son sens profond plus fortement que dans le rapport de la vie et de la mort. La vie exige intérieurement la mort comme son contraire, comme l'autre dont l'adjonction lui procure l'être ».

La mort est toujours dépassement, véhicule d'une affirmation supérieure : « au-dessus de cette mort de la nature, au-dessus de cette enveloppe inanimée, s'élève une nature plus belle... » Hegel admirait le mythe du Phénix qui renaît de ses cendres. Il tenait cette idée de mort-renaissance comme la plus sublime découverte orientale, ignorant qu'il s'agissait, avec le double, de la plus ancienne conception humaine de la mort, ignorant qu'il était le premier grand philosophe à exploiter dans toute sa richesse et sa portée ce thème anthropologique fondamental.

L'Orient n'avait fait que tourner en rond dans le cycle mort-renaissance. Même le matérialiste évolutionniste Tchou-Hi, le plus grand philosophe laïque qu'ait connu l'Asie (XIIe siècle, dynastie des Song), n'avait pu faire autrement que de retomber dans l'éternel retour cosmique de cent mille années. Hegel, lui, prend le terme de vie nouvelle au sens de vie *supérieure.* Chaque nouvelle victoire de l'universalité est une conquête de l'Esprit. La voie du progrès est infinie... jusqu'à la réalisation absolue.

Ainsi la mort est le ferment de la vie en marche. Elle est vie plus énergique et plus valeureuse, plus héroïque et plus victorieuse. « Le fini est non seulement périssable et il périt, mais la disparition, le néant ne sont pas le dernier mot, et disparaissent d'eux-mêmes. » Cette disparition n'est pas escamotage par l'entendement. Elle est inscrite dans un processus concret : Mort, Finitude, Détermination, Négativité, sont étroitement associées dans une philosophie rationnelle du devenir, où l'affirmation et la destruction du particulier fondent sans cesse un universel qui se réalise dans le mouvement même. Ainsi la nécessité métaphysique (nécessité de la négation) et la nécessité biologique (le genre qui dépasse l'individu), se rejoignent pour justifier la mort. Justifient-elles également la mort humaine ? Il le semble. Il semble bien que Hegel considère l'humanité comme genre, genre d'autant plus précieux qu'il est porteur du devenir de *l'Esprit,* aile marchante du *Weltgeist,* qui part, selon un magnifique roman-feuilleton philosophique, à la conquête de la réalisation absolue. Ainsi, il va jusqu'à se réjouir des guerres qui, réveillant la mort, réveillent l'universalité qui tend à s'endormir. Mais sa vision serait très pauvre, si ses justifications métaphysiques et biologiques s'appliquaient automatiquement à la mort humaine, si elles se bornaient à étendre purement et simplement la loi naturelle de l'espèce à l'homme, dont le propre est précisément de se révolter et s'émanciper de l'espèce. D'autant plus que sur le plan métaphysique l'assimilation hégélienne de la mort à la négation n'est valable que d'une façon limitée : toute mort est une négation, certes, mais toute négation n'est pas une mort. Aussi on pourrait conserver la nécessité de la négation, sans que pour cela la mort soit nécessaire. Si, pour parler le langage hégélien, la chenille se nie pour devenir papillon, elle n'en meurt pas, et une véritable dialectique de l'individualité humaine supposerait une négation de ce genre, une vraie mort-renaissance en quelque sorte, et non pas l'anéantissement d'une richesse individuelle concrète qui ne profite qu'à une abstraction d'espèce. Car la vérité anthropologique, c'est la disharmonie entre l'individu et l'espèce. Et du reste, quel profit tire l'espèce d'une mort-humaine ? Quelle naissance plus belle est-elle issue de la mort de Kant ou de Hegel ? Après tout donc, lorsque Hegel raccroche la mort à l'universalité de la vie biologique et spirituelle, il ne fait que poursuivre les tentatives philosophiques antérieures de dissolution de la mort. C'est ce qui rend le système facilement réfutable : toute conscience individuelle pense avec indignation que le « devenir » pourrait fort bien se passer de sa mort.

Il est toujours facile de justifier la mort par rapport à l'espèce. Feuerbach, là-dessus, a foncé tête baissée.

Certes, la mort selon Feuerbach est une harmonie cosmique : « Le penseur triomphe de la mort en la comprenant comme un acte libre et moral, libre en ce sens qu'elle est en harmonie avec le flux et le reflux de la vie universelle [5]. » Elle est même ce qu'il y a de plus *vital* dans la vie. « La mort meurt éternellement de sa propre négation et devient par là l'affirmation la plus irréfragable de la réalité absolue de la vie [6]. » On voit avec quelle facilité apparaissent chez Feuerbach les thèmes de mort-renaissance, s'ajoutant à ceux du double, de l'épicurisme, du stoïcisme, et même à une sorte de Nirvana.

Mais, par-delà cet étonnant syncrétisme, apparaît chez Feuerbach une conception qui retrouve, quoique privée de la dialectique, l'inspiration du jeune Hegel, et l'amplifie, l'exalte dans une vision de l'Amour universel.

La mort existe avant tout pour assurer le règne de l'Amour humain. Comme le dit excellement Vuillemin (*op. cit.*, p. 285) : « la mort empirique est nécessaire pour que l'amour prenne conscience de lui-même. L'amour nie l'égoïsme, mais il faut encore que cette négation soit évidente par la mort ». « Notre mort est l'acte suprême de notre amour », s'écrie Feuerbach [7].

C'est pourquoi Feuerbach chante un hosanna à la mort : « Adorez la mort, fiers mortels, humiliez-vous d'abord devant elle, et frissonnez de ses terreurs jusqu'à la moelle de vos os, tuez par là votre égoïsme ; plus tard (?) [8] vous sentirez dans vos âmes la sainte flamme de la réconciliation, la lumière sacrée du savoir et de l'amour. »

La mort donc, contrairement à la conception chrétienne, « ne vient pas du manque et de la pauvreté, mais de la plénitude et

5. Feuerbach, *Mort et Immortalité.*

6. Id., *ibid.*

7. Dans le recueil feuerbachien : *Qu'est-ce que la religion ?*, trad. Ewerbeck, 1850.

8. L'interrogation est de nous.

de la satiété ». Perpétuel holocauste des individus sur l'autel du genre, elle est la richesse humaine.

De quelle étrange plénitude, de quel curieux amour, de quelle étonnante satiété sont morts les milliards d'êtres humains décomposés sous la terre ? L'euphorie feuerbachienne s'effondre d'elle-même dès qu'on lève les yeux de la mort livresque pour les fixer sur la mort réelle.

Le risque de mort.

Le jeune Hegel a-t-il failli s'engager dans cette direction ? Pas exactement : il tente, certes, de justifier la mort *humaine* à partir d'une dialectique de l'amour, non pas l'amour océanique de Feuerbach, mais celui des amants, qui appelle le « dépassement » dans l'enfant, c'est-à-dire la mort. Il ne s'agit pas seulement de la dialectique de reproduction spécifique, commune à tous les êtres sexués : « l'enfant n'est pas, comme dans le rapport animal, le genre existant, mais les parents ». Les parents-amants produisent la synthèse de leur amour dans l'enfant et y assurent la continuité de leur conscience (par l'éducation). C'est ce dépassement triomphant qui les condamne à mort...

Mais il semble bien que Hegel ait par la suite laissé de côté cette dialectique douceâtre, automatique, et qui d'ailleurs faisait si peu de cas du réel, de l'hérédité, de la stérilité, du célibat, etc. L'enfant va cesser de justifier la mort humaine pour Hegel, ou la justifiera à l'arrière-plan, en supplément. Il semble même que Hegel vieillissant soit revenu de plus en plus durement à la dialectique métaphysique et générique de la mort, en subordonnant de plus en plus l'individu à l'universel, non plus de l'espèce, mais de *l'Etat*...

Il n'en reste pas moins que dans la *Phénoménologie de l'Esprit* au croisement du romantisme et de l'*Aufklärung* de sa jeunesse d'une part et de la systématisation idéaliste de la vieillesse de l'autre, il esquisse une justification véritablement géniale et irréfutable, à notre sens, d'une certaine mort comme nécessité de la conscience individuelle elle-même, non par rapport au « genre » ou à l'Etat, mais à ses propres yeux de conscience individuelle, pour son propre souci d'universalité.

C'est la nécessité absolue (ou du moins l'inévitabilité absolue) du *risque de mort.*

Dans le fameux duel des consciences qui aboutit, comme on sait, au rapport maître et esclave, Hegel décrit ce moment historique fondamental où toute conscience-de-soi qui veut se faire « reconnaître » doit risquer la mort dans le combat qu'elle entreprend contre les autres consciences. Chacune ne peut affirmer son universalité que si la conscience de l'autre la reconnaît telle. « Le comportement des deux consciences-de-soi est donc déterminé de telle sorte qu'elles se prouvent elles-mêmes et l'une à l'autre au moyen de la lutte pour la vie et la mort[9]. » « Chacune ne se démontre à soi-même comme totalité (individualité) qu'en allant avec soi-même jusqu'à la mort. Chacune ne peut savoir de l'autre s'il est totalité (individualité) qu'en le forçant d'aller jusqu'à la mort. »

En un sens donc, sans risque de mort, la conscience individuelle ne pourrait acquérir sa *trempe,* c'est-à-dire *s'affirmer.*

On peut donc dire qu'étant donné les dangers de mort qu'implique toute vie qui demande à être vécue, celui qui tenterait d'éviter au maximum le risque de mort pour se garder vivant le plus possible ne connaîtrait jamais la vie ; la peur ou la médiocrité empêchent de vivre. Un héros de Michel Leiris dit : « Craignant la mort, je détestais la vie » (*Aurora*). Jung a noté, après beaucoup d'autres, que « ce sont les mêmes jeunes gens qui ont peur de la vie qui, plus tard, auront peur de la mort[10] ». Comme nous l'avons vu, le risque de mort, c'est la participation, et la participation, c'est la vie. La peur de la vie, c'est la peur de la mort, et la peur de la mort, c'est la peur de la vie. Vivre, c'est assumer le risque de mourir.

Mais ici il s'agit du risque de mort, et non de la mort elle-même. Distinction capitale qu'omet Alexandre Kojeve. Hegel avait cependant nettement indiqué que « dans cette expérience (la lutte à mort des consciences) la conscience de soi apprend que la vie lui est aussi essentielle que la pure conscience de soi ». Hegel dit encore que le seul risque suffit à réaliser l'être

9. Hegel, *Phénoménologie de l'Esprit,* trad. Hyppolite, p. 159.
10. Jung, *Phénomènes occultes.*

humain ; l'être qui a risqué sa vie et échappé à la mort peut vivre humainement [11]. Ce qui est d'ailleurs évident : le risque de mort n'a de sens que pour celui qui n'en meurt pas.

Cela implique que la mort fatale, aveugle, arbitraire, subie, obligatoire, la mort biologique tout court, ne peut rien justifier ; parce qu'on ne peut « retrouver dans la mort en soi l'origine de la mort pour soi [12] ». Seul, par contre, le risque de mort peut justifier ce dont on veut justifier la mort, parce qu'il est accepté ou choisi, ou voulu. C'est à son épreuve que l'individualité s'éprouve et se prouve en se prouvant sa liberté.

La conception du risque de mort apparaît chez Hegel comme moment dialectique du stade de l'histoire antérieur à l'esclavage, et qui fonde celui-ci. Nous pouvons toutefois, comme le fait Kojeve, essayer de tirer toute la substance anthropologique possible du risque de mort, quoique dans un autre sens : non pas en interprétant Hegel, mais en dégageant, si possible, des implications hégéliennes, une théorie du risque de mort.

La conscience dont parle Hegel ne conçoit son affirmation, à travers la lutte à mort pour la reconnaissance, que par la destruction ou l'asservissement de la conscience rivale. C'est donc une conscience « barbare », c'est-à-dire qui ne fonde son individualité (ou son universalité) qu'au détriment des autres individualités (ou universalités). La conscience barbare s'affirme par le meurtre, la guerre, le talion, l'esclavage [13].

La barbarie, ce n'est pas l'animalité, répétons-le : c'est le refus de la culture des autres. Hegel est quasi fasciné par la signification anthropologique du meurtre. Il est à ce point enthousiaste de la négation qu'il « lâche » presque inconsciemment cette phrase extraordinaire : « le négatif, c'est-à-dire la liberté, c'est-à-dire le crime ». Mais la géniale intuition de Hegel ne pousse pas plus loin.

Toutefois Hegel a découvert le lien dialectique qui fait que l'origine de la barbarie est l'origine de la culture et vice versa. En effet, la véritable dialectique culturelle naît du rapport

11. Hegel, *Phénoménologie de l'Esprit.*

12. Vuillemain, *op. cit.*

13. Cf. notre Introduction générale, chap. 4, « Le paradoxe de la mort : le meurtre et le risque de mort ».

maître-esclave, et le rapport maître-esclave lui-même, déterminé par le risque de mort, c'est-à-dire la guerre (ce qui n'est pas une vue de l'esprit ; l'esclave c'est historiquement l'ennemi vaincu), va être le producteur de la culture. D'une part le maître, devenu « propriétaire », et par là « oisif », a fondé son individualité ; la culture du maître commence : à lui les loisirs, les plaisirs, les œuvres d'art, la vie esthétique. Mais d'autre part, l'esclave, voué au travail, devient progressivement maître de la nature organique, technicien. Le voici de taille à revendiquer pour lui l'universalité du maître. La frivolité de celui-ci qui a perdu le lien avec le concret (c'est-à-dire le travail), et d'autre part la sape du travail patient de l'esclave préparent l'affranchissement. Affranchissement que réalisera quoi ? La révolte de l'esclave, une nouvelle lutte à mort de caractère révolutionnaire ? Ce qui est ici implicite chez Hegel va devenir explicite chez Marx.

Ainsi le mouvement de la culture s'effectue à travers les moments barbares de la lutte à mort, de l'asservissement et d'une nouvelle lutte à mort : la révolution. A travers la barbarie du maître qui lui permet de se « cultiver », et la revendication de cette culture par l'esclave, Hegel établit déjà le schème, certes stylisé, de la lutte des classes et de sa signification culturelle.

Et nous voici, débordant Hegel, amenés au problème du risque de mort du point de vue de la conscience « cultivée ». Nous entendons par là, non seulement la conscience qui veut réaliser sa plénitude culturelle, et pour cela renverser la tyrannie des maîtres, mais aussi la conscience qui, plus ou moins reconnue au sein d'une civilisation évoluée, veut la liberté des consciences encore opprimées, et ne supporte pas qu'il y ait des hommes qui ne soient pas reconnus comme hommes.

La conscience « cultivée » est celle qui, selon la belle expression de Hegel lui-même, « sait imprimer sur toutes ses actions le sceau de l'universalité ». Elle ne peut s'affirmer pleinement qu'en désirant l'affirmation des autres consciences. Elle est le contraire de la conscience du maître. Elle réclame la reconnaissance, la plénitude, la liberté, à la fois pour elle et pour les autres. Elle revendique le droit d'autrui. Elle exige, en un mot, la réalisation de la culture dans le monde humain. La perspective de la conscience « cultivée », c'est une société d'individus, où nulle oppression ne se ferait sentir, nulle « exploitation de l'homme par l'homme », c'est-à-dire la vision de Karl Marx qui couronne logiquement l'anthropologie de Hegel.

De ce point de vue, que le Hegel prussianisé n'a pas voulu aborder, la conscience cultivée risque la mort pour l'affirmation culturelle d'autrui. Parce que le monde barbare résiste ! Barbarie et culture sont à ce point liées que non seulement la route historique de la culture a été celle de la barbarie (civilisation des maîtres), mais qu'encore la culture est contrainte de lutter par la force, c'est-à-dire par la barbarie, contre la barbarie, autrement dit se conquiert barbarement : la culture barbarise puisqu'elle emploie le meurtre à son tour, et ce meurtre barbare civilise, puisqu'il conquiert l'universel.

Ainsi, tout au long de l'histoire, et dans le monde actuel, le risque de mort est comme une « obligation » anthropologique pour la conscience cultivée. Toute affirmation, toute revendication universelle comporte encore un risque de mort dans notre monde barbare. Certes, tout Galilée, petit ou grand, tout lanceur de vérité n'est pas égorgé. Il faut compter avec la bêtise de la barbarie sa *suffisance ou sa faiblesse :* elle peut n'avoir pas compris ou dédaigner la parole du héros de la vérité qu'elle épargne ou fait taire. Ou encore cette parole peut se camoufler derrière quelques protestations serviles : il existe une tradition riche et glorieuse de grands sournois de la vérité, qui évitent le risque de mort pour que leur pensée vive.

Le risque n'est donc pas absolu, la mort n'est pas inéluctable, mais son épée se dresse devant l'esprit libre et sans préjugés, quand il se doit de choisir entre le risque de mort et l'abandon de sa revendication, c'est-à-dire l'abandon de lui-même. En se choisissant, il accepte donc le risque de mort. « C'est seulement par le risque de sa vie qu'on conserve sa liberté [14]. » Ce risque, intimement lié à cette revendication, est ce qui donne à celle-ci son rayonnement, sa valeur, son enracinement ; il fait la « dignité [15] » de la conscience qui veut la culture.

14. Hegel, *Phénoménologie de l'Esprit.*
15. J'emploie avec regret ce mot, un des plus niais du jargon éthique

La continuité de la nécessité du risque de mort, à travers l'histoire, prend ainsi un sens culturel et anthropologique total : le risque de mort est l'aventure humaine elle-même. Sans risque, tout aurait été trop facile, donc inutile, donc impossible. La vie, l'action, la réussite, non seulement individuelles mais collectives, n'auraient été que molles plaisanteries. La culture n'a de sens que comme lutte à mort contre le monde naturel, l'animalité et la barbarie, hors de l'homme et en l'homme. La barbarie est ce qui tue, et si la barbarie ne tuait pas, elle n'aurait pas été la barbarie, elle aurait déjà été la culture ; ou plutôt la culture n'aurait pas existé, parce qu'il n'y aurait jamais eu de prise de conscience de la culture et peut-être de prise de conscience tout court : « Sans la mort, il serait même difficile de philosopher », dit Schopenhauer. Le risque de mort est lié à la fondation de la culture, à la fondation de la valeur universelle de l'individu, à la *réalisation* et à la *réalité* de l'une et de l'autre, de l'une en l'autre. Mais, répétons-le, le risque de mort n'est pas la mort.

Le risque de mort culturel nous demande à la fois de nous garder de la peur de la mort et de lui garder notre horreur ; le héros culturel risque la mort pour, à la limite, la supprimer. Le risque de mort, qui n'aurait plus de justification dans un monde « cultivé », ne se justifie donc que comme nécessité historique de la culture. Comme le jeune Spartiate qui a subi l'épreuve du renard, comme la conscience selon Hegel qui peut vivre humainement une fois le risque encouru, la culture triomphante, qui se serait assumée, trempée au cours de l'histoire, n'aurait plus besoin du risque de mort. Mais, pourrait-on penser, d'autres risques — c'est-à-dire toujours le même risque peut-être — s'offriraient dans la perspective de la culture réalisée ? Peut-être ?... Nous pourrons essayer d'éclairer cette interrogation dans la dernière partie de cet ouvrage... Toujours est-il que le risque de mort est de plus en plus absurde pour ceux qui l'encourent depuis que l'humanité est grosse de l'idée

---

actuel. Il suffit de songer à ce qu'est concrètement un air « digne » pour mesurer le ridicule de ce terme.

de culture. Et s'ils risquent justement pour supprimer cette absurdité, voilà des siècles que la terre est couverte de morts inutiles.

Ainsi donc, de la triple nécessité hégélienne de la mort — nécessité métaphysique absolue de l'esprit, nécessité biologique absolue de l'espèce, nécessité absolue du risque pour le progrès humain et l'affirmation de l'individualité — la première repose sur une assimilation abusive de la mort à la négation, la seconde sur une vérité animale que le propre de l'homme est de récuser ; seule la troisième est humaine, inscrite dans l'histoire, dans la logique du progrès ; mais la culture qui postule le non-sens, l'inutilité, l'absurdité de la mort exige de s'en débarrasser.

Nous en revenons donc au postulat culturel de Kant. Et effectivement le postkantien et posthégélien Simmel y débouche en empruntant alternativement les voies de l'une et de l'autre de ces philosophies.

Simmel.

Simmel annonce Heidegger, quand il pose la mort comme « forme » de la vie. La mort est en effet en même temps l'être organisé lui-même et la cessation de cet être : son non-être. Elle est donc « innée à la vie dès que celle-ci commence à se manifester ». La mort n'apparaît pas au moment de la mort, elle est dès la naissance : « Cette vie que nous consumons pour nous rapprocher de la mort, nous la consumons aussi pour nous échapper de la mort ; semblables en cela à des hommes qui arpenteraient un bateau dans le sens opposé à sa course [16]. » « La vie serait différente du tout au tout si la mort ne l'accompagnait pas dès ses débuts, mais se présentait seulement à son terme [17]. »

Différente, c'est-à-dire larvaire, inférieure : la mort de Simmel est au fond la nécessité dialectique de Hegel. « La vie telle qu'elle nous est donnée d'une façon immédiate ne fait pas de

16. Simmel, *Mélanges de philosophie relativiste*, p. 170.
17. *Ibid.*, p. 171.

distinction entre son processus et ses contenus[18]. » « Grâce à l'expérience de la mort, la fusion, la solidarité, entre la vie et les contenus de la vie a été dissoute. Mais c'est précisément dans les contenus d'une valeur intemporelle que la vie temporelle atteint ses plus hauts sommets[19]. » La mort permet à la vie de dépasser ses propres limites et de poser les valeurs : « la séparation entre la vie et son contenu, établie par la mort, permet aux contenus de survivre. » La mort est bien l'antithèse qui produit la synthèse supérieure de la vie ; la vie est « niée » par la mort qui est à son tour « niée » par les valeurs.

Ici Simmel introduit l'individualité humaine à la fois dans son historicité (sa relativité), et dans son caractère absolu : le « moi » ne fait pas partie des données brutes de la vie. Il est produit de la dialectique de la vie et de la mort. « Le moi au commencement de son développement est uni de la façon la plus étroite, aussi bien dans sa conscience subjective que dans son être objectif, avec le contenu particulier du processus de la vie. Si, d'une part, le processus de la vie s'isole de ses contenus, ce qui fait que ces derniers acquièrent une valeur en dehors du fait dynamique d'avoir été vécus, il permet d'autre part au moi de se séparer de lui, de sorte que ce moi se différencie..., se détachant par là aussi, comme existence et valeur indépendante, des contenus qui, au début, remplissent uniquement la conscience naïve. » Ainsi l'individu, produit historique, s'affirme comme valeur.

L'individualité-valeur exige alors que la mort soit « dépassée à son tour ». Simmel rejoint, par une voie hégélienne, la revendication kantienne de l'immortalité : dans la mesure où le moi se dégage des contenus, du fugitif et de l'accidentel, il demande l'immortalité qui, « telle qu'elle est rêvée par bien des natures profondes, serait la libération complète du moi, de ce qu'il y a d'accidentel dans les contenus particuliers de la vie[20] ».

La mort pour l'homme, dans ces conditions, ne devrait être que la limite au-delà de laquelle le moi ne serait plus déterminé que par lui-même. La formule la plus sympathique à Sim-

18. Simmel, *Mélanges de philosophie relativiste*, p. 172.
19. *Ibid.*, p. 173.
20. *Ibid.*, p. 174.

mel est la transmigration des âmes, qui écarte l'anéantissement et intègre la mort dans le processus de la vie individualisée. L'originalité profonde donc de la conception de Simmel, c'est d'avoir saisi comment l'individu, être relatif, arrive à se poser légitimement comme absolu, et comment, du même mouvement, c'est ce qui faisait la « valeur » de la mort qui postule désormais l'immortalité.

Ainsi la philosophie humaniste (anthropologique) de la mort a beau intégrer celle-ci dans un mouvement progressif de vie ou de culture qui en serait la nécessité ou la justification, elle aboutit, quand on la serre de près, à l'inévitable refus de la mort que profère l'individualité. Elle postule timidement l'immortalité du moi, comme Kant ou Simmel, ou bien elle débouche sur une conception culturelle de l'humain et du risque de mort, conception qui s'oppose en fin de compte aussi à la fatalité biologique de la mort. La revendication anthropologique, la vieille revendication du double, s'exprime à l'état pur avec la raison pratique de Kant. De même les contenus anthropologiques de la mort-renaissance, portés à leur plus haute expression par Hegel, appellent, sur le plan de l'individualité humaine, la négation de la négation, le « dépassement de la mort ».

Mais la mort n'a pas l'air de vouloir se laisser dépasser puisque l'on continue à mourir. Elle reste sourde aux invites de la philosophie. Alors viendra la « crise de la mort ». C'est dans la mesure où l'homme rejettera les impératifs culturels, les séparera de son impératif anthropologique d'immortalité (qui n'a de sens que par eux) que viendront le désespoir et le nihilisme.

3

La crise contemporaine et la « crise de la mort »

9

La crise contemporaine et la « crise de la mort »

> D'où l'humeur sombre de notre temps,
> La colère, la hâte, le déchirement.
> La faute en est à la mort dans le crépuscule,
> A cette impatience sans joie.
> Il est aride de ne pas voir la lumière qu'on attend depuis longtemps,
> D'aller à la tombe au moment de l'aube.
>
> LENAU

A partir de la deuxième moitié du XIXe siècle, une crise de mort commence, et nous verrons plus loin dans quelles limites et selon quelles déterminations. Si, après Kant et Hegel, tout est dit sur la mort, tout ce qui est dit, tout ce qui peut être dit va apparaître à la conscience en crise comme sans aucun rapport avec la mort elle-même. Le concept de mort n'est pas la mort : il est vide comme une noix creuse. Comme dit Maurice Blanchot, la mort n'est pas la mort, et c'est cela le terrible.

La mort, qui ronge son propre concept, va alors ronger les autres concepts, saper les points d'appui de l'intellect, renverser les vérités, nihiliser la conscience. Elle va ronger la vie elle-même, libérer et exaspérer des angoisses soudain privées de garde-fou. Dans ce désastre de la pensée, dans cette impuissance de la raison face à la mort, l'individualité va jouer ses ultimes ressources : elle essaiera de connaître la mort non plus par la voie intellectuelle, mais en la flairant comme une bête, afin de pénétrer dans sa tanière ; elle essaiera de la refouler en faisant appel aux forces de vie les plus brutes. Cet affrontement panique, dans un climat d'angoisse, de névrose, de nihilisme, prendra figure de véritable crise de l'individualité devant la mort. Mais cette crise de l'individualité ne peut être abstraite de la crise générale du monde contemporain. Si elle dépasse cette crise, par ses implications anthropologiques, elle ne peut elle-même être dépassée (au cas où il y aurait « dépassement » possible du problème) que dans le dépassement de la crise.

Le grand mal du siècle.

Cette crise, nous l'envisagerons ici essentiellement selon ses incidences sur la littérature, la poésie, la philosophie, c'est-à-dire sur le secteur de la civilisation non spécialisé, ou plutôt spécialisé dans le général. A ce titre la philosophie et la littérature sont les baromètres du degré d'angoisse diffuse, des ruptures souterraines d'une société : elles reflètent une crise qui est à la fois celle de l'humanité bourgeoise et celle d'un nouveau stade de la « condition humaine ». C'est sur ce dernier point que littérature et philosophie connaissent l'illusion la plus grande — tel un hépatique qui prendrait toute nausée pour une angoisse métaphysique — et la vérité la plus grande : car, par elles et en elles, se dévoilent les contradictions et les aspirations, la misère et les faiblesses, les révoltes et les grandeurs anthropologiques. De ce fait, elles contiennent confondus, mêlés d'une façon souvent inextricable, les caractères à la fois particuliers et universels de la crise de l'individualité dans le monde bourgeois.

Le romantisme est tout d'abord crise d'inadaptation à l'embourgeoisement. Dans son ressort premier, il est refus de la vie nouvelle, de la civilisation bourgeoise triomphante, du « nouveau milieu » urbain, technique, machiniste, comme dirait G. Friedmann. Intellectuels non spécialisés, petits hobereaux oisifs pour la plupart, les premiers romantiques sont comme à cheval entre deux civilisations, l'une qui est bien morte (et d'autant plus idéalisée qu'elle est morte), de participations mystiques ou plutôt magiques au sein d'une vie naturelle et libre, et l'autre de participations économiques qu'ils méprisent. Cette inadaptation suscite le pathétique désir impuissant de revivre une ère de vérités originaires, et traîne un sillage de malheur et de mort... Mais la nostalgie du passé « naturel » peut s'allier à l'attente prophétique d'un avenir lumineux où triomphera la nature humaine bafouée. Les deux éléments coexistent souvent à l'intérieur des mêmes consciences romantiques, ou parfois s'y succèdent, l'un chassant l'autre, selon l'événement.

Ainsi les mêmes intellectuels, malades du mal du siècle dans les années 1820-30, tournés vers l'âge révolu des chevauchées, des cathédrales, des passions et de la magie, hantés par la mort et la vie éphémère, passent brusquement à l'optimisme révolutionnaire vers 1830-48. « Où va-t-il ce navire ? » L'inadaptation au monde bourgeois, le refus du présent portent en eux une ambivalence instable entre le passé et l'avenir, la nostalgie amère et l'enthousiasme révolutionnaire.

Cette ambivalence, là où elle a été le plus richement ressentie (Shelley, Hölderlin, Hugo, etc.), unit la recherche d'un rapport « naturel » entre l'homme et le monde et celle d'un rapport culturel entre les hommes dans une même et totale exigence anthropologique.

Mais là où l'ambivalence est brisée, là où le romantisme ne peut se raccrocher à l'espoir révolutionnaire, *alors apparaît la solitude de l'individu dans un monde de participations qui lui sont étrangères.* Après les défaites des révolutions de 48, par exemple, le romantisme se désagrège. Les deux pôles de l'inadaptation se séparent l'un de l'autre : d'un côté l'aspiration à un monde nouveau devient socialiste, s'ordonne dans le mouvement prolétarien ; de l'autre le dégoût, le refus du présent provoquent le désespoir et entretiennent une solitude de plus en plus hermétique. Certes, ces deux pôles se rapprocheront à nouveau, sous l'influence des grands courants d'espérance collective : socialisme des années 1900, révolution d'Octobre, Juin 36, résistance 1940-44... Mais les déterminations propres à la crise globale du monde bourgeois [1], qui commence en 1848 [2],

1. Qui ne se ramène pas seulement aux crises économiques du système capitaliste mais aux conflits issus de la lutte des classes, toutes ces crises confluant en une crise de civilisation, aux problèmes issus de la transformation du « milieu » humain.

2. 1848 est une date capitale : c'est la dislocation du romantisme, c'est l'entrée dans l'arène mondiale du prolétariat comme force révolutionnaire décisive. Ce sont, en même temps, les premières régressions néo-archaïques comme la résurgence du spiritisme (1847).

vont peser de plus en plus brutalement, au cours du XXe siècle, sur une individualité que ce monde lui-même avait consacrée.

En effet, cette individualité consacrée par la civilisation bourgeoise comme valeur absolue (universelle), tant sur le plan économique, politique que sociologique, va se trouver jetée dans un monde de ruptures et de participations de plus en plus régressives. Les rivalités impérialistes pour le partage du globe, la concurrence des grandes nations industrielles vont ressusciter ou susciter des nationalismes agressifs, et provoquer la première guerre mondiale, c'est-à-dire la régression militaire s'emparant de la société civile. La crise de 1929 se manifeste comme crise de *structure* du système capitaliste à laquelle celui-ci ne peut échapper que par l'économie de guerre et à nouveau la guerre. La double auto-défense du capitalisme à la fois contre le communisme et contre la crise, les exaspérations nationalistes, provoquent l'apparition des régimes fascistes. Et enfin on va voir s'accentuer et se radicaliser, après 1917 et 1946, une *militarisation de la lutte des classes à l'échelle du globe*. Une véritable organisation de guerre oppose de plus en plus des « camps » polarisés géographiquement.

Dans ces conditions, l'individualité qui s'est épanouie dans le secteur libéral de la civilisation — secteur fort étriqué du reste — se trouve de plus en plus sollicitée, désaxée, brutalisée, donc malheureuse au sein de ces ruptures et de ces participations civiques-militaires [3].

Son premier mouvement est le refus, qu'exprime une littérature de dé-participation à la société (Kafka, Camus, etc.), de dé-participation à la lutte des classes militarisée, de dé-participation à la guerre : l'individu contemple horrifié la mort qu'il donne et celle qui le frappe. (*Au-dessus de la mêlée* de R. Rolland, *A l'ouest rien de nouveau* de Remarque, *Lettres de guerre* de Jacques Vaché, *Civilisation* de Duhamel, *Stalingrad* de Plievier, *Week-End à Zuydcoote* de R. Merle, notamment p. 122, etc.).

De plus en plus le fossé se creuse entre cette individualité

3. Une théorie de l'intelligentsia dans la société contemporaine nous montrerait comment cette classe inachevée, ambivalente, tourmentée se trouve pour ainsi dire aux points névralgiques de la crise.

et ce monde en état de crise totale, de régression planétaire. Elle ne sait plus si se choisir soi-même, c'est se choisir contre le monde, ou si choisir le monde, c'est choisir contre soi. La crise disloque les deux pôles anthropologiques : les participations prennent figure d'abdication, la solitude devient désespoir : dans cet écartèlement, naît une nouvelle « conscience malheureuse », renvoyée sans appui, sans supports, face à face à elle-même, sa vie et sa mort.

L'ultime recours, la participation intellectuelle, l'activité philosophique, se dérobent. L'impuissance de la philosophie à résoudre les problèmes réels de l'individualité en crise ont fait éclater l'hégélianisme, ce chef-d'œuvre de pensée pure, comme une énorme molécule. Le Logos hégélien se révèle incapable de répondre, *hic et nunc,* aux angoisses de l'individu (Kierkegaard) et aux appels de l'individu (Stirner). L'existence va désormais précéder l'essence. A Stirner, Kierkegaard et Marx, la toute-puissance cosmique de l'idée hégélienne apparaît inévitablement comme l'infirmité morbide de l'idée incapable de changer la vie. Mais tandis que Marx conserve la liaison avec la philosophie rationnelle et s'efforce de réconcilier le pensé et le vécu au sein de la « praxis », Stirner et Kierkegaard se situent aux points de rupture et de déchirement.

Le tête-à-tête avec la mort.

C'est au cœur de cette solitude, face à une pensée rationnelle insecourable qui joue avec le concept de mort comme s'il s'agissait d'un concept quelconque, face à l'asphyxie bourgeoise, que va s'exprimer la douleur absolue, parce qu'absolument impuissante, du « Moi » pris au piège et qui désormais ne peut s'oublier une seconde : « le moi vient de dévaster l'univers, il a coupé les arbres à fruits et le blé, il a laissé se faner les roses et les lys, le monde présent tout entier est devenu une lande triste et ennuyeuse » (Feuerbach).

Dans cette dévastation, l'individualité va poser sa revendication absolue : Stirner exige la disparition immédiate des Eglises, des armées, des Etats, le règne inconditionnel de l'Unique. Et si « saint Max », comme dit Marx, fait non moins l'ange que

Kierkegaard, dans son *tout ou rien* terrestre, ce dernier est non moins homme en réclamant à cor et à cri la victoire sans limite de l'individualité, sinon sur la terre, du moins au ciel.

Mais, comme rien ne répond à cette revendication absolue, l'individu solitaire ne se sent plus *rien de commun.* « L'individu, dit Kierkegaard, après avoir été dans le général, s'isole désormais comme individu, au-dessus du général. » En fait, le général lui-même a cessé d'être le général ; il n'est plus qu'un mot creux : une idée impuissante à intégrer le concret individuel. Il n'y a donc plus d'universel, plus de culturel. L'individu est seul dans l'irrationalité. *Il n'a plus que lui-même.* Et c'est alors que, chez l'Unique qui s'enlace désespérément lui-même, va se lever la plus formidable angoisse. La rupture des participations renvoie à l'angoisse de la mort, et l'angoisse de la mort renvoie à son tour à la rupture des participations. La solitude appelle la hantise de la mort et la hantise de la mort referme la solitude.

Les portes de la littérature et de la philosophie vont être forcées par l'angoisse de mort. Sous divers euphémismes (mal du siècle, mélancolie, etc.), l'angoisse avait déjà acquis la dignité littéraire et poétique. Elle accède avec Kierkegaard à la dignité philosophique suprême ; elle devient noyau de toute vérité, communication véritable avec le péché, révélation même du péché de l'existence. Mais le péché, qui est l'inconcevable, l'impénétrable, le secret du monde précisément parce qu'il est la « rupture du monde », c'est la mort. La notion de péché est un substitut à peine voilé de la notion de mort. Effectivement, sous l'enveloppe du péché kierkegaardien, Heidegger retrouvera la mort.

Le spectre de la mort va hanter la littérature. La mort, jusque-là plus ou moins enrobée sous les thèmes magiques qui l'exorcisaient, ou refoulée dans la participation esthétique, ou camouflée sous le voile de la décence, apparaît nue. Comme le philosophe, l'écrivain « de crise » passe aux aveux, et dit à sa manière : « Pour mon compte, depuis bien des années, la mort pourrit toute joie » (Rosny aîné). Des œuvres entières comme celles de Barrès, Loti, Maeterlinck, Mallarmé, Rilke, seront marquées par l'obsession de la mort.

En coïncidence avec l'angoisse de mort et l'aggravant, la faisant trébucher de néant en néant, les découvertes des sciences de l'homme et de la nature écrasent et rabougrissent l'individu, tardive création de la nature, fleur dernière des civilisations : elles le replacent, atome invisible, sur sa planète tourbillonnante, elle-même atome d'un soleil perdu dans les poussières de la voie lactée. La science ouvre la conscience sur des abîmes qui s'ouvrent les uns sur les autres, se dévorent les uns les autres... Les civilisations sont mortelles. L'humanité est promise à la mort. La terre mourra. Et les mondes et les soleils. Et l'univers lui-même, gigantesque explosion lente. La mort humaine, déjà vide infini, se dilate sur tous les plans du cosmos, de plus en plus vide et infinie : elle est comme l'univers, en expansion. Tout renvoie donc l'individu solitaire à une solitude de plus en plus misérable au creux d'un néant sans limite. Celui qui se sent étranger au monde et sent sa mort étrangère à lui n'a plus que lui-même, ultime présence, ultime chaleur, et c'est précisément ce lui-même qui va périr, pourrir, mourir [4]. Il ne peut rien fonder sur son individualité promise au néant. A la limite, il ne peut même plus la considérer comme valeur.

L'individualité se désagrège à son tour. La mort achève la nihilisation. Absurde le monde, absurde la mort, absurde l'individu. Ces trois termes se renvoient et se relaient dans une dialectique infernale. Tout est absurde. Le cercle de mort se referme.

Nihil.

Le nihilisme, l'absurde vont former le climat, le « bain » des angoisses modernes. Dans cette décomposition, une seule présence : la mort. La mort qui entretient la décomposition : « Contre l'obsession de la mort, les subterfuges de l'espoir comme

4. Certes, pourrait-on remarquer, ce sont souvent les individualités les plus médiocres et les plus mesquines qui mènent le plus grand tapage autour de leur mort. Le plus vain crétin est le premier à prétendre au pathétique. Nietzsche disait que « les superflus eux-mêmes font les importants avec leur mort, et la noix la plus creuse prétend être cassée » (*Zarathoustra*, trad. Albert, p. 97).

les arguments de la raison s'avèrent inefficaces[5]. » La mort qui a pourri la philosophie : « Nous sommes venus avec notre propre mort devant les portes de la philosophie : pourries et n'ayant plus rien à défendre, elles s'ouvrent d'elles-mêmes[6]. » La mort qui décompose jusqu'au jaillissement éclatant de la vie : « Sous le soleil triomphe un printemps de charognes : la Beauté elle-même n'est que la mort qui se pavane dans les bourgeons[7]. »

Et le nihiliste rejette avec des tremblements de dégoût, non seulement les participations qui l'appellent, mais son propre être, avec l'horreur que s'inspirent les pires infirmes : il se voit recouvert de la lèpre de la mort.

Le nihilisme entraîne « le tout est permis », le « tout est vain », le « tout est égal ». Mais le tout est permis est vain, le tout est vain est égal, la philosophie de l'absurde est elle-même absurde. Et à son tour l'absurde est intenable, inconcevable, le nihilisme impossible, car il n'est pas de conduite[8] possible dans l'absurde, ce que nous prouve, par l'absurde, *le Mythe de Sisyphe.* « L'homme absurde, selon Camus, " fixe la mort avec une attention passionnée et cette fascination le libère[9] ". » Cette libération c'est la *révolte* « qui donne son prix à la vie... lui restitue sa grandeur »[10]. Camus donne alors un sens positif, non absurde, aux notions de « grandeur » et de « prix ». Il dit que « l'absurde n'a de « sens » que dans la mesure où l'on n'y consent pas[11] ». Mais ce non-consentement, au contraire, détruit l'absurde, d'une part en lui donnant un sens, d'autre part en posant *une morale,* non absurde par définition, de la révolte, ce qui aboutit à une attitude, fort absurde en vérité devant l'absurde. Car le propre de l'absurde est de désagréger la

5. Cioran, *Précis de décomposition,* « Les Essais », Gallimard, p. 22.
6. Id., *ibid.,* p. 55.
7. Id., *ibid.,* p. 101.
8. Et souvent le nihiliste se retrouve pantouflard, dégoûté de n'être que pantouflard mais dégoûté de ne rien éprouver qui le pousse à quitter son état de pantouflard.
9. Sartre, « Explication de l'Etranger », *Situation 1.*
10. Camus, *Mythe de Sisyphe,* p. 78.
11. Id., *ibid.*

morale : c'est le tout est vain, le tout est permis. Dans une vision absurde, la morale, surtout celle de la « grandeur » ou de la « révolte » vaincue d'avance, est le dogmatisme le plus gratuit, et traduit une fuite, une peur des conséquences, une incohérence de l'esprit. Tout ce qui essaie de prendre un sens à partir de l'absurde en est la négation. L'absurde n'est lui-même que quand il détruit tout, y compris le désir de démontrer l'absurde.

C'est assez dire que le nihilisme, si l'obsession de la mort le rend inévitable, est en même temps impossible à vivre. En fait, il y a implicitement dans *le Mythe de Sisyphe* et de plus en plus explicitement dans les ouvrages ultérieurs de Camus, un humanisme qui retrouve appui et valeur sur les impératifs catégoriques de la morale, comme chez Kant ; mais ce kantisme émerge dans un océan d'angoisses ; privé d'anthropologie et de sociologie, il tend à retomber à la fois dans l'absurde et dans le postulat d'immortalité que pose la morale kantienne. Comme nous allons le voir, l'absurde lui-même est prêt, d'épuisement, à se réfugier dans l'immortalité mythique du salut. La contradiction du nihilisme est là. Il est à ce point intenable, en son noyau de négation extrême, qu'une force centrifuge renvoie le nihiliste aux participations que l'angoisse avait fait abandonner. Mais ces participations apparaissent si vaines, qu'à leur tour elles renvoient au nihilisme. Jusqu'à ce que la mécanique mentale se détraque. Jusqu'à ce que la lassitude, l'abrutissement, la folie l'emportent...

Névrose de mort.

C'est dans ce renvoi des participations au nihilisme, du nihilisme aux participations, que s'effectuent, sous le soleil de la mort, les grandes régressions intellectuelles. Régressions toujours accompagnées d'angoisses, et que nous appellerons de ce fait *névroses de mort.* Toute névrose en effet est régression sur une participation antérieure ; mais l'adaptation à cette participation antérieure est rarement parfaite, et l'angoisse subsiste, c'est-à-dire la conscience diffuse de l'inadéquation à la fois aux rapports actuels et aux rapports régressifs retrouvés dans la névrose. La névrose ne fait pas de nous des enfants ou des primitifs mais des névrosés qui ne retrouvent qu'à demi les participations primitives infantiles. De même la névrose de mort, tiraillée entre le nihilisme et les participations, provoque des réactions et des comportements à la fois infantiles et morbides. « L'homme est un enfant éperdu devant la mort » (Marie Leneru), savons-nous déjà. Il est remarquable que ces comportements et ces réactions aient progressivement envahi l'intelligentzia. Mais explicable également : la dialectique nihilisme-participation, ne l'oublions pas, est conditionnée et exaspérée par la crise du siècle qui est à la fois, et profondément, sociologique [12] et anthropologique.

Dans cette morbidité collective qu'entretient et développe le mal du siècle, l'ampleur des régressions prendra des proportions inouïes. La croyance la plus insensée, la participation la plus étroite, si elles apportent oubli ou consolation, peuvent alors fixer la névrose de mort. C'est parce qu'il est solitude, horreur et dégoût que le nihilisme débouche si souvent sur la foi la plus grossière. Et nécessairement grossière : seul le fanatisme permet d'oublier et de s'oublier.

Le retour névrotique au salut.

Parmi les vieilles participations réapparaît, vivifié, le salut, la régression « classique » permanente qui est précisément, merveilleusement, destinée à cet usage. « Là où l'individualité est isolée, alors le Moi lève le drapeau sacré du prophète, le Chandsac-chérif de la croyance en l'autre monde » (Feuerbach). Les vagues de conversions se succèdent depuis le début du siècle et emportent chacune leur lot d'intellectuels fiévreux. Les désespérés voguent vers la révélation. Les convertisseurs leur tendent la perche : *Credo quia absurdum.* Précisément l'absurdité totale du sacrifice d'Abraham devient, pour Kierkegaard, le signe même de la vérité divine. La folie du monde

12. Comme l'a pressenti le docteur René Laforgue, dans *Relativité de la réalité* (p. 137, Denoël), mais sans aller plus loin : « Le nombre de cas où l'angoisse de la mort provoque une régression est encore très étendu, et l'on peut se demander si notre civilisation ne favorise pas cette terreur. »

se mue en impénétrable sagesse. Le dérisoire apparaît en majesté. Le désespoir s'est changé en foi. Le nihilisme en dogmatisme, ce qui est dans l'ordre de la dialectique nihilisme-participations. L'Unique terrassé s'administre ou se laisse administrer l'anesthésique. Il l'aura, la vie éternelle, il restera Unique : il suffit de croire. Et ceux qui ont refusé le « logos » hégélien, rejeté les sagesses laïques, et souri de pitié devant l'espoir révolutionnaire terrestre, les voici frissonnant autour des cathédrales ; ils balbutient, clament leur foi mutilante et militante. Militante, mais névrotique. Certes, parfois la révélation éblouissante, triomphale, chasse radicalement les anciens tourments : sur une foi de roc alors peut se constituer un remarquable équilibre humain, une plénitude... Mais le plus souvent les convertis restent déchirés. Ils veulent croire. Ils veulent croire qu'ils croient. Dostoïevski croit croire à force de vouloir croire.

Avec le renouveau du salut se manifeste également le renouveau des anciennes immortalités (spiritisme, occultisme) [13]. Mais ni le salut, ni le spiritisme ne peuvent drainer à eux toutes les névroses de mort. Il n'est pas si facile de croire. D'autres participations, qui demandent une adhésion plus élémentaire, plus régressive encore, vont solliciter les consciences nihilisées.

Politique et mort.

Dans la dialectique qui renvoie du nihilisme aux participations et des participations au nihilisme, dans ce climat de névrose de mort, la participation politique militante va se métamorphoser parfois en salut individuel. Le militantisme, dans ces cas, apparaît comme une réponse au désespoir. Ce choix donne souvent la névrotique synthèse du désespéré-militant et du militant désespéré. Ce type de héros est devenu classique depuis Lawrence d'Arabie et le Garine de Malraux.

L'intellectuel va donc chercher à oublier sa mort, précisément dans la participation qui lui semblait la plus étrangère, et précisément afin de se fuir, de se « divertir », au sens pascalien du terme.

13. Nous renvoyons le lecteur au chap. 3 de la première partie.

Il existe depuis un peu moins d'un siècle une nouvelle sorte d'intellectuels politiques, dits « engagés », tout à fait différents des intellectuels militants du siècle des lumières et de 1848. Le mot d' « engagé » va très loin ; ils s'engagent dans la politique comme d'autres dans la légion. La légion est le remède du désespéré, elle lui apporte la participation la plus rigoureuse, comme un corset de fer qui fait mal, mais fait tenir debout, marcher et vivre. Et, en outre, le dépassement, l'oubli, l'aventure... De même, la politique, pour l'intellectuel autour de qui les liens de participation se sont desséchés ou rompus, qui craint la mortelle solitude, fait entendre son taratata spartiate, le clairon de la légion. Il aimerait être le grand tatoué idéologique qui sent bon le sable chaud.

Ainsi Barrès, le nihiliste désabusé, devient chantre de la terre et des morts, porte-drapeau du nationalisme intégral, et cherche même la grâce religieuse qui se refuse à lui quoiqu'il pénètre dévotement dans chaque église de France. Malraux s'en est allé chercher dans la révolution la grande participation biologique-guerrière, « la fraternité virile », puis, déçu, s'est réfugié dans la participation néo-barrésienne de la terre et des morts. Il a plongé sa mort dans tous les fleuves, il a essayé de la noyer dans toutes les participations et l'a toujours retrouvée collée à lui comme une tunique de Nessus. Et combien d'adhésions névrotiques d'intellectuels au communisme, pour éviter de « tourner le robinet à gaz ».

Certes, la re-participation politique peut être revitalisante, et refouler la névrose de mort. Mais, en général, plus la névrose est grande, plus elle recherche la religion communautaire, ou encore la chaleur originaire d'où montent les chants rauques. Etonnante dialectique où l'individualité raffinée, désabusée, n'aspire désormais qu'à la grégarisation. L'esthète fragile veut retourner au brut et redevenir brute. A la limite, la guerre, à la fois vertige (l'angoisse va vers ce qui l'angoisse) et remède (« la mort est une idée de civil »), est l'ultime recours de l'angoisse de mort.

De même que le salut, la participation civique-militaire ne réussit pas, le plus souvent, à chasser l'angoisse et le doute. Les « engagés » s'appliquent à eux-mêmes les conseils de Pascal : allez à la messe, « abêtissez-vous ». Mais parfois ils ricanent sous cape au moment de l'élévation de l'hostie. Ils oscillent entre le fanatisme et l'éclectisme, le désespoir et l'exaltation. Quoique plus ou moins camouflé, leur drame reste intact : ils croient sans croire, à moins que l'abêtissement ne prenne le dessus [14].

La destruction du moi culturel, l'exaltation biologique, le surhumain, la jouissance, le jeu.

Avec la participation civique-militaire, tout se passe comme si un instinct sûr ramenait l'intellectuel tourmenté par l'idée de mort vers les sources mêmes où il n'y a pas d'idée de mort. Et la remontée va plus loin encore et, plus profond, elle cherche le tuf biologique, l'exaltation et la jouissance animale de la vie qui ignore la mort.

Nietzsche est au seuil du grand retour contemporain au biologique. Non pas un retour à la nature, comme l'annonçait Rousseau ; l'état de nature rousseauiste était un état d'enfance, d'amitié, de plaisir, d'amour, une simplicité qui s'opposait aux mœurs hypocrites du siècle. Rousseau, de plus, faisait son deuil de l'état de nature et recherchait un état, non de super-nature, mais d'harmonie sociale, civique et égalitaire. Le retour nietzschéen au biologique est recherche de santé brute, par le jaillissement hors du culturel.

On ne peut dissocier Nietzsche de Schopenhauer. Janus bifrons du même vouloir vivre, l'un veut s'en arracher et l'autre s'y perdre. Nietzsche en effet tente de se jeter dans la mer du vouloir-vivre, s'y maintenir, s'y identifier et y trouver à tout prix la délivrance. Il ne semble pas qu'il ait été ouvertement hanté par l'idée de la mort, mais une vie malheureuse, malade, déchirée, le déterminait sans cesse vers une philosophie du désespoir qu'il refusait avec rage. Avec rage, il a voulu affirmer une joie et une volupté nées du malheur et plus fortes que le

14. L'intellectuel peut et doit participer et prendre parti pour la culture ou pour l'humanité tout entière. Mais s'il devient légionnaire (*engagé*) ou inquisiteur (*enragé*), la participation devient plus régressive que progressive.

malheur. Il a voulu transformer en cris de triomphe zarathoustriens les gémissements de ses entrailles. Il n'y a sans doute pas de névrose philosophique plus grande et en même temps désir de santé plus grand.

L'obéissance totale au vouloir-vivre, c'est la volonté de guérir la maladie de l'individualité par la greffe (et la griffe) violente du biologique sur le culturel, de l'animal sur l'humain.

Tentative extraordinaire qui vise à retrouver, par-delà, ou plutôt en deçà du « moi » culturel, le « soi » inconscient qui ignore la mort, la dissociation, l'angoisse et le malheur, en même temps que le « sur-moi » cosmique, la vie avec un V majuscule, qui se fait et se refait, se dépasse et triomphe dans et par la mort.

La re-participation nietzschéenne va s'accrocher à la fois à l'instant « joui » absolument en tant qu'instant extatique et à la vie vécue absolument en tant que vie cosmique.

L'instant pleinement ressenti, sans bavures, sans lézardes, sans dédoublement, épanouit une volupté victorieuse. Zarathoustra, étendu sur le sol de sa montagne, connaît l'ivresse de la joie qui à son tour connaît l'éternité. « La joie veut l'éternité de toutes choses, veut la profonde éternité [15]. » En effet, l'instant extatique détruit passé et avenir, ne connaît que lui-même, semble écraser, annihiler le temps et par là même la mort. Il retrouve l'immortalité du « soi ». L'on comprend que le thème de l'instant ait pris une importance extraordinaire dans la littérature et la philosophie de ces cinquante dernières années.

Les conceptions sur « l'éternité » de l'instant ont été suffisamment vulgarisées depuis Gide pour qu'il soit inutile de s'y appesantir. Jaspers a tenté de faire la théorie de cette éternité, qu'il soustrait au royaume de la mort : « l'être n'est pas dans le temps de l'autre côté de la mort, mais comme éternité dans la profondeur de l'être empirique... dans la profondeur empirique présente en tant qu'éternité [16] ».

Et par ailleurs, incluse dans l'instant et débordant l'instant, la « Vie » triomphe. Elle appelle le héros nietzschéen à s'iden-

15. Nietzsche, *Zarathoustra.*
16. K. Jaspers, *Philosophie.*

tifier à sa « Volonté », qui « se réjouit de faire les sacrifices de ses types les plus élevés au bénéfice de son propre caractère inépuisable... pour personnifier soi-même, au-dessus de la crainte et de la pitié, l'éternelle joie du devenir, cette joie qui porte encore en elle la joie de l'anéantissement » (*Ecce homo*). La mort participe à l'ivresse du devenir. Elle est engloutie dans cette ivresse. Comme la Vie, elle est solennelle et sacrée. La même exaltation porte la vie et la mort. La mort n'a donc pas à être tératologiquement détachée de la vie. Zarathoustra qui a failli succomber à l'angoisse, Zarathoustra le guéri (le Zarathoustra que voudrait être Nietzsche), méprise les prédicateurs de la mort, « phtisiques de l'âme ».

Au contraire, il veut sa mort autant que sa vie : « Je vous fais l'éloge de ma mort, de la mort volontaire qui me vient puisque je le veux [17]. » Car la grande vie cosmique veut la Nuit comme le Jour, l'anéantissement comme l'affirmation.

Et le héros nietzschéen, en voulant sa mort, mort pulvérisée dans le souffle du vouloir-vivre, apparaît comme le « vent aux sifflements aigus qui arrache les portes du château de la mort [18] ». Car la mort nie la mort. C'est l'éternel secret de mort-renaissance.

L'identification à la Vie implique un rapport de caractère extatique. Et l'on peut mieux comprendre la signification du nietzschéisme si l'on admet la nature en un sens extatique de la vie animale (Max Scheler) et si l'on se souvient d'autre part que l'extase joue un rôle capital de réfutation de la mort. En effet, il n'y a pas plusieurs moyens d'oublier ou de vaincre (croire vaincre) la mort. L'extase est toujours irruption hors du moi, communion cosmique intellectuelle (yogisme) ou affective (danse). N'oublions pas le rôle suprême de la danse chez Nietzsche. G. Bataille s'émerveille qu'une telle philosophie n'aboutisse qu'à la danse [19]. Mais la danse est précisément ce qui exprime en même temps l'extase de l'instant, et le mouvement extatique, libre, gratuit de l' « élan vital ». Plus que

17. Nietzsche, *Zarathoustra.*
18. *Ibid.*
19. G. Bataille, *Memorandum.*

symbole du nietzschéisme, elle est sa vérité. Cette vérité dansante, c'est le *jeu,* dans le sens cosmique où l'entend Frobenius [20], c'est-à-dire l'activité, sans autre sens qu'elle-même « délivrée de la servitude du but ».

A ce titre, le jeu séduit l'intelligence nihiliste, qui dégoûtée des participations auxquelles elle ne peut adhérer, parce qu'elles ont un but alors que tout est vain, décide d'agir *pour agir.* On retrouve ici un des ressorts fondamentaux de l'adhésion aux participations guerrières, en un sens les plus « ludiques ». Montherlant, le Garine des *Conquérants* de Malraux, et bien d'autres, ont proclamé les vertus du « service inutile », de l'efficacité absurde. Plus le jeu sera pathétique et violent, mieux il remplira sa fonction extatique qui est d'oublier et de nier la mort. Les grands « joueurs » contemporains, de Lawrence à Malraux, sont effectivement hantés par la mort, et le jeu des Jeux, le grand Jeu, est justement la guerre, où l'on affronte et risque la mort, où l'on soigne homéopathiquement la mort par la mort. Et ceci nous explique que le nihilisme cherche à se dépasser dans l'aventure des joueurs, ou le jeu des aventuriers.

Mais ne danse pas qui veut. Comme s'il avait senti la difficulté de vaincre la névrose nihiliste de mort, c'est au terme d'une longue ascèse, d'un véritable Karma-Yoga, que Nietzsche fonde la libération du soi, son identification au sur-moi cosmique, c'est-à-dire le *surhumain.*

L'exaltation du surhumain implique à la fois l'exaltation des puissances du « Soi » et du « Moi » barbare [21], donc la haine des valeurs culturelles : fraternité, justice, égalité. La culture va contre la vie. Nietzsche voit à juste titre le commencement de la décadence de la *force vitale* avec Socrate, Platon, et cette décadence elle-même avec le christianisme et le socialisme, aberrations exsangues et pleurnichardes dans lesquelles l'humanité se détourne de ses instincts fondamentaux. L'individualité culturelle, c'est donc l'ennemie : « Brisez-moi, brisez-moi les bons et les justes. » « Devenez durs. » Le surhomme se veut à l'image de la vie, qui est prédation et cruauté.

20. Frobenius, *la Civilisation africaine.*
21. Nietzsche, *Zarathoustra.*

Parce que l'individualité culturelle porte en elle le malheur et la mort, cette démarche « anticulturelle » que vont populariser les successeurs de Nietzsche, s'oriente vers une barbarie nouvelle. Ce qui n'a rien d'illogique puisque la culture est incapable d'apporter une solution au problème de la mort, puisque c'est justement elle qui pose le problème d'une façon insoluble. Il faut rejeter la culture. Créer une individualité nouvelle, par la ***réexcitation du biologique dans l'humain.***

Ainsi s'éclaire le vitalisme nietzschéen, issu de la crise de l'individualité, et qui recouvre quelques-unes des régressions les plus caractérisées provoquées par la névrose de mort. Certes, comme toute régression, le vitalisme est régressif-progressif. Il est réaction progressive contre le plat confort philistin, la satisfaction intellectuelle béate, la sclérose idéaliste de la philosophie officielle. Il pousse des cris de sang dans les corridors de la pensée pure. Par ailleurs le thème de l'instant a permis à une intelligentzia fatiguée de retrouver les voluptés élémentaires de la faim, de la soif, de l'amour. Il a pu servir de propédeutique à l'existence concrète, d'apprentissage au « merveilleux quotidien ». Le thème du jeu a permis de renouer avec la participation cosmique...

Mais il ne faut pas oublier le caractère profondément névrotique du nietzschéisme, c'est-à-dire son rejet catégorique du culturel. A ce titre il contient, parmi d'autres germes qui leur sont contraires, les ferments du biologisme raciste et de la théorie du surhomme nazi. La santé purement biologique est peut-être le phénomène sociologiquement le plus morbide de l'époque. Derrière le clair regard du jeune SS beau et heureux, il n'y a pas que l'ivresse tranquille de la férocité infantile, il y a aussi le mal de la civilisation.

La plupart des succédanés modernes à l'obsession de la mort se trouvent dans le nietzschéisme. Mais les intellectuels du XXe siècle ont beau essayer de se désaltérer aux sources biologiques, ils ne font que boire aux sources du XXe siècle, qui porte avec sa civilisation vieille, et son individualité culturelle, le spectre de la mort. S'il s'agit de fuir avant tout l'angoisse de mort, on comprend qu'ils cherchent obscurément du côté du « Soi », de la vie animale extatique. Mais ils ne seront jamais animaux, et la conscience accompagne toujours leurs tentatives d'oubli les plus forcenées. Ils savent d'une certaine façon qu'ils cherchent à oublier la mort, et ce savoir qu'ils ne peuvent détruire ramène sans cesse le spectre. Alors la vie se vide, alors le jeu n'amuse plus, alors l'éternité de l'instant se dissout dans l'instant qui suit : le temps poursuit sa route et la mort fait son œuvre, ce qui dispense d'autres réfutations.

L'angoisse de mort comme expérience de vérité : Heidegger.

Avec le retour aux participations élémentaires, baignant en elles, une philosophie nouvelle va tenter, dans son effort le plus remarquable, de se maintenir dans l'angoisse, afin d'y chercher la vérité de la vie et de la mort. La philosophie existentielle « vit » la crise de l'individualité comme une expérience anthropologique fondamentale. L'existence déchirée, la solitude, l'angoisse remplacent les anciens concepts premiers. Certes, de ce fait, cette philosophie ignore les conditions, non moins fondamentales, de la crise. Certes elle subit également les régressions, dont la plus courante est le salut par substitution de la transcendance divine à la mort. Mais elle vit un drame aux implications anthropologiques réelles. Mais elle essaie de connaître ce drame en le vivant. L'angoisse va devenir le grand détecteur, le sixième sens, avec lequel le philosophe de l'existence flaire son propre destin et sa propre mort.

Effectivement, l'angoisse est un commun dénominateur aux philosophies de Kierkegaard, Heidegger, Sartre. Kierkegaard la détourne vers le salut ; Sartre l'oriente vers la liberté, Heidegger, lui, l'amarre à la mort. L'ultime entreprise de la philosophie allemande, le dernier effort pour assumer la mort va s'effectuer dans et par l'expérience vécue de l'angoisse. L'ultime réponse à l'angoisse sera trouvée dans l'angoisse même.

L'angoisse, pour Heidegger, est notre expérience du néant, qui, si elle ne nous met pas en sa « présence originelle », nous en avertit, nous le fait pressentir comme fondement de l'être.

En tant qu'expérience du néant, l'angoisse révèle la structure fondamentale de la mort dans l'existence humaine. La mort n'est pas le ver qui ronge le fruit ; elle est, comme dans Rilke, le noyau même de la vie. « Vivre n'est jamais que vivre sa mort. » « Dès qu'un homme naît, il est assez vieux pour mourir [22]. » La mort est la structure de la vie humaine, qui est être-pour-la-mort. « L'Etre authentique pour la mort, c'est-à-dire la finitude de la temporalité, est le fondement caché de l'historicité de l'homme [23]. »

Ainsi, l'angoisse, et par conséquence la mort elle-même, est le fondement le plus certain de l'individualité. D'autant plus qu'il est impossible de partager sa mort, de la mettre en commun : toute mort est solitaire et unique. Nulle philosophie n'avait jusqu'alors été aussi directement centrée sur la mort, ne l'avait à ce point décelée dans le cœur de l'Etre, dans le mouvement du Temps, dans l'ossature de l'individualité humaine. Nulle philosophie n'avait jusqu'alors autant approfondi l'angoisse. On peut dire que l'angoisse heideggerienne recouvre en partie ce que nous avons appelé l'inadaptation anthropologique.

Et dans le fond Heidegger nous demande d'assumer cette inadaptation, ce qu'il appelle l'être-pour-la-mort, qui seule procure l'*authenticité*. La vie authentique est celle qui à chaque instant se sait promise à la mort et l'accepte courageusement, honnêtement. Comme pour Pascal et Bossuet, le travail premier est de traquer le divertissement, la vie factice, menteuse et médiocre de « tout le monde », l'anonymat du « on », c'est-à-dire la désindividualisation. Il faut cesser d'esquiver l'idée de mort, cesser de faire comme si « on » ne devait jamais mourir, comme s'il n'y avait pas de mort. Mais il n'est pas question pour Heidegger de songer à l'horreur du cadavre ou à la résurrection. Il s'agit, à travers le choix nécessaire de l'authenticité, de devenir « libre pour la mort ».

Cette authenticité, cette liberté sont fort peu feuerbachiennes ou hégéliennes. L'on songe à cette participation extatique à la vie-mort, que Frobenius nomme « manisme ». On sent incon-

22. Heidegger, *Sein und Zeit.*
23. Id., *ibid.*

testablement un je ne sais quoi d'extatique (le mot joue d'ailleurs un rôle très important avec ses deux orthographes particulières, dans la philosophie de Heidegger) dans cette authenticité somnambulique où la temporalité s'épanouit à travers le *Dasein* et le fait communiquer à son destin. On peut donc se permettre de déceler chez Heidegger la trace du grand remède extatique contre la mort, que l'on retrouve, apparent ou camouflé, dans tant d'attitudes ou de philosophies.

Mais alors, cette « extase», née de l'angoisse, nie, nous semble-t-il, le caractère angoissant de l'angoisse et en renverse le sens. De même que l'absurde à son summum tend toujours à se renverser en son contraire absolu et devient signification totale, de même l'angoisse devant la mort se mue, chez Heidegger, en magie de désabsurdification de la mort. C'est alors que la métaphysique heideggerienne contredit la réalité et la signification même de l'angoisse de mort. Et l'existentialisme chrétien ne se fait pas faute de répliquer, comme le fait P. L. Landsberg dans son remarquable *Essai sur l'expérience de la mort,* que « l'angoisse même nous révèle que la mort et le néant s'opposent à la tendance la plus profonde et inévitable de notre être » ; « la personne humaine, dans son essence propre, n'est pas existence vers la mort ». Heidegger oublie ou veut ignorer la signification anthropologique fondamentale du désir d'immortalité : la mort est la loi de l'espèce, une nécessité animale, nécessité que vient contrecarrer et contredire l'individualité humaine (même compte tenu de la nécessité du *risque de mort*). Mais comme, de toute façon, la mort est inévitable, à quoi servent les affirmations religieuses d'immortalité, sinon à enfoncer un peu plus dans la détresse l'homme qui ne peut croire à ces promesses enfantines, et l'homme croyant dans la mystification ? Le dogmatisme heideggerien de la mort et le dogmatisme religieux de l'immortalité sont comme deux arches mutilées, chacune d'un côté du gouffre. Ce gouffre, c'est l'absurde intenable, impensable, invivable.

Avant d'indiquer ce qui, à notre avis, serait la seule réponse possible au problème de la mort (l'extase n'étant pas une réponse à la mort, mais une réponse à la vie, une vérité de la vie), examinons si la philosophie de la mort de Sartre, qui se présente comme une réplique à celle de Heidegger, réussit à faire passerelle sur le gouffre [24].

La liberté atomique de Sartre.

Heidegger essaie d'éliminer tout ce qui se fonde en dehors de la mort, Sartre essaie d'éliminer tout ce qui se fonde sur la mort. Une antithèse aussi violente doit traduire la même hantise et le théâtre de mort de Sartre semble nous confirmer la puissance de cette hantise. Si la mort heideggerienne est Iseult la blonde et la mort sartrienne Iseult aux blanches mains, il s'agit du même Tristan.

Dans un sens, Heidegger et Sartre sont comme un stoïcien et un épicurien de la mort. L'un tente de fonder son attitude sur l'adhésion anthropologique absolue à une mort qu'il fixe sans cesse, l'autre au contraire sur l'instant de liberté où est absolument ignorée et méprisée cette mort étrangère.

Sartre dépouille la mort de ses attributs heideggeriens. Il lui arrache son caractère irremplaçable : dans le sens où la mort m'est irremplaçable et unique, on peut dire que mon amour, ma gloire, etc., me sont également irremplaçables ; c'est pourquoi dans un autre sens on peut aussi bien me remplacer dans ma mort que dans mon amour. Sartre arrache également à la mort le monopole de l'idée de finitude. « La réalité humaine, même immortelle, demeurerait finie [25]. » « Même immortel je serais fini, contraint à me choisir, donc d'écarter les possibles pour un seul possible. »

La mort sartrienne, isolée et encerclée, n'est pratiquement plus rien. Elle est extérieure, pire encore, elle est le triomphe d'autrui. Une fois mort, on n'existe plus que par l'autre — (et exister est ici un abus de langage). Autrui pour Sartre, c'est ce qui vous fixe objectivement, ignore à jamais votre subjectivité, c'est-à-dire votre liberté. Et pire que pire, cet autrui existe à peine, son existence n'est que « fait contingent ».

24. Il s'agit ici, bien entendu, du Sartre existentialiste de *l'Etre et le Néant,* avant la conversion au marxisme.
25. Sartre, *l'Etre et le Néant,* Gallimard, p. 631.

Alors de toute façon, et même à travers autrui qui est lui-même un « fait », la mort est un pur fait. Elle n'est rien d'autre que du « donné[26] ». Au fond, conclut Sartre, « elle ne se distingue nullement de la naissance ». Il va si loin dans sa liquidation ontologique de la mort qu'il lui arrache même l'angoisse pour l'affecter à la liberté.

Ainsi quand Sartre compare sa mort à celle de Heidegger, il proclame bien haut qu'elle n'est pas « ma » possibilité, mais la négation de mes possibilités, « la néantisation toujours possible de mes possibilités, qui est hors de mes possibilités[27] ». Pour bien s'expliquer il insiste sur la mort subite, qui fait rater une vie et lui ôte toute signification. Si, par exemple, la mort avait frappé Balzac avant qu'il ait écrit *les Chouans,* celui-ci n'aurait été qu'un médiocre feuilletoniste ignoré. « Ainsi la mort n'est jamais ce qui donne son sens à la vie, c'est au contraire ce qui lui ôte toute signification[28]. » Et Sartre, rejoignant la critique de Landsberg, pose que « le pour soi » est l'être qui réclame toujours un « après ».

Ainsi la mort supprime tout, comme un cataclysme imbécile. C'est par cette extériorité[29] et cette contingence qu'elle supprime tout sens à la vie humaine, qui apparaît comme une passion inutile : « Si nous devons mourir, notre vie n'a pas de sens, parce que ses problèmes ne reçoivent aucune solution et parce que la signification même des problèmes demeure indéterminée[30]. »

Dans cette absurdité générale, « tout existant naît sans raison, se prolonge par faiblesse, et meurt par rencontre[31] ».

Ceci ne décourage pas Sartre, qui, dans cet effondrement, voit surgir, solitaire et lumineuse, sa liberté, parée de tous les attributs arrachés à la mort heideggerienne. Bien au contraire,

26. Sartre, *l'Etre et le Néant,* p. 631.
27. *Ibid.*
28. *Ibid.*, p. 624.
29. Aussi nettement que Heidegger avait saisi la signification anthropologique de l'angoisse, Sartre saisit ici l'hétérogénéité fondamentale de la mort pour l'homme.
30. Sartre, *l'Etre et le Néant,* p. 624.
31. *Ibid.*, p. 623.

c'est parce que la mort nous est justement à ce point étrangère qu'elle nous libère entièrement de sa prétendue contrainte. C'est parce que la finitude est disjointe de la mort que la liberté est possible. La mort échappant à mes projets, mes projets en quelque sorte lui échappent.

On se demande comment alors continuer à philosopher. Mais Sartre échappe au nihilisme par la participation intellectuelle. Il s'agrippe aux réalités premières de l'Etre et du Néant ; il les questionne, les tourne, les retourne, les pose dans leurs rapports, et fait alors jaillir de cette ontologie la liberté qui sinon serait non moins absurde que la mort. On songe, de même que chez Heidegger, mais sur un autre plan, à la dialectique hégélienne de l'être et du néant mais perpétuellement embryonnaire et atrophiée, parce que incapable de déboucher sur un devenir, de peur que la liberté, qui doit rester vierge, ne fasse les frais des déterminations de ce devenir.

Toute la philosophie de Sartre semble obsédée par le souci de sauver à tout prix la liberté. Liberté absolue, radicale, permanente, toujours à ma disposition. Ce qui intéresse Sartre, c'est non tant les manifestations de cette liberté que son exercice propre. Si nous examinons dans *les Chemins de la liberté* l'acte libre de Mathieu, se plongeant un couteau dans la chair, nous serons aussitôt frappés par son aspect extatique. Ce caractère extatique, nous ne le trouvons pas dans la théorie de Sartre, mais dans ses descriptions concrètes (cf. aussi la mort de Mathieu). Ce qui nous pousse à croire que Sartre, par les chemins de la liberté, cherche une extase voisine de celle que cherche Heidegger par les chemins de la mort. A première vue la participation « extatique » semble identique, puisque la liberté de Sartre se fonde sur la présence du néant dans l'être, et dans l'être humain à proprement parler, « par qui le néant vient du monde [32] ». Participation sartrienne au néant-liberté-acte et participation heideggerienne au néant-temporalité-mort seraient-elles identiques ? Non pas. L'expérience de la liberté a son caractère propre. L'extase heideggerienne surgit dans une ascèse continue, une sorte de yogisme de la mort. L'extase sar-

32. Sartre, *l'Etre et le Néant,* p. 60.

trienne, elle, est jaillissement pur, soudain. L'expérience de la liberté se vit dans l'instant du choix des possibles, n'existe que par rapport à ces possibles infinis et se sait indéterminable à l'avance.

Cette indétermination de la liberté sartrienne est si absolue que, s'il fallait choisir un terme de comparaison, on l'emprunterait à la micro-physique, et aux conceptions de Planck et de de Broglie concernant le mouvement des quanta. La particule électronique est, on le sait, agitée de mouvements désordonnés et absolument indéterminables (du moins en principe). Cette liberté atomique, brownienne, dans laquelle l'idéalisme philosophique s'enchante de trouver « la preuve » de la liberté de la matière, n'évoque-t-elle pas la liberté de Sartre ? Pierre Auger, dans une série d'articles très curieux parus dans *les Temps modernes* [33], a tenté de rattacher effectivement les structures du monde microscopique et celles du monde humain, à partir de la structure moléculaire des gènes et des cellules nerveuses. Certaines des thèses d'Auger posent des questions très complexes et que nous ne pouvons pas discuter ici, notamment son idée de liberté humaine fondée sur la « liberté » atomique, à partir des données bio-micro-physiques de l'organisme humain. Mais il n'est pas impossible, si l'on exclut ce terme anthropomorphique de liberté, de supposer en effet des rapports entre les activités des cellules nerveuses, quand elles n'entrent pas dans le cadre mécanique des activités spécialisées, et les mouvements élémentaires désordonnés et frénétiques de la structure atomique universelle. L'homme, animal général et non spécialisé, serait un des êtres vivants où ces mouvements se feraient sentir avec le plus de puissance. La danse, par exemple, serait une participation non seulement macrocosmique, mais aussi microcosmique fondée sur la texture atomique du cosmos. Il ne faut pas craindre ces hypothèses, fécondes justement quand on ne les pose que comme hypothèses.

Si effectivement donc, il existe une participation au cosmos, non seulement par la voie macroscopique, mais aussi par le biais microscopique, la liberté sartrienne serait en un sens une

33. Pierre Auger, « L'homme microscopique », *les Temps modernes*.

tentative d'échapper à la mort et de la nier par la régression, non plus biologique mais atomique. Tout se passe comme si l'individu sartrien trouvait son salut et son refuge contre la mort, dans les structures premières et élémentaires de l'être, où jubilent l'indéterminable et l'indestructible.

Ainsi l'Etre peut être absurde (tout ne peut être qu'absurde sur le plan des quanta) ; la liberté faisant participer à l'absurdité totale de l'être, peut être elle-même absurde et gratuite. Mais elle est de la nature de l'être et du néant ; elle est l'être et le néant eux-mêmes indissolublement. Elle est la participation et l'existence absolue. L'homme est « condamné à être libre ». Mais la dialectique atrophiée de l'être et du néant, la structure « atomique » de la liberté ne pourraient à elles seules nous rendre compte de la Nature, de l'histoire, et singulièrement de l'histoire humaine. La liberté de Sartre n'est qu'une extase qui approfondit un peu plus la réalité cosmique de l'humain (sans le formuler d'ailleurs) mais qui ne peut embrasser les problèmes fondamentaux de l'individualité culturelle, dont ceux de la mort. D'ailleurs Sartre a subalternisé la mort d'une façon telle qu'il a oublié la réalité des angoisses de mort. Certes il existe une peur du choix, une peur de la décision, une angoisse devant les possibles qui vont se détruire. Mais cette angoisse que nous pouvons nommer angoisse de la détermination ne recouvre qu'un domaine de l'angoisse. Et elle est liée également aux angoisses de mort. D'ailleurs Sartre n'est lui-même que quand il s'ébroue hors du cancan de sa liberté métaphysique (*Qu'est-ce que la littérature ?, Réflexions sur la question juive, La Putain respectueuse*). La liberté est sa prison philosophique... Et tandis qu'on peut reprocher à Heidegger, dressant la mort comme le sens de la vie, d'en faire un sens sans sens, on pourrait reprocher à Sartre de faire de la liberté un sens insensé. L'angoisse, qui fait connaître à l'homme son inadaptation anthropologique, ne peut toutefois trouver sa vérité en elle, face à la mort.

Le plus puissant ennemi héréditaire de l'homme.

Par-delà les ruptures sociales fondamentales, l'infantilisme, le mysticisme et la religiosité qu'elles ramènent, la crise de l'individu se dévoile face à la mort dans un climat d'angoisses et de névroses. Elle fait éclater le contenu de l'individualité, rompant ou faisant régresser la dialectique de la participation et de l'affirmation, séparant le général de l'individuel, c'est-à-dire amputant l'humain de ses significations culturelles. Elle est donc symptôme de la décadence de la civilisation bourgeoise.

Mais cette crise de la civilisation bourgeoise corrobore à sa façon une revendication issue du développement de l'individualité, qui exige un monde humain où la valeur suprême soit l'individualité elle-même. Et elle corrobore également une inadaptation fondamentale de l'individualité à la mort. Elle dévoile, par là même, la contradiction majeure de l'individualité humaine.

En même temps, elle révèle aussi bien l'impuissance de la pensée pure à résoudre cette contradiction que l'impuissance des solutions régressives, qui ne font que mystifier la mort. Certes, l'une apporte les ressources de la raison comme garde-fou à la démence ; et les autres rafraîchissent les liens fondamentaux qui unissent l'homme à ses participations profondes.

Mais il n'en reste pas moins que le vrai problème de mort que révèle la crise du siècle, est, comme l'a dit Freud, que « nous ne pouvons plus conserver notre ancienne attitude face à la mort, et nous n'en avons pas encore trouvé de nouvelle ».

Une nouvelle attitude est-elle possible ? Plus : une « attitude » peut-elle résoudre le problème ? Ne s'agirait-il pas de transformer le problème ? Mais cela est-il, à son tour, possible ? Notre interrogation va maintenant passer, de la mythologie et la philosophie, à la science. Alors nous saurons ce que l'homme, qui « ne peut se réconcilier avec la mort[34] », peut contre « son plus puissant ennemi héréditaire[35] ».

34. Metalnikov.
35. Heine.

4

Thanatologie et action contre la mort

10

La science de la mort et le mythe morinien d'amortalité *

1. La science de la mort.

Ainsi depuis ses origines, l'homme nourrit la mort de ses richesses et de ses aspirations. Et la mort, vautour de Prométhée, ronge sans cesse ces richesses et ces aspirations. En elle fermente ce qu'il y a de plus conquérant dans l'homme — c'est-à-dire cette volonté têtue, forcenée, de la dominer en dominant la nature, de l'universaliser en s'universalisant dans la nature — et en même temps ce qu'il y a de plus régressif, l'aberration fantastique, la terreur infirme. L'angoisse de la mort est elle-même également progressive-régressive, puisqu'elle conduit à cette aberration et à cette terreur, en même temps qu'elle entretient ce « frisson » dont Gœthe dit qu'il est le meilleur de l'homme. Aux conceptions, aux mythes, aux philosophies de la mort, qui contiennent en eux l'appel vers le dépassement « surhumain » autant qu'une sorte de bêtise sacrée, on aimerait appliquer ce mot de Julien Green, parlant d'une matrone à la fois terrible et fascinante : « Elle a la bêtise surhumaine de la mort. »

Nous avons laissé le marxisme jusqu'à présent en dehors de notre examen. Certes, Karl Marx n'a pas envisagé la mort comme problème. On retrouve simplement dans le *Manuscrit*

* Nous laissons, telles quelles, les analyses, les idées et les conclusions de ce chapitre, écrit en 1950 comme le reste de l'ouvrage, mais que nous contestons dans le chapitre suivant, écrit au moment de la réédition (1970).

économico-philosophique quelques relents de la conception hégélienne de la mort (triomphe nécessaire de l'espèce sur l'individu), mais en passant et dans une œuvre qui est en elle-même œuvre de passage.

La grande révolution marxiste en philosophie, son œuf de Christophe Colomb, est l'affirmation que « la solution des oppositions théoriques n'est possible que d'une manière pratique, par l'énergie de l'homme, et cette solution n'est pas seulement la tâche de la connaissance, mais une réelle tâche vitale, que la philosophie ne pouvait résoudre, précisément parce qu'elle n'y voit qu'une tâche purement théorique [1]. »

Marx a négligé la mort qui est hors des atteintes de « l'énergie pratique de l'homme ». Tout problème inaccessible à la pratique est insoluble ; il est donc un faux problème ; ou un vrai, si le vrai problème est justement l'insoluble. Marx a également négligé la mort parce que la praxis en elle-même, et singulièrement la praxis révolutionnaire, contient en elle les participations biologiques, civiques, culturelles, philosophiques, qui refoulent la mort. Et du reste, lorsqu'elle s'est diffusée chez les intellectuels, la *vulgate* marxiste est devenue remède à l'angoisse et à la solitude, nouvel opium se substituant à l'opium du peuple. Par ailleurs, l'action révolutionnaire implique le risque de mort parce qu'elle donne nécessairement priorité, avant tout autre problème, à la réalisation de l'homme lui-même. Nous retrouvons là une de ces « ruses de la raison », chères à Hegel, où l'individu doit se sacrifier pour assurer la victoire de l'individualité, où une certaine régression est le gage d'une progression certaine.

Et de ce fait le marxisme, s'il travaille à la réalisation anthropologique, c'est-à-dire à poser enfin, dans sa nudité, l'homme devant la mort, se refuse bien entendu au problème de la mort. Il appelle toutefois et de tout son élan optimiste ce triomphe total de l'humain, le « règne des hommes indestructibles » (Eluard), c'est-à-dire une victoire sur la mort ; mais il écarte la paresseuse et douloureuse rêverie, l'angoisse stérile devant l'insoluble. Marx, s'il avait vécu un siècle plus tard, n'aurait sans

1. Karl Marx, *Manuscrit économico-philosophique.*

doute pas pris au sérieux les craintes et les tremblements de l'angoisse de la mort. Il faut d'abord que cesse la préhistoire humaine. Cependant sur les avenues ouvertes par Marx, nous pouvons essayer de poser le problème de la mort. Si pratiquement l'homme est voué à demeurer impuissant devant elle, alors la mort restera à jamais le plus faux (le plus vrai) des problèmes de l'individualité humaine, à jamais mutilée et inachevée. La victoire de l'homme sur le monde biologique se solderait par un échec ultime... Et de toute façon la grande vérité optimiste de Karl Marx : « L'humanité ne se pose que les problèmes qu'elle peut résoudre », garderait un noyau d'ombre et d'impuissance.

Mais peut-on attendre une réponse de la pratique ? Y a-t-il quelque commune mesure entre les angoisses de la mort, les appels d'immortalité et la recherche des laboratoires ? Ne serions-nous pas nous-mêmes victimes à notre tour de cette foi qui soulève les montagnes magiques et n'allons-nous pas aux yeux du lecteur dépité soulever une montagne qui aurait accouché d'une souris ?

L'amortalité unicellulaire.

A la pointe inventive et réalisatrice de la technique, il y a ce que le langage courant appelle la « science » et qui est justement praxis, c'est-à-dire à la fois savoir et action. Il nous faut donc demander à la science si elle est capable d'apporter sa réponse au problème de la mort. Mais avant d'aborder la pratique scientifique il nous faut examiner la théorie scientifique de la mort telle qu'elle a été rénovée depuis soixante-dix ans.

Cette rénovation a détruit le dogme qu'exprimait Claude Bernard : « La vie c'est la mort. »

Metchnikoff, aux débuts de ce siècle, pouvait déclarer : « On est habitué à regarder la mort comme un phénomène si naturel et si inévitable, qu'on la considère, depuis longtemps, comme une propriété inhérente à chaque organisme. Pourtant, lorsque les biologistes ont étudié cette question de plus près, c'est en vain qu'ils ont cherché une preuve de cette opinion, qui par tout le monde était acceptée comme un dogme. » A la suite des travaux de Weismann et de Metchnikoff lui-même, et des expériences plus récentes de Woodruf, Carrel, Metalnikov, etc., la biologie peut désormais affirmer que « ce qui caractérise le plus les organismes vivants, c'est l'immortalité et non la mort [2] ».

Les cellules vivantes sont potentiellement immortelles. Chez les unicellulaires, soma et germen, c'est-à-dire individu et espèce, forment un tout indivisible et par là virtuellement immortel. En effet, l'unicellulaire se reproduit par scissiparité, c'est-à-dire par dédoublement à l'infini, et ne trouve la mort que quand le milieu extérieur lui rend la vie impossible. Et de ce fait, la mort des êtres supérieurs, dit Weismann, ne repose pas sur une propriété originelle de la substance vivante, et ne saurait donc être considérée comme une nécessité absolue *ayant ses raisons dans la nature et l'essence même de la vie.*

Sur cette base, Weismann et ses successeurs ont posé la séparation radicale du germen et du soma, et d'une façon sans doute dogmatique, puisqu'elle ignore la dialectique espèce-individu. Ainsi les cellules germinatives de l'homme se transmettent par scissiparité de générations en générations depuis les origines, non différenciées, mais portant en elles la semence des différenciations somatiques, tandis que les cellules somatiques se différencient, constituent l'individu et meurent à jamais avec lui.

La mort découle donc des conditions spéciales d'organisation des êtres évolués. Elle n'est pas là où la différenciation *germen soma* est, sinon inexistante, du moins très faible [3]. Effectivement de nombreux animaux ou végétaux inférieurs sont en principe « amortels ». Nous disons *amortels* pour bien différencier l'aptitude biologique à vivre indéfiniment, mais que l'accident mortel peut toujours atteindre, de la notion religieuse d'immortalité, qui est indestructibilité... Sont donc amortels tous les unicellulaires, un grand nombre de plantes simples, et de plus même les invertébrés inférieurs dont les cellules somatiques ont conservé l'aptitude à la multiplication asexuelle et à la régénération. Les plantes à rhizome, les coléentères (éponges, hydres, méduses, coraux, etc.) participent ainsi également à l'immortalité originelle. Metchnikoff, dans son désir

2. Metalnikov, *la Lutte contre la mort.*

3. Cf. les citations de Weismann *in* Metalnikov.

d'accroître le domaine de l'amortalité, suppose même que certaines plantes et arbres vivent des milliers d'années, et ne meurent que sur le coup de causes extérieures.

La preuve expérimentale de cette amortalité cellulaire a été apportée par les travaux de Woodruff, qui durant sept ans a cultivé des infusoires ; ceux-ci se sont reproduits 4 473 fois en manifestant toujours la même vigoureuse amortalité. D'autres expériences se sont poursuivies sur des tissus détachés du soma et même des organes entiers isolés, comme le cœur du poulet (Carrel). La mort n'existe en somme que pour l'individu global. Elle est un phénomène de dislocation des vies partielles qui le composent [4]. « La mort est essentiellement la fin de l'individu. La mort de la matière qui le constitue n'est qu'un phénomène second [5]. » A la limite on peut dire que *toutes les cellules* d'un corps humain entretenues isolément dans un milieu spécial survivraient indéfiniment [6].

C'est le mérite de Frazer [7] d'avoir rapproché les conceptions de Weismann et Alfred Russel Wallace (sans d'ailleurs chercher à en tirer de conclusions) de la conception archaïque que nous avons déjà examinée, selon laquelle la mort est toujours extérieure, c'est-à-dire infligée par un être ou un événement surnaturel. C'est également le mérite de Freud d'avoir tenté, dans ce que l'on appelle avec trop de dédain sa métaphysique, de s'appuyer sur la distinction weismannienne du germen amortel et du soma mortel pour opposer à « l'instinct de mort » « l'instinct de vie ». Quant à nous, nous supposons qu'il existe un lien — lien mystérieux — entre notre viscérale ignorance de la mort et cette amortalité biologique potentielle en chacun de nous, de même qu'entre la scissiparité et le processus psychique de dédoublement d'où est issu le « double ».

Ainsi donc, pour résumer, la biologie a découvert *que la mort n'était* pas une *nécessité de la vie organique.* Les êtres vivants, à leur origine, dans leur structure élémentaire ne sont nullement heideggeriens. Seule la mort accidentelle est naturelle.

4. Professeur A. Dastre, *la Vie et la Mort.*
5. Professeur Delmas, *Angoisse de la mort.*
6. Jean Rostand, *la Biologie et l'Avenir de l'homme.*
7. Frazer, *Homme, Dieu et Immortalité.*

La cause de la mort.

Il apparaît donc que la mort prétendue naturelle fut une découverte tardive de la vie, une de ses opportunités, de ses astuces si l'on veut, son « luxe » comme dirait G. Bataille. Elle se place donc à un moment de *l'histoire vivante.* Aussi le problème le plus passionnant, et plus mystérieux encore que celui, en voie de résolution, de l'origine de la vie, est bien celui de l'origine de la mort. Plus on monte dans l'échelle des organismes vivants, plus on monte dans l'échelle des spécialisations, plus s'amenuisent les possibilités de régénération biologique : alors qu'un batracien peut encore régénérer un membre amputé, un vertébré supérieur est condamné à l'infirmité ou à la mort. Seuls les tissus vulgaires épithéliaux peuvent se régénérer. Les cellules nerveuses, les plus radicalement différenciées, perdent l'aptitude à se reproduire.

Selon Metalnikov, la régression se manifeste comme loi inéluctable et nécessaire des cellules spécialisées [8] et les phénomènes régressifs dus à la spécialisation entraînent une inégalité cellulaire, qui entraîne une désharmonie, qui entraîne une rupture, qui entraîne la mort. Ainsi dans la nature comme dans la société, la spécialisation est progressive en tant que nécessaire à l'organisation supérieure, et régressive en tant qu'incapable d'assurer une autre tâche que la sienne. Cette organisation progressive et ce rétrécissement biologique régressif impliquent l'un et l'autre la fragilité. Toujours le plus robuste est l'élémentaire et l'indifférencié, toujours le plus fragile est le précieux et l'accompli : ils doivent mourir, les enfants trop parfaits, dit la superstition... La mort apparaît comme le prix de l'organisation, de la différenciation, de la spécialisation (Hertwig-Minot). Effectivement l'individu spécialisé, même si la mort n'était pas inscrite en lui, aurait été incapable de la vaincre, victime de la régression de ses cellules différenciées. Exposé aux injures et aux accidents, il n'aurait pu poursuivre qu'une vie délabrée, inguérissable, vouée à la ruine inévitable. Au lieu de mourir « natu-

8. Metalnikov, *la Lutte contre la mort.*

rellement », en tant qu'individu il aurait connu la mort par étapes accidentelles, la mort successive de ses agrégats cellulaires. Alors que se rassemblant toute dans les cellules primitives porteuses de l'amortalité, l'espèce triomphe à son tour de la mort par la reproduction sexuelle.

Les cellules de la reproduction qui, dans leur structure élémentaire non différenciée, portent cependant en elles, inscrites dans les gènes, toutes les virtualités du soma spécialisé, réalisent cette sorte de synthèse du général et du spécial qui permet aux espèces hautement différenciées de tourner la loi de la mort. Et non seulement de la tourner, mais de l'intégrer, d'en faire leur loi interne, leur nécessité propre.

La mort, avec son corollaire, la reproduction sexuelle, la mort-renaissance autrement dit, est non seulement le remède contre ce délabrement, la source de jeunesse perpétuelle du véritable être amortel : l'espèce ; elle apparaît comme la plus rafraîchissante, la plus optimiste, la plus heureuse trouvaille d'une vie d'autant plus éclatante qu'elle est éphémère : le papillon ne dure qu'un jour. Et si la vie n'est pas la mort, cette mort machinée par l'espèce, elle, est la vie.

Sans que l'on puisse, dans le mouvement total et multiforme qui les pousse et les associe l'une à l'autre, faire procéder par antériorité la mort de la sexualité ou la sexualité de la mort, on peut remarquer qu'en général la mort sanctionne l'acte sexuel. Innombrables sont les plantes et les animaux qui meurent consécutivement à la formation des semences, comme les anguilles après leur voyage de reproduction à la mer des Sargasses ou l'abeille mâle après le vol nuptial. Et de même, en général, car la règle n'est pas absolue, il y a rapport entre la courte vie et la forte fécondité (rats, lapins, etc.), la longévité et la faible fécondité (aigles, éléphants, hommes...). Le moment de l'éros appelle le moment de la mort, et les amours wagnériennes de Tristan et d'Iseult reflètent le drame universel de la vie des êtres spécialisés.

Sur ce plan mortel, le véritable individu, le véritable acteur, le véritable vivant, c'est *l'espèce*. Mais la biologie unicellulaire permet de reconnaître, avant la dialectique des espèces composées d'individus mortels, une dialectique antérieure qui ignore la mort. On peut se demander, maintenant, si la réalisation de l'homme en tant qu'individualité fondée sur la culture, en tant que moment nouveau dans l'histoire de la vie, ne postule pas un retour à l'amortalité, ou plutôt une amortalité nouvelle ? Bien entendu, l'homme ne peut rien attendre de la vie brute, mais il peut tout espérer de sa science pratique.

La vieillesse.

L'avant-garde de la mort, c'est le vieillissement, et de ce fait, connaître le vieillissement, c'est aussi connaître la mort.

L'expérience du vieillir, qu'a étudiée du point de vue phénoménologique Max Scheler [9], est comme une pression du passé qui s'accroît, tandis que se rétrécit la possibilité de l'avenir. Le moi des vieillards, avons-nous vu, est proche de celui des mourants. La vieillesse, psychologiquement, est un état de sympathie à la mort, qui se traduit par ce que nous avons appelé, après Carossa, les Secrets de la Maturité.

Mais sur le plan biologique, qu'est-ce que la vieillesse ? Comment guide-t-elle la mort à tâtons dans l'organisme ? Ces problèmes ne sont encore guère explorés. Les premières études de « gérontologie » en U.R.S.S. et aux U.S.A. ne datent que de quelques années.

Toutefois, dès la fin du XIXe siècle, la biologie a abordé le problème sinon de la cause, du moins du moteur de la vieillesse et de la mort. Et naturellement, on a cherché si, du côté de la sexualité, dont le rapport avec la mort est si étroit, on ne pouvait trouver la réponse au problème. Gœtte, en 1883, voyait la mort comme une conséquence directe de la procréation.

Lorsqu'il fut établi que le système endocrinien et hormonal déborde de beaucoup la fonction sexuelle proprement dite, et joue un rôle capital d'équilibre et de santé, certains chercheurs supposèrent que sa décadence entraînait celle du reste du corps (Brown-Sequard, Steinach, Voronof).

Nombreuses toutefois sont les vieillesses qui ne connaissent

9. « Tod und Fortleben », dans *Schriften aus dem Nachlass,* Band I, Berlin, 1933.

pas la défaillance sexuelle. Mais surtout il n'a pu être prouvé que la décadence du système endocrinien soit seule à l'origine du vieillissement. En fait, croyons-nous, de même que la sexualité, si elle ne peut être disjointe de la mort à laquelle elle est dialectiquement associée au sein du mouvement progressif-régressif qui produit des êtres de plus en plus évolués et spécialisés, ne peut toutefois en être tenue pour la *cause*, de même on ne peut tenir l'affaiblissement des fonctions endocrino-sexuelles comme cause de la vieillesse.

Si l'on suit, du reste, les indications de Metchnikoff, et surtout celles de Bogomoletz, on peut considérer que la sclérose du tissu conjonctif précède les autres formes de sénescence. En
tout celles de Bogomoletz, on peut considérer que la sclérose
effet, le vieillissement de l'organisme est caractérisé par l'ex-
cialisés du corps humain, par le tissu conjonctif et les phagocytes (globules blancs), c'est-à-dire les cellules « barbares », les moins spécialisées, les plus élémentaires, donc les plus « vivaces ». Cette véritable révolte de la plèbe phagocytaire et conjonctive contre les cellules « raffinées » entraîne la décadence et la mort. Menenius Agrippa aurait pu ajouter à sa parabole des membres et de l'estomac cet épisode pénible de la lutte des classes intestines.

Metchnikoff, qui le premier avait mis l'accent sur la sclérose du tissu conjonctif, la considérait plutôt comme un effet. Selon sa thèse, un Jacques Bainville de la rate ou du pancréas aurait tort d'incriminer les phagocytes comme responsables de la décadence organique. Le mal vient d'ailleurs. Si les phagocytes et le tissu conjonctif se comportent si mal, c'est qu'ils résistent le mieux, dans leur simplicité barbare, aux toxines qui proviennent principalement du gros intestin. Ce sont les fermentations intestinales qui, à la longue, intoxiquent le corps humain, et l'on comprend le mépris que Metchnikoff vouait à cet organe dont il demandait la suppression.

En dernière analyse, dans la conception de Metchnikoff, ce serait le gros intestin qui littéralement nous empoisonnerait la vie, avec ses effroyables fermentations microbiennes. La vieillesse humaine proviendrait donc des effets durables de cette auto-intoxication.

Ainsi pour Metchnikoff, la vieillesse est une rupture d'harmonie, provoquée par le parasitisme et l'exploitation des cellules non nobles, eux-mêmes provoqués par l'auto-intoxication ayant ses sources dans les fermentations intestinales.

Mais cette thèse de Metchnikoff, qui du reste a été fortement contestée, ne peut, même exacte, éclipser ou exclure les autres facteurs de la vieillesse.

Celle-ci, enfin, se traduit par l'affaiblissement graduel de la réactivité des cellules, de leur pouvoir auto-catalytique. Sur le plan biochimique, le vieillissement correspond à une perte du pouvoir de régénération, à une dégradation de l'aptitude de la substance cellulaire à la restauration biochimique des micelles protoplasmiques [10] comme au remplacement des micelles mortes par des nouvelles (coagulation des colloïdes cellulaires, appauvrissement en eau, hystérésis du protoplasme, dessiccation des colloïdes, mort). Mais cet affaiblissement est un effet, non une cause, étant donné que les cellules sont potentiellement amortelles. La vieillesse ne peut être tenue pour la conséquence d'une usure générale de l'organisme, c'est-à-dire des cellules, mais le vieillissement se manifeste par cette usure.

Ainsi, sans être causée par une usure générale, la vieillesse s'avance toutefois sur tous les fronts. Les théories diverses qui se placent sur les terrains différents du biochimisme, de l'intoxication, de l'endocrinologie, du système neuro-végétatif, etc., nous permettent de voir comment elle se manifeste sur l'ensemble des plans structurels de l'individu. Mais en même temps elles nous révèlent combien il est difficile de saisir le moteur du vieillissement. Sans cesse les perturbations particulières nous renvoient à l'usure générale ; sans cesse l'usure générale nous renvoie aux perturbations particulières. Le vieillissement apparaît comme un ensemble de perturbations particulières qui entraînent une usure générale. D'où son caractère équivoque, à la fois pathologique et normal, qui correspond à la nature équivoque de la mort, elle-même pathologique et normale.

C'est précisément parce que la vieillesse n'est pas due à un

10. Les micelles sont les particules colloïdales éparses dans le protoplasme et dont le rôle nutritif est fondamental.

affaiblissement cellulaire général, puisque toutes les cellules sont en principe amortelles, que Metchnikoff, suivi par Bogomoletz et Metalnikov, a émis l'idée paradoxale, profonde et neuve, qu'il n'est ni mort, ni vieillesse « normales », mais que toutes deux sont pathologiques... Il y a, comme nous le verrons, une équivoque de base dans cette affirmation. Pour éclairer cette équivoque, il faut comprendre que, plus ou moins explicitement chez Metchnikoff, Bogomoletz, Metalnikov, le caractère pathologique de la vieillesse se manifeste sur trois plans : sur le plan social tout d'abord, où l'homme vieillit beaucoup plus vite qu'il ne devrait, faute d'hygiène, d'exercices, etc. La sénilité propre à l'homme des villes, par exemple, est morbide. Par contre, comme nous révèlent les biographies d'octogénaires, nonagénaires et centenaires célèbres [11], il est une vieillesse qui conserve la vigueur physique, la capacité sexuelle et les aptitudes intellectuelles. Bogomoletz parle d'un vieillard ukrainien qui prétendait avoir soixante-dix ans. En fait le matois, âgé de cent sept ans, avait menti de peur que sa fiancée ne s'effraie de son âge véritable. Il cite également le cas d'une chasseresse de quatre-vingt-cinq ans dont les exploits, dépassant ceux des plus habiles tireurs, la firent décorer de la médaille des « oudarniks [12] ». Ainsi, à côté de cette vieillesse qui, si rare soit-elle, pourrait passer pour la seule saine, normale, la vieillesse de la plupart des hommes est pathologique.

Mais de plus, si l'on suit Metchnikoff, la vieillesse saine est pathologique en tant que vieillesse même. « C'est une erreur, dit-il, de considérer la vieillesse comme un phénomène physiologique. On peut la considérer comme un phénomène normal parce que tout le monde vieillit, mais seulement dans la mesure où on peut considérer comme un phénomène normal les douleurs de l'accouchement. » Effectivement la vieillesse est, non une usure lente, mais un détraquage...

Enfin sur un troisième plan, c'est la mort elle-même qui est

11. Cf. les études sur les centenaires ukrainiens, menées par les collaborateurs de Bogomoletz de l'Académie des Sciences d'Ukraine, citées par ce dernier dans *Comment prolonger la vie,* Ed. sociales, 1950.

12. Bogomoletz, *Comment prolonger la vie.*

pathologique. Cela signifie que le processus de vieillissement, s'il facilite la tâche de la mort, en affaiblissant l'organisme vis-à-vis de l'accident ou de la maladie, n'y conduit pas naturellement. C'est toujours un facteur externe qui déclenche la mort, comme l'ivrognerie chez le vieux marin de Drakenberg, mort à cent quarante-six ans, ou le trop copieux repas servi à la cour d'Angleterre dont mourut le paysan Thomas Parr, à cent cinquante-deux ans.

Ainsi dans un sens, la vieillesse « naturelle », la mort « naturelle » ne sont ni « naturelles », ni « normales » par rapport à l'amortalité biologique, ou au fonctionnement idéal d'un être composé d'éléments amortels.

Mais il est bien évident que dans l'autre sens le vieillissement comme la mort sont choses normales et naturelles, parce que l'un et l'autre sont universels et ne souffrent aucune exception chez les « mortels ».

Cette universalité n'est pas la moyenne statistique d'une série de « ratés » de la nature. Si la mort n'en demeure pas moins le produit de perturbations particulières, si elle ne peut être considérée comme l'aboutissement d'une usure générale, elle se manifeste cependant comme la conclusion générale d'une décadence à caractères déterminés. Chaque cellule est séparément amortelle (sauf peut-être les cellules des centres nerveux, les plus récentes et les plus spécialisées, encore qu'il ne soit pas *théoriquement* impossible de les renouveler), et cependant à un stade donné, l'organisme se met à vieillir pour mourir, comme à un stade donné il a cessé de croître et de se développer. La vieillesse et la mort semblent bien inscrites dans l'héritage génétique. Leurs processus sont les symptômes d'une loi générale qu'on ne peut saisir à sa racine concrète, parce qu'antérieure au développement de l'individu ; elle est inscrite dans son phylum, comme son développement lui-même. Elle est spécifique.

La mort est plus profondément et plus mystérieusement ancrée dans la nature humaine que ne l'avait cru Metchnikoff. C'est pourquoi le caractère pathologique de la vieillesse et de la mort n'a pas de sens du point de vue « naturel », sinon par rapport aux êtres vivants primitifs. Mais du point de vue humain elle en a un : la science qui, distinguant le sain du morbide, la déclare telle, corrobore le sentiment originaire pour qui la mort est accident, traumatisme, *pathos* par rapport à l'individu humain considéré comme *norme*. On en vient donc à compléter l'idée générale déjà énoncée : la vieillesse, de même que la mort (et la vieillesse, c'est la mort), est une conséquence et normale et pathologique du cycle vital de la différenciation cellulaire et de la reproduction sexuelle, lui-même produit d'une évolution qui tend à la constitution d'individualités vivantes supérieures.

2. La science contre la mort.

Aussi le double caractère, normal et pathologique, de la mort conditionne les perspectives mêmes de la lutte contre la mort.

Car, dans la mesure où la mort ne serait que normale, c'est-à-dire usure inéluctable propre à la réalité vivante, il n'y aurait d'autre issue que de transformer la nature même de la vie, c'est-à-dire *a priori* pas d'issues.

Mais dans la mesure où la vieillesse et la mort sont, en même temps que normales, pathologiques, c'est-à-dire se traduisent par des désordres et des maladies, alors elles relèvent de la médecine et de la science, dont la fonction sans cesse en progrès est de guérir les désordres et les maladies. A la limite la vieillesse-maladie pourrait se soigner comme la maladie. La vieillesse et la mort comme perturbations *ouvrent donc la voie à l'action.* Action pratique qui pour le moment ne peut être que palliative, mais qui peut devenir restaurative. La gérontologie et la science de la mort, qui se confondent en partie, n'en sont qu'à leurs débuts. Carrel, Metalnikov ont instamment réclamé en France la création d'un Institut de *lutte contre la mort.* La lutte ne fait que commencer [13]. Ce n'est pas encore la lutte pour vaincre la mort, mais pour la tromper. La ruse toutefois est la force qui prépare la Force.

L'immense confiance de l'auteur des *Essais optimistes sur*

13. L'étude scientifique, systématique de la vieillesse et des méthodes prophylactiques pour éviter son avènement ne font que commencer (Bogomoletz, *op. cit.*, p. 79).

la nature humaine[14] le poussait à affirmer que le terme « normal » des cent cinquante années de vie qu'il avait fixé n'était pas une limite. Mais, crainte du ridicule ou crainte devant l'ampleur de sa propre pensée, il n'osa pas aller jusqu'à affirmer possible l'amortalité humaine. Et il reposait alors l'éternelle question : « A quoi servirait-il de vivre cent ou cent vingt ans au lieu de soixante-dix ou quatre-vingts, s'il reste toujours la même perspective horrible de l'inévitable anéantissement de la mort ? » Il répondait par l'espoir d'une mort acceptable au terme d'une vie épuisée jusqu'à la lie, où l'homme dirait : « Je suis satisfait, j'ai tout épuisé et tout surmonté ; je veux mourir[15]. » Mais en toute logique, il aurait dû conclure que reculer le terme de la vieillesse de cinquante ans, c'est le reculer à l'infini. Là où on pourrait vaincre une fois la vieillesse, on pourrait la vaincre une deuxième, une troisième fois et ainsi de suite. A la limite le ne pas vieillir, c'est le ne pas mourir.

La lutte contre la vieillesse.

Du breuvage d'immortalité des civilisations agraires d'Asie Mineure, en passant par l'élixir de Paracelse (XVe siècle) et celui du comte de Saint-Germain (XVIIIe siècle) jusqu'au yaourt de Metchnikoff (breuvage des centenaires bulgares, nous dit la publicité), la recherche mythique de la recette de longue vie débouche enfin sur la pratique. La science, encore à demi inconsciemment, a pris en charge la réalisation du vieux rêve anthropologique.

Sa lutte contre le vieillissement s'inscrit en effet selon des méthodes diverses dans deux grandes perspectives :

1. Régénération de l'activité vitale générale.
2. Réparation ou remplacement des organes lésés.

Ces deux perspectives ne sont pas séparées l'une de l'autre, car il est bien évident qu'un organe défaillant provoque tôt ou tard une défaillance générale ; et qu'une stimulation générale stimule particulièrement l'organe défaillant. Cependant la

14. Metchnikoff, *Essais optimistes,* parus en 1914 chez Maloine.
15. Id., *ibid.*

première perspective concerne surtout le vieillissement proprement dit, et la seconde surtout la maladie, la blessure, l'accident.

La première catégorie de recherches vise surtout à agir sur les grands systèmes régulateurs et organisateurs, et en premier lieu le système neuro-endocrinien.

Toutes les tentatives de rajeunissement par voie endocrinienne ne font que commencer ; elles n'utilisent en général que des extraits ou des greffes d'animaux ; elles expérimentent encore principalement sur les animaux eux-mêmes. C'est dire que les possibilités en sont à peine explorées. En dépit de cet état primitif et rudimentaire de la recherche, on a pu constater déjà que, après l'injection normale ou la greffe glandulaire, il y a modification des colloïdes tissulaires dans le sens de la régénération, mais pendant un temps seulement. Les méthodes de Brown-Séquard [16], Steinach [17], Voronof [18], qui ont eu leur moment de célébrité, sont encore incapables de créer de nouvelles réserves cellulaires pour une régénération biochimique durable (Bogomoletz). Tout l'effort doit donc porter sur la durée de la régénération, et cela peut-être par des dosages nouveaux. Un groupe de savants italiens, sous la direction du professeur Alecce, vient de mettre au point un dosage de testostérone et de vitamines E, qui donnerait des résultats supérieurs aux injections de testostérone seules [19]. D'autres dosages, d'autres découvertes suivront. Ne peut-on envisager un rajeunissement permanent par injections régulièrement répétées ?

La deuxième voie a été tracée par le premier grand savant qui a déclaré ouvertement la guerre à la mort, Metchnikoff, dont toutes les intuitions géniales n'ont pas, croyons-nous, encore été exploitées. En vertu de la loi générale selon laquelle un agent toxique manifeste une action stimulante s'il est employé à faible dose, Metchnikoff, le premier, a proposé l'emploi de sérums cytotoxiques.

16. Injection d'hormones sexuelles.
17. Transplantation de glandes séminales.
18. Greffe des glandes sexuelles.
19. Qui augmentent la vigueur musculaire, stimulent les fonctions psychiques et élèvent le métabolisme basal (volume des échanges respiratoires).

Il songeait à préparer des sérums capables de stimuler et en fin de compte régénérer les éléments « nobles » de l'organisme : (sérums hépato-toxiques, neuro-toxiques, etc.). Il pensait que de tels sérums seraient les véritables rajeunisseurs de l'individu. Mais de graves obstacles l'arrêtèrent dans sa recherche ; il ne put résoudre le problème du dosage, et d'autre part la loi française interdisait le prélèvement de tissus humains au moment où ce prélèvement aurait pu être efficace, c'est-à-dire immédiatement après la mort.

Dans l'esprit général de sa recherche, Bogomoletz, peu avant la deuxième guerre mondiale, a enfin mis au point le premier sérum cytotoxique, non plus destiné aux tissus nobles, comme le voulait Metchnikoff, mais au tissu conjonctif qui perd le premier son élasticité physiologique et précède les transformations séniles des cellules spécifiques du système nerveux, foie, etc. — (Bogomoletz), entraînant dans sa décadence toutes les fonctions de l'organisme.

Le sérum de Bogomoletz [20] a pu jouer un rôle stimulant et fortifiant, qui dans un sens partiel et provisoire, peut être dit rajeunissant. Mais il laisse entrevoir la possibilité d'autres sérums cytotoxiques de *rajeunissement.* Les possibilités de régénérer les cellules, par une sorte de mithridatisation à la sénescence, sont du reste multiples : ainsi par exemple, la désagrégation des cellules, dans un cas de blessure, dégage des substances qui stimulent les fonctions vitales des cellules voisines et accélèrent la cicatrisation (Haberlandt). Ce sont de quasi-« nécrohormones ». Leurs propriétés ont déjà été exploitées par Filatov sous forme de greffes de peaux de cadavres dans les cas de lésions tuberculeuses cutanées. Ainsi, dans la lutte contre la mort, la mort elle-même est mobilisée, c'est-à-dire ses toxines qui, à faible dose, stimulent la vie ; biologiquement comme psychiquement tout se passe comme si le risque de mort était le plus grand stimulant de la vie.

A l'autre extrémité du cycle vital, les sucs embryonnaires (tréphones) commencent à être utilisés ; les résultats sont encore

20. A partir du tissu conjonctif de la rate et de la moelle osseuse humaines.

maigres, peut-être parce que ces tréphones sont d'origine animale. N'importe ; par le naissant, par le mourant, le siège de la mort a commencé.

L'action de régénération et de remplacement des organes particuliers ouvre à son tour des perspectives générales de résistance à la mort.

La greffe d'un organe sain est une première possibilité, mais se heurte à de nombreux obstacles. L'individualité des animaux supérieurs, comme le rat, le coq, l'homme, résiste à l'acclimatation de l'organe étranger. Cet obstacle peut être en partie levé par la pratique de la greffe embryonnaire (tréphoplastie). Inaugurée par Paul Bert, réalisée avec succès sur les rats par Raoul-Michel May (greffe de la glande thyroïde) et Dunn (tissu cérébral), elle est d'application limitée et pose le problème du prélèvement sur l'embryon humain. Aussi, débordant la greffe proprement dite, Carrel a envisagé la régénération des organes par une cure de rajeunissement dans des appareils spéciaux. En 1934, les expériences de Carrel et Lindbergh réussirent à assurer une survie vraiment prolongée à des organes séparés du corps par la culture dans un appareil à perfusion, où une pompe automatique fait circuler un liquide nutritif dosé d'oxygène. C'est alors que Carrel a prévu la possibilité de retirer les organes vieillis du corps, pour les régénérer dans un appareil de ce type.

La fameuse machine à « arrêter la mort », du docteur J. Thomas (1949), est la première mise au point pratique de cette idée. Elle permet de réaliser la perfusion de gros organes, et même d'organismes humains entiers dans des conditions voisines des conditions physiologiques normales.

De telles méthodes, dit J. Rostand, permettront des traitements rajeunissants énergiques sur les organes, véritables pièces détachées qui, une fois remises en état, seraient réintégrées dans le corps. Comme, de plus, elles permettent « d'envisager une perfusion temporaire de tout l'organisme vieilli », elles rejoignent, dans la lutte contre la mort, les méthodes de rajeunissement général par infusion d'hormones et sérums cytotoxiques.

Parmi ces pratiques diverses que la science ébauche, et si l'on s'en tient aux principes, nous porterons nos plus grands espoirs sur la conception de l'auto-régulation biochimique auto-catalytique que l'on doit à Metchnikoff et Bogomoletz, parce qu'elle est une conception *générale* de l'équilibre de l'organisme vivant, parce qu'elle fait appel aux ressorts internes de vie, en tablant sur *l'amortalité pratique des cellules* vivantes [21].

La mort violente.

Il est frappant maintenant de constater que toutes ces pratiques de lutte contre le vieillissement et la mort « interne » valent aussi déjà, en fait (sérum de Bogomoletz, poumons d'acier) ou en promesse (sérums cytotoxiques futurs, nécro-hormones, et notamment régénération ou remplacement des organes lésés), contre l'accident ou la blessure, c'est-à-dire le danger de mort *externe.*

En outre, grâce aux perfectionnements de la chirurgie, grâce enfin au retardement du processus de décomposition du cadavre, on peut dès à présent envisager une action de plus en plus pressante contre cette mort externe. Si l'on savait étendre le délai des six minutes fatales au terme desquelles le centre respiratoire cortical se décompose irréversiblement, ce qui rend impossible la restauration de l'activité pulmonaire et cardiaque, les nouvelles méthodes du Dr Négovski pourraient sauver d'ores et déjà des centaines de milliers de victimes de la mort prématurée. Déjà des morts ont été ranimés après constatation de la mort clinique, mais avant le terme de ces six minutes. Chaque minute gagnée offrirait la possibilité de sauver un nombre incalculable de vies, et si on atteignait les dix à quinze minutes, le problème de la « résurrection » des morts serait résolu.

Il semble depuis peu que l'état de narcose puisse retarder d'une à deux minutes ce processus de destruction. Il serait donc théoriquement et pratiquement possible d'intervenir dans le cours du processus biologique pour obtenir une résistance du centre respiratoire cortical qui pourrait même dépasser les quinze minutes optima. Le centre respiratoire médul-

21. Par ailleurs, les recherches qui portent sur le passage de la non-vie à la vie offriront leur technique propre de création de vie à la science, dans la lutte contre la mort.

laire, par exemple, peut être réanimé trente minutes après la mort. Le génie humain saura-t-il trouver d'autres moyens et peut-être même ultérieurement des centres respiratoires de rechange, pour gagner de plus en plus de terrain sur la mort accidentelle ?

Le génie humain peut-il dépasser le stade actuel de la lutte contre la mort ?

3. Mort spécifique et mort cosmique.

« Serait-il absurde maintenant de supposer... »

Certes, tous les progrès réalisés dans le domaine de la lutte contre les formes fatales de la mort (maladie, vieillesse, accident) relèvent encore de la médecine, dont l'idéal éternel est de tout faire comme si jamais n'était inévitable la mort, mais qui toujours, finalement, s'incline devant cet inévitable. Toutefois ils dépassent déjà l'empirisme de la médecine. Ils portent en eux une vertu embryonnaire, et par là des possibilités neuves...

Car, nous l'avons vu, tous les chemins de la science se dirigent vers les portes de la mort. Toutes les méthodes de lutte contre la maladie se prolongent en méthodes de lutte contre la vieillesse. Toutes les méthodes de lutte contre la vieillesse se prolongent en méthodes de lutte contre la « belle » mort. Toutes les méthodes de lutte contre l'accident se prolongent en méthodes de lutte contre la mort « laide ». Au sein du nouveau no man's land, aux frontières indéterminées et peut-être déjà pourries de la mort, les avant-gardes de la pratique tâtonnent...

Et, en un sens, la science a repris le drapeau magique de la lutte contre la mort, elle a ragaillardi les vieux mythes ; la mort elle-même (sérums cytotoxiques, nécro-hormones), la naissance (tréphones), le sommeil (narcose) concourent à la naissance d'une sorte de salut terre à terre.

Mais peut-on prévoir ? Non pas prophétiser, mais annoncer les possibilités concrètes de l'avenir de la mort ? Nos hypothèses pourront sembler julevernienne. Mais Jules Verne n'était pas insensé de préfigurer ce qui était déjà virtuel dans le développement de la technique... Toutefois, il ne s'agit pas ici d'onirisme romanesque. Des perspectives s'ouvrent. Des hypothèses ne peuvent pas ne pas naître, même si nous les accueillons avec un sourire intimidé. Le tabou obscène de la mort fait baisser le regard qui voudrait y chercher un signe nouveau. Comment oser envisager le déclin de cette mort omniprésente ?

Mais l'intelligence sans préjugés ne peut, par méthode, se laisser enchaîner aux bornes du présent. Car le futur, s'il n'est jamais inscrit d'avance, n'est pas gouffre béant. Tout le passé et le présent humains se projettent vers lui, et s'il serait imbécile d'imaginer un avenir préfabriqué, puisque les conflits du passé et du présent ne sont pas assurés de trouver leurs solutions, il n'est pas moins imbécile de penser valablement sur la vie et la mort en dehors du devenir. La démarche la plus légitime de l'esprit est celle qui s'efforce de saisir, plus vrai que les choses, le mouvement des choses.

C'est dans ce sens que l'on peut prévoir la possibilité d'une réduction progressive, asymptotique, à la fois de la mort biologique et de la mort contingente (accident).

Condorcet, avec les simples ressources d'une raison naïve, souverainement libre devant la mort qui rôdait autour de sa chambre, avait très nettement saisi la ligne générale de ce mouvement. « Serait-il absurde maintenant de supposer que ce perfectionnement de l'espèce humaine doit être regardé comme susceptible d'un progrès indéfini, qu'il doit arriver un temps où la mort ne sera plus que l'effet ou d'accidents extraordinaires, ou de la destruction de plus en plus lente des forces vitales, et qu'enfin la durée de l'intervalle moyen entre la naissance et cette destruction *n'a elle-même aucun terme assignable ?...* C'est le moment où il convient de développer les deux sens dont le mot *indéfini* est susceptible. »

Le même Condorcet ajoutait :

« Cette durée moyenne de la vie qui doit augmenter sans cesse à mesure que nous enfonçons dans l'avenir, peut recevoir des accroissements selon une loi telle que cette même durée puisse acquérir, dans l'immensité des siècles, une étendue plus grande qu'une quantité déterminée quelconque qui lui aurait été assignée pour limite. Dans ce dernier cas les accroissements sont réellement indéfinis dans le sens le plus absolu, puisqu'il n'existe pas de borne en deçà de laquelle ils doivent s'arrêter... Ainsi nous devons croire que cette durée moyenne de la vie humaine doit croître sans cesse si des révolutions physiques ne s'y opposent, mais nous ignorons quel est le terme qu'elle ne doit jamais passer. »

Dans cette perspective quantitative, *que déjà traduit l'accroissement statistique continu de la durée moyenne de la vie humaine,* viendrait un moment où la mort changerait de qualité. On peut penser qu'un sursis de dix, vingt, cinquante, cent, deux cents années ne modifierait en rien le problème de la mort. Peut-être, encore que la qualité du temps change avec sa quantité. Les vingt-quatre heures de sursis d'un condamné à mort ne peuvent être comparées à l'ouverture des trente ou quarante années qui s'offrent au jeune homme. Mais un sursis sans cesse reporté, un sursis asymptotique, s'il ne met pas l'homme à l'abri d'une mort finale (nous reviendrons là-dessus), le rendrait quasi amortel. Cette amortalité ne pourrait s'affirmer que progressivement. Elle renouerait avec l'ancienne amortalité cellulaire, pauvre vieille immortalité à la petite semaine, enrichie cette fois de l'expérience de la mort. Elle mériterait exactement la définition que Frazer proposait pour la survie du double : « prolongation de la vie pour une période indéfinie, mais pas nécessairement éternelle ».

Vers une mutation de l'homme.

Dans cette perspective, on peut se demander si l'homme amortel serait encore l'homme, qui se définit lui-même comme mortel. Mais si la mortalité est effectivement la qualité de l'humain par rapport au divin, l'aspiration à l'immortalité et au divin est justement ce qui différencie l'humain de l'animal. L'amortalité, en quelque sorte, réaliserait l'humain en dépassant l'homme.

En fait, les perspectives techniques (scientifiques), qui permettent d'envisager la possibilité de l'amortalité, impliquent nécessairement d'innombrables transformations sur tous les plans de la vie humaine, c'est-à-dire une mutation fondamentale. Dans ce sens l'homme amortel ne serait probablement plus l'homme. En effet, les possibilités de progrès de la lutte contre la mort ne peuvent être dissociées des possibilités de progrès de l'ensemble de la science et de la technique. Et ceux-ci ne peuvent être dissociés des possibilités de progrès de l'homme sur tous les plans de sa vie : c'est une autre société, une autre liberté, un autre mode d'existence que supposerait une pratique capable de réduire la mort. Réciproquement, toutes ces transformations biologiques, physiques, sociales, politiques, interindividuelles, appelleraient une efficacité accrue contre la mort. C'est pourquoi il ne peut s'agir d'un simple progrès d'une science particulière, mais d'une révolution profonde de tout l'univers humain. Dans cet univers, tout ce que l'homme transforme le transforme. Toute modification extérieure devient intérieure.

Ainsi par exemple, si la génétique se révélait capable de restituer aux cellules somatiques la faculté disparue de se multiplier et de restaurer les organes perdus ou lésés, comme chez les animaux inférieurs ; si même elle pouvait arriver à frapper la mort dans son origine même, c'est-à-dire le *germen,* cela signifierait non seulement la possibilité de faire naître l'homme « amortel » mais l'avènement d'un pouvoir total de l'homme sur toutes ses déterminations spécifiques, la possibilité de se déterminer sexuellement, morphologiquement, intellectuellement, moralement, la possibilité de s'auto-déterminer radicalement, c'est-à-dire la possibilité de se transformer radicalement. Vaincre la mort spécifique, cela signifierait *aussi* domestiquer l'espèce sur tous les plans. Coloniser l'espèce, c'est coloniser la mort et vice versa : c'est le triomphe de l'individualité, sa possibilité infinie. C'est bien pourquoi les perspectives de développement scientifique ne comportent pas seulement une tendance à grignoter progressivement la mort, mais une tendance à révolutionner l'homme dans sa nature même. C'est pourquoi également les perspectives de développement de l'homme sont inimaginables ; on ne peut que deviner, à travers cette mutation inimaginable, l'avènement d'une individualité nouvelle.

Mort cosmique et mort de l'espèce.

Mais attention. Ce n'est pas la panacée universelle que nous avons tenue en réserve pour ces dernières pages. Si la pratique a repris à la magie le drapeau de la lutte contre la mort, celui-ci n'est plus « enchanté ». « La critique de la religion a désenchanté l'homme. Il va penser, il va agir, former sa réalité comme fait un homme désenchanté... » (Marx). Le monde également n'est plus enchanté... L'amortalité possible ne rachèterait pas les irréparables morts vers qui nous tendons les bras. « Ressuscite-moi le premier, j'aimais tellement la vie », demandait Maïakovski à un chimiste des temps futurs. Mais celui-ci ne pourra l'entendre. Rien n'effacera la mort. Elle est le péché des origines...

Et surtout, ce n'est pas l'immortalité élyséenne qui se trouverait au bout de l'amortalité, mais l'immense mort cosmique, celle d'un monde avec ses milliards et ses milliards d'étoiles, ses nébuleuses qui fuient les unes des autres à des dizaines de milliers de kilomètres-secondes, ses soleils qui s'éteignent, explosent, se désagrègent, un monde qui se dilate comme une bulle, universellement, vers une mort où tout s'évanouit.

Ici encore on peut rêver, essayer d'imaginer l'inimaginable, cette contradiction insensée entre une humanité qui consoliderait progressivement sa victoire sur sa mort, tandis qu'autour d'elle se rétrécirait sans cesse le cercle glacé de l'extinction cosmique... On peut aussi imaginer une échappée nouvelle... On pourrait imaginer que la dialectique du progrès technique, qui tend à la libération de l'homme par rapport à ses propres déterminations matérielles, arriverait à saper les bases physiques de l'être humain, tendant ainsi à sa façon vers une sorte de mort *matérielle*... On pourrait imaginer que la dialectique même de l'individualité conduirait à la négation de cette individualité, comme dans le dernier chapitre de la *Phénoménologie* de Hegel, dont Marx avait fait la critique nécessaire dans la perspective contemporaine : « La réappropriation de l'être matériel de l'homme, produit comme étranger sous la détermination de l'aliénation, signifie la suppression non seulement de l'aliénation, mais encore de la matérialité, c'est-à-dire l'homme [22]. »

On pourrait imaginer encore que cette même dialectique de l'individualité amortelle entraînerait celle-ci, une fois victorieuse, à la recherche d'une totalité, d'une fusion amoureuse avec le monde, où elle se nierait également. Car si l'affirmation irréductible de l'individu est une des deux tendances fondamentales de l'homme, la participation cosmique en est la seconde... Or, comme nous l'avons vu, le désir de totalité appelle la grande mort cosmique. On pourrait supposer que les consciences, susceptibles de se délocaliser, iraient s'intégrer les unes aux autres dans une dialectique de l'amour où elles se dépouilleraient de leur individualité, imprégnant le cosmos et l'intégrant à elles. Il apparaîtrait alors que l'évolution humaine rejoindrait l'évolution cosmique, emportée dans son interminable explosion infinie, vers un Nirvana de fait.

Et ainsi dans cette hypothèse où la barque de l'homme, navigateur du temps et de l'espace, virerait vers la nuit infinie, la dialectique du dépassement de l'individualité tendrait vers un accomplissement cosmique qui ne serait autre qu'une sorte de Nirvana positif. Ainsi l'amour *che muove il sol et l'altre stelle* se réaliserait dans la mort. Non pas une mort vide, mais la mort pleine comme l'avaient rêvée les philosophes : Etre-néant absolu, Amour réalisé, Esprit libre.

Ainsi s'effectuerait une réalisation des mythologies ou plutôt des *pythologies* que les profondeurs de l'homme appellent. Seul vivrait alors le souvenir qui, selon Bergson, est l'immortalité elle-même. De cette conscience universelle, dans un univers anéanti à jamais, surgirait peut-être un jour un univers neuf, comme a été l'ancien à l'origine des mondes, qui serait le souvenir de l'univers aboli et où recommencerait à nouveau toute l'aventure. Et du fond de ce souvenir, un premier homme naîtrait à nouveau.

Mais sans doute tout cela est-il fantasme. Notre raison titube dès qu'il s'agit de s'élancer dans les espaces et les temps. Dans le sens où notre imagination scientiste (et ce mot ne nous déplaît pas) semble déboucher sur les problèmes de l'ancienne métaphy-

22. Marx, *Manuscrit économico-philosophique.*

sique, tout peut donc à nouveau paraître obscur et immuable, et l'homme demeure, comme dit V. Jankélevitch, « éternel mortel ». Mais dans un autre sens tout change. Ce n'est plus l'ancienne mort traîtresse, tricheuse, fainéante, qui se tapirait devant l'homme « amortel » en même temps qu' « éternel mortel ». C'est l'immense mort cosmique portant en elle à la fois tout le mystère et la nécessité de l'univers, son secret infini...

Et tout changerait en effet : la finitude humaine se hausserait à l'infini de l'univers, la mortalité de l'homme à la mortalité du monde. Le microcosme n'aurait plus de barrière qui l'empêcherait de contempler et vivre la vie et la mort du macrocosme, les seules à sa valeur...

L'autre, la mort de l'espèce, la mort contingente, double face de la même mort imbécile, recèle un faux infini. Derrière son fard métaphysique, elle cache l'instinct bestial, ruminant, aveugle. La mort de l'espèce n'a pas de valeur. Elle est horrible pour l'homme précisément parce qu'elle n'est pas faite pour lui. Elle a été faite pour le poulpe, le poisson cavernicole, l'araignée, le rat... Elle est bête *comme chou.*

La mort et l'outil.

Si, avec leurs organes à demi élaborés, quasi inachevés, et en fin de compte non seulement inutiles mais néfastes, certaines espèces animales manifestent de véritables ratés de la nature, de même sans doute l'homme, à son stade présent d'évolution, courbé sous les travaux et les monuments mythiques de son immortalité vaine, peut apparaître comme une sorte de raté cosmique. D'où, bien sûr, les philosophies du ratage et du désespoir, qui ont leur vérité : oui, l'homme est inachevé ; oui, il ne comprend pas la mort ; oui, il est horrible que la mort tranche ses possibilités les plus valeureuses ; oui, tous ses désirs échouent devant ce néant... Toute son immortalité traduit un besoin qui ne se trouve pas : « La religion est la conscience du moi ou le sentiment du moi dans un homme qui, pour ainsi dire, ne s'est pas encore trouvé, ou dans un homme qui s'est déjà perdu[23]. »

23. Marx, *Critique de la philosophie du droit.*

Mais le mirage mythique ne doit pas faire oublier le besoin qu'il exprime. « La religion, c'est la réalisation fantastique de l'être humain [24]. » L'insistance entêtée, forcenée du désir d'immortalité, c'est le besoin anthropologique lui-même. La vérité de l'immortalité est dans sa revendication, revendication normale de l'individu, qui réclame son dû [25]. Si la religion est la forme nécessairement pathologique de cette revendication normale, en s'efforçant de rendre normale la situation pathologique de l'individu mortel, elle n'en est pas moins fille du besoin profond [26].

Et le besoin ne peut être absurde. Certes on peut tenir pour absurde le monde, car on ne sait de quel besoin il procède, ni s'il procède d'un besoin. Mais tous les besoins qui procèdent du monde portent et supposent toujours une possibilité, même infiniment précaire, même infiniment lointaine, de répondre à ces besoins. Le besoin est déjà *création.*

Si c'est le besoin de l'individualité qui crée le conflit fondamental, criant, de l'homme face à sa mort spécifique, on ne peut oublier que le conflit est lui-même le grand créateur, Polemos père de toutes choses, creuset de toute vie nouvelle, source révolutionnaire du devenir.

C'est pourquoi, à nos yeux, les croyances en l'immortalité, en tant que défense magique contre la mort, ne sont pas seulement les merveilleux et dérisoires ectoplasmes, presque réels, nés d'un conflit piétinant sur place ; elles traduisent peut-être *aussi* les premiers stades d'élaboration d'une défense pratique. Elles sont peut-être les échafaudages étranges et vertigineux d'une édification extrêmement lente et fragile, mais réelle... Ici encore nous retrouvons le noyau anthropologique où magie et pratique sont mêlées à la même source créatrice.

24. Marx, *Critique de la philosophie du droit.*

25. « Si, jusqu'à ma mort, j'agis sans m'arrêter, alors la nature est obligée de m'attribuer une nouvelle forme d'existence, lorsque ma forme actuelle ne pourra plus servir de support à mon esprit. » (Gœthe, cité par M. Brion, dans *Gœthe,* Albin Michel.)

26. « Le besoin de survie personnelle, dit Landsberg, n'est pas égoïsme, marotte, ou atavisme historique », ce n'est pas « seulement une promesse consolante » (p. 43). Et Landsberg touche le nœud de l'idée d'immortalité : « La conscience imite l'être profond. »

Ici encore seul l'outil peut prolonger le mythe en acte ; et non pas comme appoint extérieur, secours ; car l'outil, ce n'est pas l'extérieur. C'est la nécessité humaine intérieure, comme le mythe. Le travail extérieur de l'outil, c'est le travail intérieur, l'affirmation et la construction progressive de l'homme.

Nous pouvons enfin saisir la profondeur du lien qui unit le mythe à la technique, la mort à l'outil. Cette sollicitation ardente du mythe, sorte d'instinct inachevé, dirait Caillois, s'adresse à la pratique humaine. C'est l'outil que la mort implore.

Dans cette perspective anthropologique profonde, la présence liée et dialectique du besoin d'immortalité, du conflit entre l'individu et l'espèce, de la même affirmation humaine par le mythe et l'outil, ne traduit-elle pas l'apparition d'une force humaine aussi profonde que l'instinct animal, et qui, en tant que telle, tend à la réalisation ?

L'outil est encore un moignon aveugle et tâtonnant devant les portes de la mort. Mais il a déjà remué ciel et terre. Il a fait un immense et fantastique détour. Il le fait encore. Il cherche partout, jusque dans les glaces et les déserts. Et c'est peut-être la mort qu'il poursuit. C'est peut-être la mort qu'il va trouver.

4. Chaque pouce de terrain que gagne l'humanité...

Le dernier ennemi qui sera détruit, c'est la mort, disait Paul à Corinthe. La mort ne pourra être domptée que lentement, obstinément, progressivement.

Certes, ces perspectives peuvent désespérer encore plus certains de leur mort inévitable. Il n'est pas de notre propos de leur adresser quelque belle exhortation morale, ni même d'en adresser à quiconque.

Mais si les ressources de la morale classique sont illusoires contre la mort, la science totale de l'homme, en nous montrant l'homme *seul,* sans secours, sans dieux, sans magie efficaces devant les portes de la mort, et en nous montrant que cet homme doit tout attendre de lui *seul,* de ses ruses, de ses énergies, de sa bonté, pour finalement réduire cette mort, cette science totale nous rend attentifs aux appels, issus des profondeurs anthropologiques, que l'homme s'adresse à lui-même.

Et de même qu'il nous faut rejeter toutes les morales concernant la mort, lesquelles impliquent un divorce constant entre la vie de l'homme et sa mort, soit qu'elles s'efforcent de dissoudre la mort par une morale optimiste de la vie, soit qu'elles arrivent à empoisonner la vie pour vouloir la régler en fonction de la mort, de même il nous faut écouter l'appel anthropologique, qui s'adresse à *l'homme vivant mortel* dans sa totalité concrète.

En effet, l'impératif premier de la morale anthropologique nous dit de maintenir vivante la dialectique de l'affirmation de soi et des participations, de nous refuser à choisir le monde contre soi et de se choisir contre le monde. Car l'abdication de soi comme l'obsession de soi sont les divertissements suprêmes...

Et puisque l'obsession de soi amène l'obsession de la mort, puisque l'abdication de soi entraîne l'oubli de la mort, l'impératif anthropologique nous dit que l'obsession de la mort et l'oubli de la mort sont les divertissements suprêmes. Il ne faut ni divertir notre vie par notre mort, ni divertir notre mort par notre vie.

Pascal avait raison de dénoncer le divertissement qui consiste à se fuir soi-même, à rechercher dans les participations un opium contre la mort, qui consiste, aurait-il pu dire, à faire la bête pour faire l'ange amortel.

Mais Pascal n'avait fait que chasser un divertissement par l'autre : l'obsession de la mort. L'homme ne doit pas débaucher cette obsession. Il doit en avoir honte. Toute notre anthropologie nous montre que la honte devant la mort recèle une valeur morale première. L'homme cache sa mort comme il cache son sexe, comme il cache ses excréments. Il se présente bien boutonné, semblant ignorer toutes souillures. On dirait un ange... Il fait l'ange pour refuser la bête. Il a honte de son espèce : elle lui est obscène.

Attitude risible... Mais la morale anthropologique nous dit de sauvegarder les vérités que l'homme, à travers cette attitude, soutient à bras-le-corps. Elle nous dit de garder pour la solitude nocturne les grandes plaintes où l'homme se lamente de sa finitude. Elle nous dit de continuer à faire l'imbécile devant cette mort qui nous piétinera. Faire l'imbécile, ici, est le contraire du divertissement. C'est refuser de toutes ses forces la folie qui naît de la fascination de la mort, et qui, elle, nous divertit du devoir humain. Car l'homme, au grand jour, travaille précisément à se libérer de l'espèce et par là, à long terme, de la mort.

Entre les deux grands divertissements, il y a la croyance en l'immortalité, pauvre divertissement magique écartelé entre l'obsession de la mort et la fuite devant la mort. La morale anthropologique nous dit d'échapper à la magie des mythes illusoires. Mais elle nous avertit aussi que ces mythes reflètent l'aspiration humaine. Elle nous dit donc en même temps de garder de ces mythes leur sève première, de garder et de regarder notre « double », non comme une idole ou un prisonnier, mais comme l'ange annonciateur de nos pouvoirs. Et, nous disant ainsi de ne pas narcissiser notre double, elle nous dit de garder quand même notre foi dans les métamorphoses, de faire germer en nous les naissances nouvelles. Elle nous dit de préparer le salut terre à terre.

Sauvegarder toutes les vérités humaines, mais dépouillées de leurs enveloppes mythiques et barbares. Echapper à la tyrannie du moi et conquérir la liberté du moi. Echapper aux divertissements en retrouvant les participations. Se dégager sans cesse de tout ce qui hypertrophie ou atrophie, de tout ce qui endort ou somnambulise. Transmuter la haine de la mort, non pas en haine d'autrui ou de soi-même, mais en amour. C'est cela la morale, qui est de quotidiennement recommencer l'homme.

Mais, pour être clair, le devoir n'est pas aisé. Les dilemmes que pose avec angoisse l'intelligence moderne naissent de la crise déchirante du siècle. On dirait qu'au moment où l'homme s'apprête à rejeter son espèce et sa mort, on assiste à une ultime conjuration des forces animales. Tout se passe comme si le génie schopenhauerien de l'espèce, ivre de fureur, voulait étouffer dans le sang de massacres horribles les chances de victoire humaine.

Au cours de cette deuxième guerre mondiale, l'espèce a fait

sentir sa puissance. Elle s'est écorchée profondément elle-même pour retrouver son grand corps, puis elle a aussitôt réparé ses blessures, en se régénérant par des flots de natalité. L'espèce, avec sa ruse infinie, crie au tréfonds de chaque individu : « Moi, Moi », et celui-ci ne sait immédiatement qui il est, qui elle est. Elle clame son immortalité, mais il ne sait si elle parle pour elle ou pour lui. Elle vole chacun des progrès et des techniques de l'individu. Chacune de ses inventions de vie, elle en fait des inventions de mort.

L'espèce croit avoir repris les rênes. Elle pense que sa victoire est proche. Mais l'individu aussi a ses ruses, et il lutte aussi avec les moyens de l'espèce. Il noyaute l'espèce en noyautant son ersatz : la société, qui est le nœud où s'embrouillent les ruses de l'espèce et celles de l'individu. L'individu, dans sa lutte révolutionnaire, trompe l'espèce, utilise la barbarie et la contrainte sociale, et également cette animalité imbécile qui est en chaque homme, pour ses propres fins.

Il peut sembler, dans cette crise gigantesque, que l'humanité piétine et que seules les forêts soient en marche. Mais en vérité la lutte finale entre l'individu et l'espèce a commencé. L'homme est arrivé enfin à la conscience de l'universel. De toutes les races, de toutes les cultures, monte désormais un appel unique. C'est l'appel de ses vérités qui attendent d'être démythifiées. Il s'agit maintenant de les réaliser, de transformer l'homme à l'image du double, de transformer la mort à l'image du cosmos. Peut-on tromper cet espoir ? Il trompera à nouveau ceux qui le trompent. L'homme est la possibilité inépuisable...

Et ainsi, de même qu'une naissance est annoncée par des présages de malheur, d'inutiles douleurs, de tourments infinis, et risque sans cesse l'avortement et le désastre, de même les souffrances et les risques qu'apportent les bouleversements du siècle annoncent, à travers un gaspillage énorme de vies et d'intelligences, une transmutation totale du genre humain.

Et nous voici comme Heine sur le champ de bataille de Marengo : « Hélas ! chaque pouce de terrain que gagne l'humanité coûte des torrents de sang. Et n'est-ce pas là un prix trop élevé ? Est-ce que la vie de l'individu ne vaut pas autant que celle de la race entière ? Car chaque homme isolé est un monde complet, qui vit et meurt en même temps que lui, et chaque pierre tumulaire couvre une histoire universelle... Silence : c'est ainsi que parleraient les morts tombés à cette place, et nous autres qui vivons, nous avons encore à combattre dans la sainte guerre de la délivrance de l'humanité. »

A nouveau retentit l'appel de la morale anthropologique : ne pas abdiquer devant la mort. Et cet appel signifie également ne pas abdiquer devant les maelströms de la vie. La dialectique du danger, pour l'esprit comme pour la vie elle-même, nous renvoie à la liberté ou la mort. L'intelligence, sous la formidable pression mécanique qu'elle subit, dans la crise militaire du siècle, peut et doit, si elle résiste, s'en fortifier à mort, comme du plus âpre sérum cytotoxique de l'esprit.

La morale anthropologique nous dit d'oser être seul, mais jamais isolé. La conscience vraie, comme le véritable amour, doit patrouiller à l'avant-garde. Peut-être annonçons-nous trop tôt l'homme universel en gestation. Mais à l'ancien prophétisme des pythies inconscientes, des annonciateurs de Dieu, des Vierges de Fatima, nous voulons déjà substituer la prophétie de la conscience, qui est en même temps l'appel patient et ardent au Prométhée délivré :

Souffrir des maux que l'espoir même juge infinis
Pardonner des crimes plus noirs que la mort et la nuit
Défier le pouvoir qui semble omnipotent
Aimer et supporter. Espérer jusqu'à ce que l'espoir crée
De son propre désastre l'objet qu'il se propose
Ni changer, ni hésiter, ni se repentir
Cela comme ta gloire, Titan, est être bon, grand, heureux, beau et libre
Cela seul est la Vie, la Joie, l'Empire et la Victoire.

II

Entre l'indéfini et l'infini

(nouvelles conclusions - 1970)

Ce qui précède constituait le dernier chapitre et les conclusions de *l'Homme et la Mort* (1950). Mais alors que, si j'avais beaucoup à ajouter, je n'avais rien à redire sur le reste du livre, ces pages ultimes sollicitaient de moi, vingt ans après, une profonde révision.

Toutefois j'ai conservé l'ancien *finale* (qui devient maintenant chapitre pénultième), parce qu'il était *trop beau.* Non, ce n'est pas coquetterie esthétique, mais auto-ironie. En effet, au moment même où, croyant briser avec toute mythologie, je m'élançais vers la science et vers l'action, je me trouvais moi-même poussé, enlacé, sucé par les forces mythologiques mêmes que j'avais, dans les chapitres précédents, détectées, isolées, dénoncées, et *j'écrivais en fait, sous le couvert de la science, le dernier chapitre des mythes de la mort.*

A mon tour, j'essayais de trouver une échappatoire à la tragédie de la mort. Je mobilisais l'hégéliano-marxisme et la biologie afin de pouvoir donner corps, au moins dans le futur, à un salut terre à terre. Bien sûr, je suis rattrapé par l'inquiétude. L'amortalité sitôt acquise, la mort revient, grandiose, cosmique, et me voici à rêver d'un néo-nirvana...

Déjà quand j'écrivais ce chapitre, il m'était clair que je réintroduisais les grands arché-mythes de la mort — le double, le salut, le nirvana — dans ce qui devait être la solution réaliste. Mais à l'époque, cela confirmait mon propos : ces mythes exprimaient les besoins anthropologiques, ceux-là mêmes que, tôt ou tard, la pratique s'applique à réaliser...

D'où vient ma distance critique aujourd'hui ? Il semblerait au contraire qu'un premier tour d'horizon, en 1970, m'encourage à maintenir mes thèses de 1950... La lutte contre la mort continue à progresser dans les directions que j'indiquais il y a 20 ans. Depuis lors, l'espérance de vie a progressé partout dans le monde et en France elle s'est accrue d'une dizaine d'années. La mort continue à battre en retraite. En dépit du fait que, dans les pays médicalement les plus avancés, cancers et maladies cardio-vasculaires absorbent encore le plus gros des crédits [1] et de l'attention publique, la recherche a tenté de nouvelles percées sur le front de la mort [2] ou a envisagé de nouvelles techniques pour lutter contre la sénescence [3]. De plus, et surtout, on voit se dessiner aujourd'hui, aux Etats-Unis, les préliminaires d'une mobilisation contre le vieillissement et la mort. Des associations se créent, avec l'intention déclarée d'abolir la mort. L'âge mûr commence à oser protester contre la sénescence, tandis que l'âge jeune [4] commence à se révolter contre l'absurdité de la mort. Le problème a émergé à la conscience politique. Le président Nixon annonce une *White House Conference* sur le vieillissement pour novembre 1971, tandis qu'un *bill, The Research on Aging Act,* a été introduit au Sénat U.S. pour développer une recherche quinquennale s'attaquant aux origines biologiques du vieillissement.

Si la crise générale de l'humanité n'aboutit pas à des régres-

1. 1 % seulement de la recherche médicale aux Etats-Unis était consacré à l'étude du vieillissement en 1969.

2. La réussite spectaculaire de la greffe du cœur est provisoirement annulée par son échec spectaculaire. En fait, la connaissance et le contrôle du système immunologique, dans la cellule comme dans l'organisme, doivent précéder et commander tout progrès décisif quant aux greffes.

3. Par exemple l'éventualité d'abaisser très légèrement la température du corps, sans pour autant altérer les fonctions physiologiques, qui pourrait, selon le docteur Barrows (Centre de gérontologie de Baltimore), apporter deux décennies de vie supplémentaire.

4. Quelle ne fut pas ma surprise au colloque organisé à New York en octobre 1969 par le *Salk Institute* sur les problèmes humains de la biologie, d'entendre un jeune sociologue, Weiglinski, demander la constitution d'urgence d'un *Comité pour l'abolition de la mort,* sans provoquer ricanement ni haussement d'épaules.

sions profondes qui affecteraient le développement même de la science, il apparaît dès aujourd'hui hautement probable, qu'une fois surmontées la pénurie et les grandes maladies, le vieillissement deviendra un des foyers de recherches et de progrès de la civilisation. Déjà le docteur F. M. Sinex, professeur de biochimie à la *Boston University School of Medecine* et président de la Société gérontologique américaine, prévoit que « si nous faisons l'effort national (*national commitment*) d'essayer de comprendre ce qu'est le vieillissement, il est raisonnable d'espérer que la moyenne de vie atteindra cent ans à la fin de ce siècle ».

Ces espérances se situent dans des conditions scientifiques radicalement modifiées depuis 1950, ce qui permet à la fois de comprendre l'optimisme de gérontologues d'aujourd'hui, et les déceptions qu'ont apportées jusqu'à présent les méthodes de rajeunissement. Si sérums de Jouvence, stimulations endocriniennes, extraits embryonnaires, greffes, organes artificiels, techniques de réanimation n'ont provoqué aucune percée décisive, c'est qu'elles ne s'attaquaient pas aux principes mêmes de la mort, c'est-à-dire de la vie, parce que les principes de la vie n'avaient pas encore émergé à la connaissance scientifique. Or, cette émergence constitue précisément la « révolution biologique », qui s'ouvre en 1953 avec l'élucidation de la structure et des propriétés de l'A.D.N. par Watson et Crick.

Nous sommes aux débuts encore de cette révolution. Celle-ci s'opère sur tous les fronts des sciences biologiques, mais son progrès décisif concerne l'organisation, le fonctionnement, la reproduction fondamentaux de la vie, c'est-à-dire la relation A.D.N.-A.R.N.-Protéines, et notamment le gouvernement de l'A.D.N. sur le fonctionnement et la reproduction de la cellule. C'est sur les terrains génétiques, moléculaires, cellulaires que se laisse présager une connaissance théorique aussi fondamentale que la physique théorique, et qui ouvrira des possibilités techniques sans doute plus fabuleuses, émerveillantes et terrifiantes que la maîtrise de l'énergie atomique.

Or, là où se concentre le problème de la vie se concentre aussi le problème du vieillissement et de la mort. Aussi pourrait-on logiquement annoncer que la révolution biologique devra tôt ou tard élucider l'un et l'autre.

Le Sphinx de la Mort.

Ainsi, la découverte du code génétique et les développements que laisse présager la génétique nous permettraient, au cas où le vieillissement, c'est-à-dire la mort, serait *inclus* dans le message héréditaire, de localiser la mort, d'agir sur son processus, et peut-être même de le tarir à sa source.

Aujourd'hui, nombreux sont les chercheurs qui pensent que la longévité d'une espèce est une « variable sous contrôle génétique, de même que sa hauteur, le nombre de ses œufs, la couleur de ses yeux [5] », et que « toute mort (naturelle) est la conséquence d'un programme de développement [6] ». Du coup « si on pouvait établir que l'A.D.N. est le facteur qui gouverne le vieillissement, il nous serait possible, par nutritions et actions chimiques hautement appropriées, de prévenir, réparer ou restaurer le dommage [7] ».

Ceci semble d'autant plus plausible que, si l'on excepte certaines espèces vivantes où la mort semble *programmée* consécutivement à la reproduction (comme les plantes annuelles ou certains insectes), le vieillissement doit être conçu, dans l'hypothèse génétique que nous poursuivons ici, comme une *déprogrammation* au terme d'une programmation, autrement dit une déprogrammation programmée, et non comme un *processus* déterminé. Et ici, nous retrouvons le paradoxe d'une *mort Janus* que je faisais ressortir dans le précédent chapitre : d'une part, le vieillissement est « spécifique », c'est-à-dire génétiquement déterminé, d'autre part, il ne correspond sur le plan des organismes pluricellulaires à aucune nécessité biologique et apparaît, sinon comme une maladie, du moins, selon l'expression de P.B. Medawar, comme un « sous-produit » : « Le vieillissement est... quelque chose de surimposé sur le processus biologique ordinaire d'évolution et de développement... le processus de détérioration n'est ni implicite, ni automatiquement engrené, par le

5. Dr J. Maynard Smith, *Topics in the Biology of Aging*, P.L. Krohn ed., New York, John Wiley and Sons, 1966, p. 27.
6. *Ibid.*, p. 27.
7. A.B. Kenzel. *Salk Institute.*

fonctionnement biologique [8]. » Autrement dit, si le vieillissement, donc la mort, sont prévus ou prédéterminés génétiquement, ils interviennent et se manifestent phénoménalement comme des maladies. Ce qui confirme la thèse que nous pouvons lutter contre le vieillissement tout comme on lutte contre les maladies, en attendant qu'un jour l'homme ou son héritier puisse corriger le message génétique, et, qui sait, effacer la mort.

Le glas de l'amortalité.

Pourtant, la réduction ou la liquidation de la mort spécifique ne nous ouvrirait pas le libre retour à une amortalité cellulaire. Ici, la révolution biologique apporte l'élément nouveau qui, à première vue, dément ce que je croyais être une donnée expérimentalement établie. Nous savons maintenant qu'il existe un *vieillissement cellulaire* [9].

L'élucidation du vieillissement des cellules a commencé à peine, et les discussions du Symposium sur la biologie du vieillissement tenu au Salk Institute en 1965 [10] rendent compte aussi bien de la multiplicité des causes possibles que de l'incertitude actuelle de la recherche. Il semble toutefois que le vieillissement soit la conséquence d'une accumulation de mutations ou de dérèglements au sein des cellules qui finalement opèrent la dégradation de la synthèse des protéines, la dégradation du système immunologique, le déséquilibre qualitatif et quantitatif de leur métabolisme. A l'origine de ces mutations et dérèglements on peut trouver les radiations ionisantes suscitées par le rayonnement cosmique et la radioactivité naturelle, mais *aussi* les inévitables erreurs qu'entraîne le fonctionnement cellulaire. En effet le fonctionnement de toute cellule est une machinerie complexe constituée par des réactions chimiques innombrables, lesquelles sont contrôlées par l'acide désoxyribonucléique ou A.D.N. qui contient l'information propre au fonctionnement de la cellule comme à sa reproduction. Tout le système suppose

8. *Topics in the Biology of Aging*, p. 31.
9. Leonard Hayfleck, Cell Culture and Aging Phenomenon, in *Topics in the Biology of Aging*, p. 97 : « Les cellules animales se montrent incapables d'une prolifération indéfinie *in vitro*. »
10. D'où est issu l'ouvrage *Topics in the Biology of Aging.*

une circulation continue et multiple de l'information, qui est codée, décodée, et recodée de l'A.D.N. aux molécules vie A.R.N., et vice versa. Ces « traductions » s'effectuent à une échelle où intervient l'aléa quantique. D'où l'inéluctabilité statistique d' « erreurs » de traduction, « erreurs » qui, quand il s'agit de reproduction, provoquent des modifications locales du programme ou mutations, et qui, dans le fonctionnement de la cellule, altèrent celui-ci jusqu'à, d'altération en altération, le léser de façon irrémédiable. Chez les organismes multicellulaires « la sénescence et la mort s'expliquent en partie tout au moins, selon Orgel, par l'accumulation d'erreurs accidentelles de traduction qui, altérant notamment certains des composants responsables de la fidélité de la traduction elle-même, accroissent la fréquence de ces erreurs et dégradent peu à peu, inexorablement, la structure de ces organismes [11] ».

Chaque cellule, donc chaque organisme constitué de cellules, est tôt ou tard condamnée à mort par l'accumulation d'erreurs dans le programme des molécules maîtresses. Aussi la mort cellulaire, selon cette conception, serait constituée uniquement par une série d'accidents micro-physiques intervenant au hasard. Mais l'échéance statistiquement mortelle de ces accidents-hasards aurait, elle, un caractère de fatalité inexorable [12].

Ainsi, la cellule demeure certes amortelle dans le sens où elle ne subit aucune usure de nature mécanique et dispose d'un système central de correction, contrôle, régénération qui évite tout vieillissement. Mais c'est ce système lui-même qui, de par sa nature, et de par ses opérations, ne peut éviter des « erreurs » qui tôt ou tard se cumuleront pour le conduire à la dégradation. Le même phénomène se trouve amplifié de façon décisive chez les organismes pluricellulaires.

La mort « quantique » est ainsi extra-biologique, puisqu'elle est tapie dans ce qui est inaccessible, parce qu'indéterminable

11. Jacques Monod, *le Hasard et la Nécessité,* Ed. du Seuil, 1970, p. 126.

12. Cf. B. J. Harrisson and R. Hollidey, « Senescence and the fidelity of protein synthesis in Drosophila », in *Nature,* 213 (1967), p. 990. Cf. aussi Leslie Orgel, *The Maintenance of the Accuracy of Protein and is Relevance to Aging,* Proceedings of the National Academy of Science, 49 (1963), p. 517.

par nature : la réalité micro-physique du monde. Mais en même temps cette mort est tapie au cœur même du phénomène de la vie, dont le fonctionnement est essentiellement induit par des électrons.

Ou plus précisément, ce qui est comme un couloir balayé par les rafales de mitrailleuse de la mort quantique, c'est la communication A.D.N.-protéines, la communication génotype-phénotype, c'est-à-dire ce qui rend vivant le génotype, qui sinon serait simple acide aminé, ce qui maintient la vie du phénotype, qui sinon se dégraderait immanquablement. Autrement dit, là où surgit la mort, c'est dans cette circulation même qui constitue le plus intime de la vie. C'est non pas dans le fonctionnement de la vie, mais dans le fonctionnement de ce fonctionnement que réside son talon d'Achille.

Que reste-t-il alors, de mes perspectives et espoirs concernant l'amortalité humaine ?

L'amortalité relative.

En fait, je ne peux donner une réponse tranchée à cette question, et il me reste à souhaiter l'épuisement de cette édition, mais non le mien, dans une dizaine d'années, pour que la nouvelle biologie théorique puisse éclairer de façon plus nette ce problème. Je me bornerai ici à quelques remarques :

1. S'il y a pour l'homme deux morts, l'une « spécifique » ou « génétique » résultant d'une déprogrammation-programmée, l'autre « quantique » résultant de l'accumulation des mutations ou erreurs, il est probable que notre mortalité résulte en fait de la première, et que la mort « quantique » soit une mort statistique qui régnerait sur un temps beaucoup moins déterminé. Certains gérontologues estiment que, dans cette hypothèse, la seule limite absolue à la vie, qui serait la détérioration génétique sous l'effet de radiations ionisantes, se situerait au-delà de l'âge de 2 000 ans. Peu importe ici le chiffre. L'important est que la lutte contre la mort génétique permettrait une prolongation importante de la vie.

2. La mort statistique est elle aussi une mort pathologique, dans le sens qu'elle est le produit d'accidents-erreurs. Or certains accidents-erreurs qui constituent le vieillissement ne sont-ils pas

d'ores et déjà réparés ou corrigés ? Ne peut-on prévoir des régénérations qui certes n'attaqueraient pas la source des erreurs, mais en corrigeraient les effets dans de nombreux secteurs ? Allons plus loin, ne peut-on envisager que dans un avenir sans doute lointain les erreurs de traduction puissent être corrigées par un système informatique auxiliaire ?

3. L'indétermination micro-physique est-elle une inconnue ou un absolu ? Traduit-elle l'état même de la *physis* ou trahit-elle notre incapacité à saisir une dimension constitutive du monde ? Et dans ce cas cette incapacité est-elle constitutionnelle, définitive, ou peut-elle être tournée ?

4. Enfin, n'oublions pas qu'un être vivant, un seul, mais *le* seul, a réussi à survivre depuis deux milliards d'années, prouvant ainsi qu'il pouvait échapper à toutes détériorations quantiques. Et cet être vivant, le premier, est présent en chacun de nous, en tout être vivant dans le monde. *Il faut dire en retour que cette amortalité en nous de la première cellule est due à son évolution, au changement, à travers la multiplication et la prolifération.* Mais cela nous indique que, dans la myriade des mutations mortelles, il en est d'autres qui au contraire ont sauvé l'être originaire de la mort, et assuré, à travers sa diaspora, ses développements, ses métamorphoses et ses progrès : sa continuité [13]...

Et c'est ici que nous voici au nœud gordien de la vie et de la mort. Car, si je récupère *in extremis* l'amortalité, il est bien évident que cette amortalité payée par mille et mille billiards de morts est liée au devenir métamorphique de la vie. Cela signifie que l'être vivant n'a pu, ne peut résister à la mort qu'en évoluant, et qu'évoluer signifie perdre quelque chose qui constitue une part intime de l'identité et de l'individualité. Et tel est le problème qui se pose à l'homme : l'individualité ne peut échapper à la mort qu'en acceptant la métamorphose, c'est-à-dire en plongeant dans une mort-renaissance.

Ainsi l'humanité devra affronter une mort aux multiples visages, mille morts à un seul visage. En plus de la mort *systématique*

13. Toutes les lignées actuellement vivantes ont persisté depuis le début des temps biologiques parce que des imperfections ont été éliminées... Dans ce sens, tout vieillissement est dû à un échec dans l'élimination des imperfections. P. B. Medawat, *op. cit.*, p. 31.

(résultat de détérioration d'un système extrêmement complexe constitué de trente milliards d'unités-cellules, chacune composée de millions d'unités, où la perturbation accidentelle d'un organe particulier affecte le système total et vice versa) il y a sans doute surdétermination réciproque d'une mort génétique (déprogrammation programmée) et d'une mort quantique ou mutationnelle. De plus la lutte contre le vieillissement mortel du corps ne pourra se dissocier de la lutte contre la dégradation du cerveau (dont les cellules ne se renouvellent pas). Le refoulement de la mort, dans ce sens, ne peut être le simple refoulement de la mort, il doit comporter la sauvegarde des aptitudes, c'est-à-dire permettre *la continuation d'un développement.*

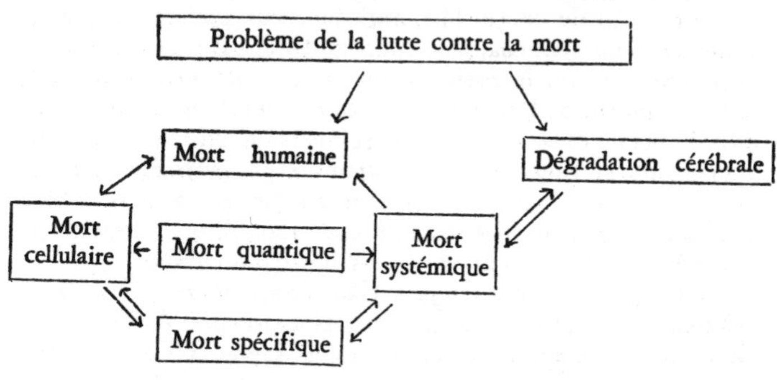

Ainsi la tâche est beaucoup plus extraordinaire, complexe, *vitale,* que je ne pouvais l'imaginer. L'assurance de l'amortalité biologique, pièce angulaire de mon système de salut terrestre, la possibilité de dissocier mort et vie, ne serait-ce que le temps d'une ère cosmique, me semblent de moins en moins concevables. Ce qui reste, c'est l'espoir de réformer la mort, c'est-à-dire de prolonger la vie individuelle. Ce qui reste, c'est l'idée d'une révolution de l'homme. Mais au-delà de ce premier horizon, je vois déjà le second horizon où s'énonce la leçon de la naissance du développement et du futur de la vie : *la seule façon de surmonter la mort est d'intégrer la mort d'une certaine manière* (d'où le rapport individu/espèce, phéno/génotype). La vie, pour lutter contre la mort, a besoin d'intégrer la mort au plus intime d'elle-même. Ceci est vrai pour le passé, et on ne voit pas comment cela pourrait cesser d'être vrai dans l'avenir. De même que dans la logique hégélienne le couple être-néant est indissociable et engendre le devenir, de même le couple mort-vie est indissociable et la seule amortalité possible réside dans le changement — la mutation, la métamorphose.

La révision de l'homme.

Tandis que la nouvelle biologie m'obligeait à considérer la fragilité fondamentale de la vie, je me trouvais, par ailleurs, amené à ressentir la fragilité de la notion d'homme, telle qu'elle se trouvait agitée, comme une amulette, dans mon dernier chapitre.

Certes, j'avais conçu l'homme, non pas seulement comme individu, mais comme triade Individu-Société-Espèce, où les termes sont à la fois interdépendants et en contradiction. Ainsi le développement de l'individu supposait le développement de l'espèce humaine et de la société, mais l'individu, du fait de ce développement, se trouvait amené à rompre partiellement et d'une certaine manière avec le cycle spécifique et la *polis ;* bien entendu, je mettais en relief la grande rupture qu'illustraient le traumatisme de la mort et les mythes d'immortalité.

Toutefois, au cours de mes conclusions, je perdais le sens trinitaire, et l'individu suçait la substance vivante de l'espèce et de la société, réduites à l'état de simples supports. Certes, j'envisageais bien, une fois abolies les contraintes spécifiques de la mort, et avec l'espoir planétaire du communisme universel, la réconciliation générale de l'individu, la société et l'espèce. Mais j'oubliais que l'individu, s'il doit s'inscrire dans un cycle et une totalité où il est à la fois (et contradictoirement) moyen et fin, ne peut être considéré comme une figure supérieure aux deux autres figures de la triade, et ne peut surmonter radicalement la différence, c'est-à-dire la source permanente de contradictions entre lui, l'espèce et la société. Autrement dit, je vois maintenant, qu'entraîné par l'éthylisme intellectuel qui me caractérise parfois, je versais en dépit d'inquiétudes et de gros soupirs (la phrase de Henri Heine « chaque pouce de terrain ») dans le péché d'euphorie.

D'autre part, au sein de cette euphorie, mon anthropologisme se dégrade en vulgate humaniste où l'homme seul et seule valeur, radicalement étranger au cosmos et à la création, est voué à devenir sujet et propriétaire du monde. Aujourd'hui, je suis loin d'abandonner l'anthropologisme, comme on l'a vu dans la nouvelle préface, mais je suis disposé à y inoculer de plus en plus profondément du biologisme, et à l'inscrire dans un cosmologisme. Ce que je rejette, c'est l'humanisme insulaire-propriétaire. Il m'apparaît de plus en plus que l'homme est non seulement le plus avancé des êtres vivants connus, mais aussi le porteur de ce que la vie a de principiel et fondamental. Car l'homme est indéterminé, comme le fut la cellule originaire et comme l'est encore l'amibe, mais il dispose de membres, de cerveaux, d'outils, de langage. Chacun de ses progrès correspond à la création d'un organe, d'un outil, d'un art, d'une aptitude, et en même temps correspond à une régression vers l'indétermination originelle et les structures premières d'où sont issus précisément tous ses progrès fondamentaux. Son langage, progrès révolutionnant, retrouve en fait le secret structurel du code génétique, source première de toute vie... Et ses mythes les plus profonds, ceux de la mort — le double et la mort-renaissance — traduisent en fantasmes et aspirations ce qui caractérise génétiquement la vie : la duplication et le cycle *germen-soma.*

Le soleil de la mort.

Comme la vie, l'homme vit dans le hasard, contient en lui le hasard, est fait pour rencontrer le hasard, le combattre, le domestiquer, le fuir, le féconder, jouer avec lui, en subir le risque, en saisir la chance... Or si l'on conçoit l'intimité profonde entre la vie et l'homme, et si l'on conçoit en même temps l'intimité profonde entre la vie et la mort, alors on conçoit du même coup que pour l'homme la mort est inexpugnable de sa source, de son support, de son horizon. La mort c'est tout d'abord le risque permanent, l'aléa, qui naît à chaque changement du monde et à chaque bond en avant de la vie, et, dans ce sens, comme l'a dit de façon admirable Jonas Salk [14], *la Vie est toujours au bord*

14. J. Salk, *Biology and Human Life,* Salk Institute, San Diego, mai 1969, p. 29.

du désastre. La mort est dans l'univers physico-chimique où la vie est sans cesse menacée de retomber, mais où elle s'est formée, s'est tissée, s'est développée. La mort, elle, est dans l'indétermination micro-physique, mais cette indétermination est en même temps à la source des mutations et des créations, de toute création. La mutation, source de la mort, est indistincte de la source de la vie. *Ce qui n'est pas en ordre,* ce chaos souterrain et permanent, est à la fois ce qui crée et ce qui détruit. On ne peut concevoir... Pourra-t-on un jour concevoir ? De toute façon *la mort s'enfonce, s'enracine dans le mystère qui est à la fois celui de la Matière et de la Vie.* La mort, pour l'homme, est dans le tissu de son monde, de son être, de son esprit, de son passé, de son futur.

Erreur théorique donc que d'avoir, d'une part, trop séparé l'individu de l'espèce et la société, d'autre part, trop séparé la vie de la mort. Fol espoir donc que de songer à divorcer de la mort (et de cela, j'en étais vaguement conscient, puisque après avoir arraché l'homme à la mort spécifique, je l'offrais à la mort cosmique). Mais ceci n'annule pas l'espoir de réformer la mort.

La réforme de la mort.

Cette réforme, c'est la prolongation de la vie humaine pour que l'individu puisse accomplir son nouveau cycle de développement.

Ici intervient un problème de civilisation dont je n'avais auparavant pas pris conscience. Plus la civilisation se développe dans les cadres actuels de la société et de l'individualité, plus l'homme meurt à la fois trop vieux et trop jeune. Trop vieux car, précocement spécialisé et cloisonné, il perd rapidement les qualités génériques. Trop jeune : avec la prolongation de l'enfance et de l'adolescence, avec la nécessité d'opérer soi-même sa propre initiation, avec le nœud douloureux de fantasmes, d'angoisses, de blocages que l'affaiblissement généralisé du Sur-Moi n'arrive plus à refouler dans les enfers souterrains, dans ces conditions qui sont maintenant celles de la modernité, l'auto-développement et l'auto-épanouissement deviennent à la fois possibles, hasardeux, difficiles et surtout terriblement lents... A trente ans, quarante ans, cinquante ans, commencent seulement à se défaire les nœuds les plus élémentaires, les plus enfouis qui nous empêchaient de bien respirer, bien regarder, bien jouir, bien aimer...

(A 48 ans, il y a moins de trois mois, événement stupéfiant en moi-même, dénouement intérieur du cataclysme de mes dix ans, événement que je ne veux pas raconter ici, que je ne saurai m'empêcher de raconter ailleurs et plus tard...)

Ici, on voit bien qu'il s'agit de beaucoup plus qu'un sursis, de la conquête du temps où l'on apprend à vivre, le seul qui puisse atténuer l'horreur de mourir...

(D'un côté, j'ai pu atteindre, enfin, à certains points et pour certains moments, une paix, un bonheur, une amélioration de moi-même, qui m'ont fait un tel bien que je n'ai plus devant la mort l'atroce angoisse d'échec — D'un autre côté je me sens en mouvement, en développement ; j'apprends, je goûte, je jouis, j'aime, je cherche, et il me semble intolérable que je ne continue pas à progresser.)

Le développement de l'être humain, de plus en plus lent, de plus en plus individualisé-collectivisé, de plus en plus incertain, hasardeux parce qu'*auto-initiatique,* a besoin désormais de beaucoup plus que l'espérance de 70 à 80 années de vie.

Entre l'indéfini et l'infini.

Le réformisme d'une prolongation de la vie est en fait inséparable d'une révolution de l'homme. Cette prolongation serait un maillon dans un processus de destructuration-restructuration des catégories adolescence/vieillesse où l'homme chercherait à unir, dès que possible et le plus possible, les secrets de l'adolescence et de la maturité au lieu de chasser les uns et les autres dans le modèle d'adulte techno-bourgeois. Elle serait un maillon dans un processus de destructuration-restructuration individu-société-espèce, qui promet un changement révolutionnaire pour chaque terme de la triade. Les proclamations de la révolution française et de la révolution russe, les mots de démocratie, socialisme, communisme, anarchie en sont les mythes annonciateurs (et trop illuminé ou trop aveugle est celui qui les croit réalisés sur un continent ou sur une île). La révolution en gestation devrait être plus ample, plus profonde, plus radicale que tout ce qui est conçu sous le nom de révolution. Dans la formidable restructuration de la relation individu-société-espèce qui se prépare, il s'agit bien plus que de l'épanouissement de l'individu, d'une bonification de la société, d'une amélioration de l'espèce. Il s'agit à la fois de naissance et de dépassement. Naissance d'une sur-société, qui, depuis la dislocation des clans archaïques, se cherche à tâtons, à travers essais et erreurs, et qui n'a pas encore trouvé sa formule. Dépassement de l'individu et de l'espèce dans un *métanthrope*...

Nous approchons d'une frontière, soit pour nous y briser, soit pour faire demi-tour, soit pour la franchir. Nous serons bientôt comme ce poisson, premier ancêtre des animaux terriens, soudain arraché aux eaux, éructant, étouffant, agonisant, parce que l'oxygène s'engouffre dans ses poumons ! Et nous sommes aujourd'hui comme le poisson qui ne sait pas que ses nageoires seront pattes ou ailes, que ses branchies un jour vont mourir d'eau et se nourrir d'air.

Rien n'est vraiment ouvert, rien n'est vraiment bouché. Une nouvelle aventure est possible.

La nouvelle aventure, ce n'est pas de s'assurer la propriété de la planètre terre, de sa banlieue lune, voire du système solaire et d'un lotissement galaxique, mais, poussés par l'amour et la curiosité, de se vouer à l'itinérance vers les au-delà, dans l'aléa, l'incertitude, la mort.

L'homme est transitoire, mais cela même éclaire ce que Fourier appelait sa nature « pivotale ». Le flux microcosmique et le flux macrocosmique s'engouffrent l'un et l'autre en lui. Il est en effet d'une part irrigué, illuminé, détruit par le chaos quantique perpétuellement naissant, d'autre part il se gorge des photons solaires, et résonne en écho à tout ce qui vibre dans le ciel. Cette double nature, présente et active en lui, c'est précisément la nature de la vie, dont il est l'image, le concentré, le produit. L'homme porte le mystère de la vie, qui porte le mystère du monde. Il est le *bionaute* [15] du « Vaisseau spatial Terre [16] ». Il est le dépositaire et l'acteur *hic et nunc* du destin biotique. Il est l'enfant et le berger des nucléo-protéines, qui le poussent et qu'il conduit, entre l'indéfini et l'infini.

15. Salk. — 16. Buckminster Fuller.

Table

Introduction générale

Les conceptions premières de la mort

Les cristallisations historiques de la mort

La crise contemporaine et la « crise de la mort »

Thanatologie et action contre la mort

IMP. HÉRISSEY — ÉVREUX
D.L. 4e TRIM. 1976. No 4488 (18509)

Collection Points

1. Histoire du surréalisme, *par Maurice Nadeau*
2. Une théorie scientifique de la culture, *par Bronislaw Malinowski*
3. Malraux, Camus, Sartre, Bernanos, *par Emmanuel Mounier*
4. L'Homme unidimensionnel, *par Herbert Marcuse*
5. Écrits I, *par Jacques Lacan*
6. Le Phénomène humain, *par Pierre Teilhard de Chardin*
7. Les Cols blancs, *par C. Wright Mills*
8. Stendhal, Flaubert, *par Jean-Pierre Richard*
9. La Nature dé-naturée, *par Jean Dorst*
10. Mythologies, *par Roland Barthes*
11. Le Nouveau Théâtre américain, *par Frank Jotterand*
12. Morphologie du conte, *par Vladimir Propp*
13. L'Action sociale, *par Guy Rocher*
14. L'Organisation sociale, *par Guy Rocher*
15. Le Changement social, *par Guy Rocher*
16. Les Étapes de la croissance économique, *par W.W. Rostow*
17. Essais de linguistique générale, *par Roman Jakobson*
18. La Philosophie critique de l'histoire, *par Raymond Aron*
19. Essais de sociologie, *par Marcel Mauss*
20. La Part maudite, *par Georges Bataille*
21. Écrits II, *par Jacques Lacan*
22. Éros et Civilisation, *par Herbert Marcuse*
23. Histoire du roman français depuis 1918, *par Claude-Edmonde Magny*
24. L'Écriture et l'Expérience des limites, *par Philippe Sollers*
25. La Charte d'Athènes, *par Le Corbusier*
26. Peau noire, Masques blancs, *par Frantz Fanon*
27. Anthropologie, *par Edward Sapir*
28. Le Phénomène bureaucratique, *par Michel Crozier*
29. Vers une civilisation du loisir, *par Joffre Dumazedier*
30. Pour une bibliothèque scientifique, *par François Russo*
31. Lecture de Brecht, *par Bernard Dort*
32. Ville et Révolution, *par Anatole Kopp*
33. Mise en scène de Phèdre, *par Jean-Louis Barrault*
34. Les Stars, *par Edgar Morin*
35. Le Degré zéro de l'écriture *suivi de* Nouveaux Essais critiques, *par Roland Barthes*
36. Libérer l'avenir, *par Ivan Illich*
37. Structure et Fonction dans la société primitive, *par A.R. Radcliffe-Brown*
38. Les Droits de l'écrivain, *par Alexandre Soljénitsyne*
39. Le Retour du tragique, *par Jean-Marie Domenach*
41. La Concurrence capitaliste, *par Jean Cartell et P.-Y. Cossé*
42. Mise en scène d'Othello, *par Constantin Stanislavski*

43. Le Hasard et la Nécessité, *par Jacques Monod*
44. Le Structuralisme en linguistique, *par Oswald Ducrot*
45. Le Structuralisme : Poétique, *par Tzvetan Todorov*
46. Le Structuralisme en anthropologie, *par Dan Sperber*
47. Le Structuralisme en psychanalyse, *par Moustafa Safouan*
48. Le Structuralisme : Philosophie, *par François Wahl*
49. Le Cas Dominique, *par Françoise Dolto*
50. Comprendre l'économie, *par Eliane Mossé*
51. Trois essais sur le comportement animal et humain, *par Konrad Lorenz*
52. Le Droit à la ville, *suivi de* Espace et Politique, *par Henri Lefebvre*
53. Poèmes, *par Léopold Sédar Senghor*
54. Les Élégies de Duino, les Sonnets à Orphée, *par Rainer Maria Rilke*
55. Pour la sociologie, *par Alain Touraine*
56. Traité du caractère, *par Emmanuel Mounier*
57. L'Enfant, sa « maladie » et les autres, *par Maud Mannoni*
58. Langage et Connaissance, *par Adam Schaff*
59. Une saison au Congo, *par Aimé Césaire*
60. Une tempête, *par Aimé Césaire*
61. Psychanalyser, *par Serge Leclaire*
62. Le Budget de l'État, *par Jean Rivoli*
63. Mort de la famille, *par David Cooper*
64. A quoi sert la Bourse ?, *par Jean-Claude Leconte*
65. La Convivialité, *par Ivan Illich*
66. L'Idéologie structuraliste, *par Henri Lefebvre*
67. La Vérité des prix, *par Hubert Lévy-Lambert*
68. Pour Gramsci, *par Maria-Antonietta Macciocchi*
69. Psychanalyse et Pédiatrie, *par Françoise Dolto*
70. S/Z, *par Roland Barthes*
71. Poésie et Profondeur, *par Jean-Pierre Richard*
72. Le Sauvage et l'Ordinateur, *par Jean-Marie Domenach*
73. Introduction à la littérature fantastique, *par Tzvetan Todorov*
74. Figures I, *par Gérard Genette*
75. Dix grandes notions de la sociologie, *par Jean Cazeneuve*
76. Mary Barnes, un voyage à travers la folie, *par Mary Barnes et Joseph Berke*
77. L'Homme et la Mort, *par Edgar Morin*

Collection Points

SÉRIE HISTOIRE

dirigée par Michel Winock

H1. Histoire d'une démocratie : Athènes des origines à la conquête macédonienne, *par Claude Mossé*
H2. Histoire de la pensée européenne
1. L'éveil intellectuel de l'Europe du IXe au XIIe siècle, *par Philippe Wolff*
H3. Histoire des populations françaises et de leurs attitudes devant la vie depuis le XVIIIe siècle, *par Philippe Ariès*
H4. Venise, portrait historique d'une cité, *par Philippe Braunstein et Robert Delort*
H5. Les Troubadours, *par Henri-Irénée Marrou*
H6. La Révolution industrielle 1780-1880, *par Jean-Pierre Rioux*
H7. Histoire de la pensée européenne
4. Le Siècle des Lumières, *par Norman Hampson*
H8. Histoire de la pensée européenne
3. Des humanistes aux hommes de science, *par R. Mandrou*
H9. Histoire du Japon et des Japonais,
1. Des origines à 1945, par *Edwin O. Reischauer*
H10. Histoire du Japon et des Japonais,
2. De 1945 à 1970, *par Edwin O. Reischauer*
H11. Les Causes de la Première Guerre mondiale, *par Jacques Droz*
H12. Introduction à l'histoire de notre temps. L'Ancien Régime et la Révolution, *par René Rémond*
H13. Introduction à l'histoire de notre temps. Le XIXe siècle, *par René Rémond*
H14. Introduction à l'histoire de notre temps. Le XXe siècle, *par René Rémond*
H15. Photographie et Société, *par Gisèle Freund*
H16. La France de Vichy (1940-1944), *par Robert O. Paxton*
H17. Société et Civilisation russes au XIXe siècle, *par Constantin de Grunwald*
H18. La Tragédie de Cronstadt, *par Paul Avrich*
H19. La Révolution industrielle du Moyen Age, *par Jean Gimpel*
H20. L'Enfant et la Vie familiale sous l'Ancien Régime, *par Philippe Ariès*
H21. De la connaissance historique, *par Henri-Irénée Marrou*
H22. Malraux, une vie dans le siècle, *par Jean Lacouture*

H23. Le Rapport Khrouchtchev et son histoire, *par Branko Lazitch*
H24. Le Mouvement paysan chinois (1840-1949), *par Jean Chesneaux*
H25. Les Misérables dans l'Occident médiéval, *par Jean-Louis Goglin*

Collection Points

SÉRIE HISTOIRE

dirigée par Michel Winock

Nouvelle histoire de la France contemporaine

H101. La Chute de la monarchie (1798-1792), *par Michel Vovelle*
H102. La République jacobine (1792-1794), *par Marc Bouloiseau*
H103. La République bourgeoise de Thermidor à Brumaire (1794-1799), *par Denis Woronoff*
H104. L'Episode napoléonien (1799-1815). Aspects intérieurs, *par Louis Bergeron*
H105. L'Episode napoléonien (1799-1815). Aspects extérieurs, *par J. Lovie et A. Palluel-Guillard*
H106. La France des notables (1815-1848). L'évolution générale, *par André Jardin et André-Jean Tudesq*
H107. La France des notables (1815-1848). La vie de la nation, *par André Jardin et André-Jean Tudesq*
H108. 1848 ou l'Apprentissage de la République (1848-1852), *par Maurice Agulhon*
H109. De la fête impériale au mur des fédérés (1852-1871), *par Alain Plessis*
H110. Les Débuts de la Troisième République (1871-1898), *par Jean-Marie Mayeur*
H111. La République radicale? (1898-1914), *par Madeleine Rebérioux*
H112. La Fin d'un monde (1914-1929), *par Philippe Bernard*
H113. Le Déclin de la Troisième République (1929-1938), *par Henri Dubief*

Collection Points

SÉRIE ACTUELS

A1. Lettres de prison, *par Gabrielle Russier*
A2. J'étais un drogué, *par Guy Champagne*
A3. Les Dossiers noirs de la police française, *par Denis Langlois*
A4. Do It, *par Jerry Rubin*
A5. Les Industriels de la fraude fiscale, *par Jean Cosson*
A6. Entretiens avec Allende, *par Régis Debray*
A7. De la Chine, *par Maria-Antonietta Macciocchi*
A8. Après la drogue, *par Guy Champagne*
A9. Les Grandes Manœuvres de l'opium,
par Catherine Lamour et Michel Lamberti
A10. Les Dossiers noirs de la justice française, *par Denis Langlois*
A11. Le Dossier confidentiel de l'euthanasie,
par Igor Barrère et Étienne Lalou
A12. Discours américains, *par Alexandre Soljénitsyne*
A13. Les Exclus, *par René Lenoir*

Collection Points

SÉRIE ÉCONOMIE

dirigée par Edmond Blanc

E1. L'Or jaune et l'Or noir, *par Jean Carrière*
E2. Les Travailleurs face au capitalisme, *par Culture et Liberté*
E3. La Population mondiale, *par Jean-Marie Poursin*
E4. Keynes, *par Michael Stewart*
E5. Vocabulaire économique,
par Yves Bernard et Jean-Claude Colli

Collection Points

SÉRIE FILMS

dirigée par Jacques Charrière

F1. Octobre, *S.M. Eisenstein*
F2. La Grande Illusion, *Jean Renoir*
F3. Le Procès, *Orson Welles*
F4. Le Journal d'une femme de chambre, *Luis Bunuel*
F5. Deux ou trois choses que je sais d'elle, *Jean-Luc Godard*
F6. Jules et Jim, *François Truffaut*
F7. Le Silence, *Ingmar Bergman*

Collection Points

SÉRIE PRATIQUE

P1. Guide pratique du logement, *Institut national de al consommation*
P2. Guide pratique de l'épargne et des placements, *INC*
P3. Guide pratique de l'automobile et des deux roues, *INC*
P4. Guide des médicaments les plus courants, *par le Dr Henri Pradal*
P5. Donner la vie, *par Jacqueline Dana et Sylvie Marion*
P6. Le temps qu'il fera, *par le Centre nautique des Glénans*

Collection Points

SÉRIE SAGESSES

Sa1. Paroles des anciens, Apophtegmes des Pères du désert, *par Jean-Claude Guy*
Sa2. Pratique de la voie tibétaine, *par Chögyam Trungpa*
Sa3. Célébration hassidique, *par Elie Wiesel*
Sa4. La Foi d'un incroyant, *par Francis Jeanson*
Sa5. Le Bouddhisme tantrique du Tibet, *par John Blofeld*
Sa6. Mémorial des saints, *par Farid-ud-Din 'Attar*

Collection Points

SÉRIE SCIENCES

dirigée par J.-B. Grasset

S1. La Recherche en biologie moléculaire, *ouvrage collectif*
S2. Des astres, de la vie et des hommes, *par Robert Jastrow*
S3. Autocritique de la science, *par Alain Jaubert et Jean-Marc Lévy-Leblond*
S4. L'Électronucléaire en France, *par le syndicat CFDT de l'Énergie atomique*
S5. Une révolution dans les sciences de la terre, *par A. Hallam*